CW00421214

UNDERGROUND

NDERGROUND

ullstein

Das Buch

Als deutscher Auslandskorrespondent in England erlebt man täglich neue Abenteuer. Kein Wunder, gelten die Untertanen Ihrer Majestät doch seit jeher als speziell. In seiner neuesten Britenbetrachtung erklärt uns Wolfgang Koydl auf amüsante Weise die letzten Geheimnisse dieser Nation. So reist er stilsicher in schottischem Kilt zum Kulturfestival nach Edinburg, führt in die wundersame Kunst des Gärtnerns ein – und kümmert sich zwischendurch um Chefredakteur Mäuer, der auf seiner Londoner Stippvisite unbedingt den *Prime Minister* treffen möchte. Eine wunderbare, mit viel trockenem Witz geschriebene Liebeserklärung an Großbritannien, die sich nebenbei auch als idealer Reiseführer eignet.

Der Autor

Wolfgang Koydl, 1952 geboren, ist seit vielen Jahren Auslandskorrespondent der *Süddeutschen Zeitung* mit Stationen in Kairo, Istanbul und Washington. Seit 2005 berichtet er aus London und lebt mit seiner Frau und Tochter im Vorort Kingston upon Thames.

Von Wolfgang Koydl ist in unserem Hause bereits erschienen:

Fish and Fritz – Als Deutscher auf der Insel

WOLFGANG KOYDL

Bitte ein Brit!

NEUE ABENTEUER AUF DER INSEL

Ullstein

Besuchen Sie uns im Internet:
www.ullstein-taschenbuch.de

Dieses Taschenbuch wurde auf FSC-zertifiziertem Papier gedruckt.
FSC (Forest Stewardship Council) ist eine nichtstaatliche, gemeinnützige
Organisation, die sich für eine ökologische und sozialverantwortliche
Nutzung der Wälder unserer Erde einsetzt.

Originalausgabe im Ullstein Taschenbuch
1. Auflage Oktober 2010

Umschlaggestaltung und Gestaltung
des Vor- und Nachsatzes: Sabine Wimmer, Berlin
Titelillustrationen: © Olaf Hajek
Gesetzt aus der Excelsior
Satz: Pinkuin Satz und Datentechnik, Berlin
Papier: Munken Print Cream von Arctic Paper Mochenwangen GmbH
Druck und Bindearbeiten: CPI – Ebner & Spiegel, Ulm
Printed in Germany
ISBN 978-3-548-28176-6

EINS

Drei Xavers gab es auf dem Fallmeraier-Hof. Den großen, den mittleren und den kleinen. So wie es aussah, würde es wahrscheinlich schon bald einen vierten, ganz kleinen geben. Aber darüber redete man nicht gerne, und es war ja auch noch kaum etwas zu sehen bei der Therese. Damit das bis zur Hochzeit so blieb, hatte der – vorläufig noch – jüngste Xaver auf einem besonders bauschigen Brautkleid bestanden. In diesem Teil des Salzkammerguts nimmt man es zwar mit der Moral auch nicht mehr so genau wie früher, aber dass sich die Leute nicht das Maul zerreißen, darauf achtet man schon.

Den großen Xaver erkannte man schon von weitem, was einerseits daran lag, dass er mit knapp 1,90 Metern lichter Höhe der Größte in der ganzen Familie war, und andererseits an seinem Hut, den ignorante Norddeutsche als einen Tirolerhut bezeichnen würden, wo es doch in Wirklichkeit ein Salzburger Hut war. Nie hatte ihn jemand ohne diesen Hut gesehen. Noch nicht einmal im Bett würde er ihn abnehmen, verriet mir einmal die Vroni hinter vorgehaltener Hand und zart errötend. Sie musste es wissen. Schließlich war sie seit fünfzig Jahren mit ihm verheiratet.

Jetzt hatte der Xaver den Hut in den Nacken geschoben, was gut zu dem pfiffigen Gesichtsausdruck passte, mit dem er mich musterte, so als ob er sich darüber amüsiere, dass es Menschen gab, die keine Trachtenhüte trugen und nicht im Salzburgischen lebten. Faustdick habe es der alte Xaver hinter den Ohren, erzählte man sich im Wirtshaus, auf der Post und an der Supermarktkasse. Schließlich sei er es gewesen, der damals dem kinderlosen alten Fallmeraier den Hof abgekauft habe, obwohl er nur als Knecht für ihn gearbeitet hatte. Woher er das Geld genommen hatte, wusste niemand zu sagen, und es ist bis heute Gegenstand zahlreicher Spekulationen an jenen Abenden, an denen kein *Tatort* im Fernsehen kommt.

Der Hof lief anfangs recht gut, aber als später die vollmechanisierte Euro-Konkurrenz hereindrückte, da war es ebenfalls der alte Xaver gewesen, der seinem Sohn den Rat gab, Landwirtschaft und Viehzucht aufzugeben und statt der Kühe die liebevoll Piefkes genannten Besucher aus dem nahen Deutschland zu melken. Seit diesem weisen Entschluss waren auf seinen Wiesen und Feldern Ferienhäuser wohlhabender Münchner, Berliner und Düsseldorfer emporgewachsen. Den Hof selber baute er zu einer Pension für Sommerfrischler um, mit angeschlossenem Wirtshaus, beheiztem »Bauern-Pool«, Tennisplatz und Abenteuerspielplatz. Die einzige landwirtschaftliche Ernte fahren die drei Xaver-Generationen in Brüssel ein, in Form von Subventionen. Denn klugerweise haben sie ein paar Streichelkühe behalten. Eigentlich sind sie für die zahlenden Gäste gedacht; für die Europäische Union aber gelten sie als bezuschussungswürdige Milchwirtschaft, wie mir der Xaver einmal auseinandersetzte, wobei er mit dem Zeigefinger das rechte untere Augenlid tief herabzog.

»Woaßt's eh, wia's is«, meinte er auf jene prägnante Weise, die österreichischen Dialekten mitunter die Präzision und Schönheit eines japanischen Haiku verleiht.

Mit einer ruckartigen Handbewegung schob Xaver seinen Hut auf dem Schädel hin und her.

»So, nach London foahrt's heit wieda zruck«, erkundigte er sich schließlich.

Er sprach es mit mindestens sechs N's aus: Lonnndonnn.

»Na ja, an Näbel hobt's da imma, göll?«

O ja, Nebel in London. Und die Männer laufen mit Pelerinen und steifen Hemdkragen zu Zylinder und Melone herum, während sich Jack the Ripper seine Opfer aus der undurchdringlichen Nebeldecke fischt, die feucht und schwer über den Lagerhallen des East End lastet.

Ich unterdrückte eine erste Regung, höhnisch zu lächeln. Woher sollte Xaver denn wissen, dass London schon seit Jahrzehnten quasi nebelfrei ist. Sein Auslandsbild hat er sich über seine Feriengäste besorgt. Er selbst ist nie über Salzburg hinausgekommen, abgesehen von ein paar abenteuerlustigen Expeditionen über die Grenze nach Berchtesgaden. Ins Altreich, wie er das noch immer nannte.

Geduldig setzte ich ihm nun auseinander, welchen wohltuenden Effekt ein Verbot offener Kamine im London der sechziger Jahre gehabt habe. Seitdem sei die Luft zwar nicht unbedingt gesünder geworden, dafür aber im Großen und Ganzen durchsichtiger. Dankbar nahm ich zur Kenntnis, dass der alte Xaver meinen

Ausführungen geduldig folgte. Zumindest unterbrach er mich nicht. Erst als ich mit den Worten geendet hatte: »Siehst du, und deshalb haben wir keinen Nebel mehr in London«, räusperte er sich.

»Ja, ja, imma der Näbel in London, furchtbar, net woar?«

Seit diesem Gespräch waren mittlerweile mehr als zwölf Stunden vergangen, und wir waren noch immer nicht zu Hause in Kingston angekommen. Kingston liegt bei London, und London war – zusammen mit dem Rest der Insel – schon seit zwei Tagen vom europäischen Festland abgeschnitten. Wegen Nebel.

»Ein Korrespondent sollte auch im Urlaub ab und zu Nachrichten hören, damit er weiß, was daheim los ist«, rügte mich Katja nun schon zum dritten Mal. »Schämst du dich eigentlich nicht, dass ein Salzburger Altbauer besser über dein Land informiert ist als du?«

»Jetzt leben wir schon so viele Jahre in London, und hast du je Nebel erlebt?«, setzte ich mich matt zur Wehr. »Es gibt keinen Nebel in London.«

»Woher willst du das wissen? Hast du nicht Charles Dickens gelesen oder Sherlock Holmes? Und außerdem: Warum sitzen wir jetzt hier fest, zwei Tage vor Weihnachten? Fällt wegen Nebel aus, das Fest.«

Katja ist Russin, und bei ihr daheim hat man literarische Klassiker immer ernst genommen, so ernst, dass man sogar den eigenen Augenschein in Zweifel zog, wenn er nicht mit *Krieg und Frieden* oder den *Brüdern Karamasow* übereinstimmte. Katja gehört noch zu jener Generation, die in der Moskauer U-Bahn immer in die dicken Schmöker von Tolstoi, Dostojewski und Puschkin vertieft war. Vor allem westliche

Ausländer waren davon schwer beeindruckt. Was sie nicht wussten: Auch die Russen hinter dem Eisernen Vorhang hätten lieber Barbara Cartland, Frederick Forsythe oder John Grisham gelesen. Aber diese kapitalistischen Hetzschriftsteller waren nun mal nicht erhältlich.

Inzwischen hatten wir es mit diversen Flügen von Salzburg aus über München und Düsseldorf immerhin bis nach Brüssel geschafft, also quasi schon bis vor die Haustür Britanniens. Die geographische Nähe der belgischen Hauptstadt war ausschlaggebend dafür gewesen, dass ich auf diesen Ausweichflug eingegangen war, den uns die Dame am Airline-Schalter angeboten hatte. Zuvor hatte sie ohne einen Anflug von Bedauern mitgeteilt, dass wegen des Nebels so gut wie alle anderen Flüge gestrichen worden waren oder massive Verspätungen hatten. Dabei verhehlte sie nicht, dass Verspätung nur ein Euphemismus für Cancellation war.

»Brüssel ist gut«, hatte ich gesagt. »Da kann man zur Not mit dem Eurostar weiterfahren. Züge fahren doch bei Nebel?«

Sie hatte nur erstaunt die Augenbrauen hochgezogen und mir wortlos die geänderten Bordkarten über den Tresen geschoben. Wie schön wäre doch der Job, wenn es keine Passagiere, keine Flugpläne und erst recht keine Änderungen derselben gäbe, stand in ihrem Gesicht geschrieben.

Es gibt nicht viele Orte, die mehr Tristesse verströmen als ein Flughafen nachts um elf zwei Tage vor Weihnachten. Das gilt insbesondere für den Flughafen von Brüssel, der selbst an sonnigen Frühlingstagen Depressionsschübe auslösen kann.

Sämtliche Flüge gestrichen, dichter Nebel über

weiten Teilen Europas, die Heimkehr zu Truthahn und Johannisbeergelee im Schoß der Familie rückte in immer weitere Ferne, und selbst der Weihnachtsmann machte an diesem Abend um den Brüsseler Flughafen einen großen Bogen. Vielleicht wurde er anderswo gebraucht. Denkbar auch, dass er tiefsitzende Vorurteile gegenüber Brüssel pflegte, was ihm auch nicht weiter zu verübeln gewesen wäre. Die wenigen Flughafenangestellten jedenfalls, die klappernd Putzeimer hinter sich herziehend durch die Gänge schlurften, erinnerten eher an stolze muslimische Beduinen als an rotbäckige christliche Wohltäter.

Der einsamste Ort in diesen verödeten Hallen schien unser Abflugsteig zu sein. Von der Fluggesellschaft hatte sich bislang niemand blicken lassen. Nur die Flugnummer und der Name Gatwick auf der Anzeigetafel hielten die vage Hoffnung auf eine Heimkehr am Leben. Seit drei Jahren war England unser Zuhause, in guten wie in schlechten Zeiten, und da wollten wir hin.

Ich konnte nicht behaupten, dass eine vorweihnachtliche Atmosphäre von Frieden und Wohlgefallen unter uns dreien geherrscht hätte, sondern eher mühsam unterdrückte Reizbarkeit. Das änderte sich auch nicht, als der Deckel der Schnabeltasse aufsprang, mit denen Kaffeebars heutzutage ihre Kunden behandeln wie alzheimernde Kurgäste, und mir der heiße Kaffee über die Hemdbrust rann.

Betrübt blickte ich an mir hinab.

»Da haben wir es. Ich sehe aus wie ein Schwein.«

»Ja«, murmelte Katja, »und bekleckert hast du dich auch. Und ausgerechnet deinen besten Anzug, in dem du aussiehst wie ein Filmstar.«

So ist meine Frau, dachte ich mir. Wenn ihr schon mal eine bissige Bemerkung herausrutscht, dann macht sie das gleich mit einem reizenden Kompliment wieder gut.

»Meinst du wirklich?«, fragte ich geschmeichelt. »An wen denkst du denn da? An George Clooney? Daniel Craig?«

»An Shrek.«

Dann verfielen wir wieder in Schweigen. Die drei einzigen anderen Passagiere, die mit uns warteten, hatten sich vor einiger Zeit verdrückt. Sehnsüchtig hatte Katja ihnen nachgesehen, denn sie waren zum Rauchen verschwunden. Am liebsten wäre sie mit ihnen gegangen, aber ich konnte sie im letzten Moment davon abhalten. Das trug zwar nicht unbedingt zur Verbesserung ihrer ohnehin schon leicht gereizten Stimmung bei, beruhigte aber meine Nerven.

»Ich möchte nicht, dass du irgendwo in Brüssel auf der Straße stehst und rauchst, wenn unser Flugzeug abhebt«, setzte ich ihr geduldig auseinander.

»Die werden schon nicht ohne mich abfliegen«, schnaubte Katja verächtlich, »und du erst recht nicht.«

Es gehört zu den wissenschaftlich leider noch nicht erforschten Paarungsgewohnheiten der Gattung Homo sapiens, dass es immer Gegensätze sind, die sich anziehen. Nie finden sich zwei Nachteulen oder zwei Frühaufsteher, zwei sportliche Wanderer oder zwei gemütlich veranlagte Angler. Vermutlich hat da die Natur ihre Finger im Spiel, die sicherstellen will, dass sich unterschiedliche Gene mischen.

Katja und mich verbindet zwar auch manches. So können wir beide dem Angeln nicht sehr viel abgewinnen und bevorzugen unseren Fisch möglichst entgrätet und gebraten mit Salzkartoffeln auf einem Teller. Doch abgesehen von diesem und wenigen anderen Beispielen scheinen wir mitunter aus zwei verschiedenen Galaxien zu kommen. Ich, beispielsweise, plane lieber voraus, als mich überraschen zu lassen. Ich weiß, dass ich mich eigentlich dafür schämen müsste, aber ich gestehe es gerne ein: Ich liebe Klarsichthüllen, und am liebsten würde ich sämtliche Probleme des Lebens fein säuberlich getrennt in Klarsichthüllen stecken.

Katja hingegen wartet lieber ab, welche Brocken ihr das Leben so in den Weg legt. Sollten sich diese dann doch als unüberwindlich erweisen, hat sie ja immer noch mich. Sie verlässt sich darauf, dass ich für alle Eventualitäten vorgeplant habe. Klarsichthüllen freilich lehnt sie kategorisch ab. Sie meint, die seien lebensgefährlich, weil man auf ihnen ausrutschen kann, wenn man sie, wie ich es der besseren Übersichtlichkeit halber tue, auf dem Fußboden ausbreitet.

Unsere schwer pubertierende Tochter hatte von unserer Auseinandersetzung nichts mitbekommen. Julia saß mit jenem teilnahmslosen, ja beinahe katatonischen Gesichtsausdruck da, den nur Teenager so vollendet hinkriegen und in dem sich bodenlose Langeweile und himmelschreiender, wenn auch stummer Vorwurf die Waage halten. Letzterer richtet sich an die erwachsene Umwelt, die für Ersteres verantwortlich gemacht wird.

Die Akkus ihres iPod, ihres Gameboys und ihres Handys waren schon lange leer, so dass sie sich von jeglicher Möglichkeit zur sozialen Kommunikation und Ablenkung abgeschnitten sah. Nun ist es nicht so, dass sie zu einem altmodischen Gespräch ganz ohne technische Hilfsmittel nicht in der Lage wäre. Mit Freundinnen gelingt ihr das ganz gut, mit Eltern weniger.

Als ich sie so musterte, fiel mir auf, dass ich sie schon verdammt lange nicht mehr ohne Stöpsel im Ohr gesehen hatte. Ich ertappte mich bei dem Gedanken, dass junge Männer und Frauen in ihrem Alter womöglich über diese dünnen Kabel nicht nur mit musikalischen Hits, sondern auch mit Energie versorgt werden. Wird diese Art der Stromzufuhr gekappt, kommen sie abrupt zum Stillstand wie ein Rennwagen auf der Carrera-Bahn, wenn Vater mal wieder über das Kabel gestolpert ist.

Katja war leider weniger entspannt als Julia, was fraglos eine Folge des Nikotinentzuges war. Während ich noch überlegte, wie ich sie ruhigstellen könnte, tauchte urplötzlich eine Stewardess auf.

Sie eilte so schnell auf uns zu, wie ihre Pumps sie trugen, und blickte immer wieder erschreckt über ihre Schulter, als ob sie sich verfolgt fühlte. Das Namensschild an ihrer Bluse wies sie als Sue aus.

»Sie wollen nach London?«, fragte Sue ein wenig atemlos. »Sind Sie die Einzigen?«

Ich wollte gerade erwidern, dass noch drei andere Passagiere mit uns gewartet hätten, die jeden Moment zurückkehren würden, aber sie schnitt mir das Wort ab.

»Gut so, jetzt schnell, schnell, kommen Sie mit, bevor uns jemand sieht.«

Hurtig rafften wir unsere Taschen und Tüten zusammen und stolperten hinter ihr zum Gate hinunter.

»Wir haben einen Slot, den letzten heute Abend, und wir können keine Minute länger warten«, erklärte sie uns das ungewöhnliche Boarding-Manöver. »Wenn wir jetzt nicht wegkommen, bleiben wir über Nacht in Brüssel, und Sie können mir glauben, das will niemand.«

Sue war Britin, und Belgien nimmt in den Augen vieler Briten einen besonderen Platz in der Liste der verachtenswerten Länder ein. Mit seiner schlampig-kontinentalen Lebensart erinnert Belgien fatal an Frankreich, ohne allerdings über all die wunderbaren Köstlichkeiten zu verfügen, die einen mit der ›Grande Nation‹ mehr als versöhnen: süffig-schweren Chateauneuf du Pape, buttrig-zarte Madeleines und würzig-aromatischen Rohmilchkäse im Aschemantel. In Belgien regnet es genauso oft wie in England, und auch wenn sich die Belgier einbilden, die Pommes erfunden zu haben, reichen diese doch nicht an die handgeschnitzten, ehrlichen britischen Chips heran. Und als Zentrum der Europäischen Union ist Brüssel per se schon suspekt.

Während wir die Gangway hinaufstolperten, warf ich Katja einen triumphierenden Blick zu. Wie hatte doch Gorbatschow einst so richtig beobachtet und scharfsinnig formuliert: Wer zu spät kommt, den bestraft das Leben. Und wer raucht, der kommt zu spät und muss zur Strafe in Brüssel übernachten. Das wäre eigentlich, schoss es mir durch den Kopf, auch ein hübscher Warnhinweis, den man auf Zigarettenpackungen kleben könnte, wenn die Bilder karzinogener Lungen ihre abschreckende Wirkung verloren haben.

An der Tür wurden wir von zwei Stewards begrüßt, die mit großzügiger Geste in den Innenraum der Maschine deuteten.

»Sie können sich aussuchen, wo Sie sitzen wollen«, sagte einer der beiden mit einladendem Lächeln.

Die leeren Sitzreihen erstreckten sich bis ins Heck. Wir blickten erst uns ungläubig an und dann die Flugbegleiter.

»Na dann, willkommen an Bord.«

Der Flug verging, wenn man das so sagen kann, buchstäblich wie im Flug. Wir erfuhren, dass Sue aus Manchester war und ihre Kollegen Pedro und Pablo aus Portugal. Katja vergaß ihre Zigaretten, als man uns Champagner anbot, und Julia hatte sichtlich Mühe, ihre schlechtgelaunte Miene beizubehalten, als sie die Ohrstöpsel fürs Bordkino überreicht bekam. Wir fühlten uns wie in lange zurückliegenden Zeiten, als Fliegen noch ein Vergnügen gewesen war. Ja, man könnte fast sagen, dass es ein perfekter, harmonischer Dreiklang war: drei Passagiere, eine dreiköpfige Cabin Crew und drei Mann im Cockpit. Dass wir zufällig auch drei Koffer eingecheckt hatten, rundete das Ganze zusätzlich ab.

»So sollten wir öfter reisen«, funkelte mich Katja fröhlich an. »Ein Privatflugzeug ist doch um so vieles besser als ein Linienflug mit all den ...« – sie rang offenkundig um einen neutralen Begriff – »... Leuten.«

»Alles geht viel schneller«, seufzte sie. »Sieh doch, hier sind schon unsere beiden Koffer.«

Sie hatte recht. Jemand hatte sie bereits neben das Laufband gestellt, nachdem es zum Stillstand gekommen war.

»Oh my god, das ist ja random«, ließ sich zum ersten Mal seit unserer Abfahrt aus Österreich nun Julia vernehmen. »Und wo ist mein Koffer?«

Random ist englisch und heißt eigentlich willkürlich. Derzeit steht es aber im Dienst der Teenagersprache, wo es alles zwischen cool und ätzend bedeuten kann. Dass ihr Koffer fehlte, fand Julia allerdings weniger cool.

»Zwei von drei ist doch keine schlechte Quote, finden Sie nicht?«, meinte kurz darauf ein angesichts der fortgeschrittenen Nachtstunde viel zu kregler Angestellter beim Schalter für verlorenes Gepäck. »Vor allem in der Vorweihnachtszeit ist das ziemlich gut. Ich hoffe, es waren keine Weihnachtsgeschenke drin.«

»Nein, nur die Ente und der Räucheraal«, stöhnte ich.

Er sah mich fragend an. Sein Name war Gupta, und daher unterstellte ich, dass er mit den Feinheiten der weihnachtlichen Küche, zumal der deutschen und insbesondere der unserer Familie, nicht wirklich vertraut sein konnte. Während sich das Geflügel von selbst erklärt, muss man zum Aal zweierlei wissen: Er ist bei uns das Gericht, ohne das man den Heiligen Abend gleich ganz ausfallen lassen könnte. Und man kann ihn im gesamten Vereinigten Königreich nicht finden. Briten schweißen Aale nur in Aspik ein, was in etwa so eklig aussieht und schmeckt, wie es auf Englisch heißt: »jellied eel«, Aalgelee. Deshalb hatten wir unseren Weihnachtsaal in München gekauft.

»Ein Flugzeug für drei Personen und drei Koffer, und sie verlieren einen«, schüttelte ich den Kopf, als wir auf die Straße traten.

»Gräm dich nicht«, tröstete mich Katja. »Genieß doch lieber diesen phantastischen Sternenhimmel.«

Sie hatte recht. Es war eine kristallklare Nacht und das Firmament funkelte so hell, wie man es selten sieht in London. Von Nebel weit und breit keine Spur.

ZWEI

Wir wohnen im Südwesten von London in einem schmalen, dafür relativ hohen Haus. Zu seinen Vorteilen gehört die Lage gleich neben dem Richmond Park, mit dem wir uns eine Mauer teilen. Das macht uns, nebenbei bemerkt, zu Nachbarn der Königin, der alle Londoner Parks gehören.

Die Lage gleich neben dem Park hat, wie alles im Leben, allerdings auch Nachteile. Dazu gehört unter anderem der abgestorbene Stumpf eines vom Blitz getroffenen Baumes unmittelbar neben unserem Grundstück, der nach Katjas fester Überzeugung jede Minute auf unser Haus stürzen und uns alle erschlagen könnte. Bäume hingegen, die voll in Saft und Kraft stehen, erzürnen Katja mehr im Herbst, wenn sie ihr königliches Laub in unserem Garten abwerfen. Auch als Baum, so scheint es, kann man es meiner Frau nur schwer recht machen.

Eher abträglich für die Lebensqualität ist außerdem die Tatsache, dass die Königin den Park nicht nur für die unmittelbaren Anrainer geöffnet hat, sondern ohne Ansehen der Person für alle Bürger, darunter auch für eine bestimmte Art von Jugendlichen, die man heute allein schon deshalb nicht mehr als halbstark bezeichnen würde, weil sie es lautstark schaffen, in ihren Vierteln und Wohnblocks die Polizei in Schach zu halten. Da aber auch in diesen jungen Menschen der typisch britische Wettbewerbs- und Sportsinn schlummert, haben einige von ihnen mehrmals unser Schlafzimmerfenster als einladendes Ziel für Steinwürfe missbraucht.

Einmal gelang ihnen ein Volltreffer, was uns zu zwei Nächten gleichsam unter freiem Himmel und zur Bekanntschaft mit dem Glaser Gary verhalf, der uns nostalgisch von seiner Zeit als Schafscherer in Westaustralien berichtete. Im australischen Outback, so gab er uns zu verstehen, würde man mit jugendlichen Steinewerfern nicht viel Federlesen machen und sie nicht anders behandeln als widerspenstige Hammel. Leider behielt er für sich, was genau mit den Hammeln geschah.

Katja hörte es gleichwohl gern, denn im Gegensatz zu mir neigt sie grundsätzlich und immer zu radikalen Lösungen. Deshalb musste ich auf ihren Wunsch hin seinerzeit die Queen persönlich wegen ihres morschen Baumes ermahnen – bislang ohne Erfolg, was Katja als puren bösen Willen der Königin auslegt.

Die Vorteile des Parks freilich wiegen die Nachteile deutlich auf. Wir blicken ins Grüne, haben Aussicht auf pure Natur, einschließlich kämpfender Hirsche, schnürender Füchse und schnatternder Papageien. Wie die in den Südwesten von London gelangten, weiß niemand so recht. Am Anfang als Exoten bestaunt, haben sie sich mittlerweile zu einer handfesten Landplage entwickelt und dürfen nun dezimiert werden. Besonders blutrünstig gebärdet sich Katja, seitdem sie bemerkt hat, dass diese Vögel ausgerechnet unsere Terrasse als Toilette benutzen.

»Was fressen die eigentlich?«, fragte sie unlängst, als sie wieder einmal mit dem Hochdruckschlauch den Terrassenfliesen zu Leibe rückte. »Tipp-Ex? Guck doch: Das sieht nicht nur so aus, sondern ist genauso wasserfest.«

Ich meinerseits habe den Park schätzen gelernt, seitdem ich zu joggen begonnen habe. Damit keine Missverständnisse aufkommen: Ich war nie in meinem Leben besonders auf Sport erpicht, und wenn ich auch nie damit angab, dass ich mehr Kilos auf die Waage brachte als die meisten meiner Freunde und Bekannten, nagte irgendwo im Hinterkopf die Frage, ob weniger nicht vielleicht doch mehr wäre. Das Nagen wurde letztlich zur Kapitulation, als ich auf einem diplomatischen Empfang einen BBC-Produzenten kennenlernte, der mich für eine seiner Fernsehsendungen verpflichten wollte. Ich dachte an irgendeine hochkarätige politische Diskussionsrunde und wollte schon zusagen, als er mit taxierendem Blick auf meinen Bauch den Titel seiner Sendung nannte: »Britain's Biggest Loser«. Zu Britanniens größtem Verlierer, so erläuterte er mir, werde derjenige Fattie gekürt, der in kürzester Zeit am meisten Gewicht verliere.

Ich lehnte das freundliche Angebot ab, hielt aber nach einer möglichst kommoden Sportart Ausschau und verfiel aufs Reiten. Zum einen fand ich es sympathisch, dass man diese Tätigkeit im Sitzen ausüben kann, zum anderen hatte ich das verwegen-romantische Bild vor Augen, wie ich eines Tages mit wehendem Haar auf dem Rücken eines rassigen Rappen quer durch den Park preschen würde. Ein Nebeneffekt meiner Reitstunden bestand darin, Julia zur Fortsetzung der ihren zu bewegen. Ich sah es als eine dieser wertvollen Bonding-Übungen, bei denen Väter und Töchter mittels gemeinsam bestandener Abenteuer enger zusammenwachsen. Das erwies sich jedoch als ebenso aussichtslos wie meine Versuche, die mir zugeteilte Stute namens Fern mit gezielten Rippenstößen in Bewegung zu versetzen. Töchter, so musste ich erkennen, sehen es ab einem gewissen Alter lieber, wenn ihre Väter zuverlässig an einem bestimmten Ort stehen oder sitzen, sich jedenfalls so lange still verhalten, wie man nichts von ihnen will. Ein wenig wie ein Geldautomat eben.

Ich sattelte endgültig ab, nachdem man mir im Reitstall durch die Blume zu verstehen gegeben hatte, dass ich der unglückseligen Fern zu einem Bandscheibenvorfall verholfen hatte. Nicht dass man mir das so unverhüllt mitgeteilt hätte. So unverblümt äußern sich Briten im Allgemeinen nur im volltrunkenen Zustand und am Rande von Sportveranstaltungen im Ausland. Aber ein, zwei Anregungen, dass ich doch mal ein populäres Abspeckprogramm im Fernsehen angucken sollte, kombiniert mit einem geschickt eingefädelten Zufallstreffen mit dem Veterinär genügten, um selbst meine Begriffsstutzigkeit zu durchbrechen.

Seitdem sehe ich Fern nur noch manchmal, wenn sie im Park ausgeritten wird. Ich hoffe, dass ich mich täusche, aber ich habe den Eindruck, dass sie bei meinem Anblick den Kopf abwendet, verächtlich durch die Nüstern schnaubt und ihren Reiter ins Unterholz zu dirigieren versucht. Eigentlich schade. Wenn sie mich ansehen würde, könnte sie erkennen, dass ich inzwischen so viel abgenommen habe, dass ich federleicht wie ein Jockey gleichsam über ihrem Sattel schweben würde.

Am meisten aber liebt unser Hund Chico den Park. Er pfeift auf Queen, Stuten und Steinewerfer und betrachtet ihn als sein Privatgelände, einschließlich all der anderen Hunde und ihrer Düfte, auf die er dort Tag für Tag trifft. Zu seiner Rasse lässt sich nur sagen, dass Chico mittelgroß ist und mit seinen blauen Augen vor allem Frauenherzen regelmäßig zum Schmelzen bringt. Da er, seit wir ihn aus einem amerikanischen Tierheim retteten, nie ein Wort über seine Eltern verlor, sind wir auf Spekulationen über seinen Stammbaum angewiesen. Sie reichen vom Spaniel über den Collie bis zum Berner Sennenhund, führen also letzten Endes zu keinem konkreten Ergebnis.

Ich hatte Chico am frühen Morgen von dem Bauernhof in Surrey abgeholt, auf dem er die Tage in Pension gewesen war, die wir auf unserem Bauernhof im Salzkammergut verbracht hatten. Dass wir unsere Ferien nicht gemeinsam auf derselben Farm verleben können, liegt an den Gesundheits- und Impfvorschriften der britischen Behörden angesichts ihrer paranoiden Furcht vor der kontinentalen Tollwut.

Chico entgeht daher der Zauber fremder Destinationen, aber ich bezweifle, dass ihn das stört. Als ich auf dem Hof vorfuhr, kam er mir zwar schwanzwedelnd entgegen, doch nach einer kursorischen Begrüßung, wie man sie eher einer Zufallsbekanntschaft zuteilwerden lässt, hatte er sich wieder zurück in den Pferdestall getrollt, wo er die letzten Tage geschlafen hatte. Nur mit deutlichem Widerwillen hatte er sich ins Auto bequemt.

Katja gegenüber verschwieg ich das Detail mit dem Nachtlager im Reitstall. Die Vorstellung, dass ihr Hund nicht auf seinem flauschigen Schaffell am

Fußende eines Bettes geschlafen hatte, hätte ihr das Herz zerrissen. Chico hingegen nahm diesen Ausflug ins wilde Leben nicht krumm. Im Gegenteil: Der anhaltende Stallgeruch und die vielen Strohhalme in seinem verfilzten Fell verliehen ihm den Nimbus eines echten Kerls. Seine Freunde im Park jedenfalls begegneten ihm an diesem Morgen mit einer Mischung aus Respekt und Neid.

Ich war von Katja mit dem Auftrag losgeschickt worden, nach einem Christbaum Ausschau zu halten.

Wenn wir dieses Fest schon aller Voraussicht nach ohne Ente und Räucheraal verbringen würden – eine telefonische Nachfrage nach dem Schicksal unseres Koffers war mit Versprechungen sehr allgemeiner Natur beantwortet worden –, so wollten wir unsere belegten Sandwiches wenigstens unter einem Baum verzehren. Ein erster Rundgang bei den Christbaumverkäufern in unserer Gegend war ziemlich niederschmetternd verlaufen. Da Briten ihre Bäume schon Ende November kaufen, schmücken und in die gute Stube stellen, waren nun, vierundzwanzig Stunden vor dem Heiligen Abend, nur noch ein paar kümmerliche, weitgehend nadelfreie Exemplare übrig geblieben, für die die Verkäufer trotzdem ohne rot zu werden mehr als hundert Pfund verlangten. Die Gesetze des Marktes versagen nie, schon gar nicht in Großbritannien, das die moderne kapitalistische Marktwirtschaft schließlich erfunden haben will. Mit seinem Vergleich von einer Nation der Krämerseelen hat Napoleon nicht ganz falsch gelegen.

Aber das war nicht die einzige Überraschung, die uns nach unserer Rückkehr erwartet hatte.

»Es hat geregnet, als wir in Österreich waren«, hatte mir Katja zugerufen, als ich die Koffer ins Haus schleppte.

»Interessant«, erwiderte ich, ohne diese meteorologische Information auch nur annähernd interessant zu finden. Katja ist bei uns für die Wettervorhersagen zuständig – von leichter Bewölkung bis zu Tornados. Dass sie sich nun auch mit einer Wetterrückschau befasste, überraschte daher nicht weiter.

»Also nicht nur Nebel, auch Regen. Interessant«, gab ich zurück.

»Ja, und den Beweis habe ich hier. Komm und guck!«

Ich stöhnte auf. Nicht schon wieder. Katja hatte sich im Wohnzimmer aufgebaut und mit vorwurfsvollem Finger auf einen Sessel gedeutet, auf dessen Sitzfläche sich eine Wasserlache befand. Seit unserem Einzug war an dieser Stelle bei jedem stärkeren Regen Wasser durch die Decke gekommen, und seitdem hatten wir einer nicht abreißenden Abfolge von Handwerkern den Auftrag erteilt, das Leck in der Decke zu stopfen. Da es sich bei den meisten Handwerkern um zugewanderte Polen mit fragwürdigen Englischkenntnissen handelte, hatte das zwar unsere Polnischkenntnisse verbessert, aber das Leck war immer noch da. Nun also durfte ich versuchen, zwischen Weihnachten und Neujahr Handwerker aufzutreiben.

Ich selbst wiederum war von einer E-Mail von Mäuer begrüßt worden. Wilfried Mäuer begleitet mich seit Jahren professionell. Zum ersten Mal war er mir vor mehr als zwanzig Jahren in Kairo begegnet, wo ich damals arbeitete. Eines Tages stand er vor der Tür, stellte sich zackig vor und teilte mir mit, dass er für eine deutsche Tageszeitung einen deutschen Minister nach Ägypten begleite und nun dringend einen Text absetzen müsse. Bevor er anschließend die Telexmaschine für sich requirierte, erklärte er mir noch rasch die Feinheiten der ägyptischen Innen- und Gesellschaftspolitik der letzten Jahrzehnte. Dass ich zu diesem Zeitpunkt bereits seit vier Jahren über dieses Land berichtete, er aber am Vortag zum ersten Mal in seinem Leben in Kairo gelandet war, störte ihn nicht besonders.

Später sollte ich feststellen, dass sich Mäuer zeit seines Lebens viel auf seine außerordentlich ausgeprägte Auffassungsgabe und sein gleichsam intuitiv erworbenes Allgemeinwissen zugutehielt. In Kollegenkreisen wird kolportiert, dass er einmal ungeduldig einen Staatssekretär in Sri Lanka korrigierte, der sich ihm vorgestellt hatte. »Ponnombalan, mit o, nicht Ponnambalan«, hatte er den Mann über die korrekte Aussprache seines Namens aufgeklärt.

Jahre später führte uns das Schicksal wieder zusammen, diesmal in seiner Eigenschaft als mein Ressortleiter. Jetzt war er zu allem Überfluss auch noch zum Chefredakteur befördert worden, was seine Selbsteinschätzung noch steigerte. Vor allem weibliche Kollegen mach seitdem einen noch größeren Bogen um ihn als schon zuvor, zumal er allen Ernstes glaubt, die neue Position räume ihm nach feudaler Gutsherrenart das Recht auf die erste Nacht mit jeder Frau in der Redaktion ein.

Zum Glück der weiblichen Belegschaft waren Verlag und Redaktion kurz zuvor aus dem verwinkelten Stammhaus im Zentrum in ein schlicht geradliniges Hochhaus vor den Toren der Stadt umgezogen. Dort gab es zur großen Erleichterung von Sekretärinnen und Redakteurinnen weniger Möglichkeiten, Mäuer in einem toten Winkel zwischen zwei entlegenen Korridoren über den Weg zu laufen. Da er sich meist lautlos auf weichen Gummisohlen anschlich, verließen sich die Kolleginnen erfolgreich auf ihren Geruchssinn. Mäuer ist schon auf relativ große Distanzen an der unverkennbaren Mischung aus Rasierwasser der Marke Old Spice und den Lutschpastillen von Fisherman's Friends zu erkennen. Ersteres trägt er unerträglich dick auf, Letztere bewegt er nonstop in seiner Mundhöhle, was ihn beim Sprechen dazu zwingt, flötend die Lippen zu spitzen.

Seine Rundmail an die Auslandskorrespondenten, die ich in der Inbox vorfand, erinnerte nicht von ungefähr an ein päpstliches Sendschreiben. »Auf der Grundlage der glänzenden Zusammenarbeit in den zurückliegenden Jahren freue ich mich auf eine weitere fruchtbare Kooperation zugunsten unserer Zeitung auch in der vor uns liegenden Zeit«, schrieb Mäuer. »Leider werde ich mich künftig in meiner neuen Funktion nicht mehr ausschließlich um das Ausland kümmern können, das mir stets sehr am Herzen lag, sondern meine Aufmerksamkeit mit dem Inland, der Wirtschaft, dem Sport und allen anderen Ressorts teilen müssen.«

Grammatik und sichere Wortwahl waren noch nie Mäuers Stärke gewesen, weshalb er schon früh eher Verwaltungsaufgaben in der Zeitung gesucht hatte, als Reportagen oder Leitartikel zu verfassen. Und wenn künftig auch die Inlandskollegen, das Berliner Büro, der Sport und sogar das Feuilleton mehr Mäuer abbekommen würden, nun, so sollte mir das nur recht sein. Leser und Redakteure bevorzugen ohnehin *die Innensicht* und sehen nur dann ins Ausland, wenn dort ein Krieg, ein Vulkan oder eine Krise ausbricht. Vielleicht würde Mäuer uns auf der Insel über kurz oder lang überhaupt ganz vergessen.

»Ein Projekt freilich, das mir am Herzen liegt, möchte ich nun als Chefredakteur fruchtbar werden lassen«, fuhr er fort, und mir begann Übles zu schwanen.

»Wie Sie ja wissen, können wir uns eines umfangreichen Netzes von Auslandsbüros rühmen. Es ist nur recht und billig, diesen Vorteil umzumünzen in auflagensteigernde Artikel. Ich plane daher eine Serie von Interviews mit den führenden Politikern all jener Länder, die von unseren Korrespondenten betreut werden: im Weißen Haus, im Kreml, im Élysée-Palast, in der Downing Street usw.«

Bei Downing Street zuckte ich zusammen, schließlich betraf mich das unmittelbar. Ich hatte nicht die groteske Situation vergessen, in die mich Mäuer mit seinem Auftrag gebracht hatte, unbedingt die Queen zu treffen. Nur der persönliche Augenschein, so hatte er verfügt, würde mich in die Lage versetzen, einen würdigen Nachruf zu schreiben, welcher der alten Dame gerecht werden würde.

Eine Verkettung unglückseliger Umstände hatte dann dazu geführt, dass es Mäuer war, der ein längeres Telefongespräch mit der Königin führte. Genau genommen war es mehr ein königlicher Monolog als eine Unterhaltung gewesen, weil sich Mäuers Beitrag auf ein paar gequetschte, unverständliche Silben reduzierte, wie man sie hervorbringt, wenn man sich schwer atmend ein ums andere Mal tief verbeugt.

Für mich war die Situation noch peinlicher, schließlich hatte ich zum Zeitpunkt dieses denkwürdigen Dialoges der Queen gegenübergestanden und ihr in Schreckstarre mein Handy entgegengestreckt, als

Mäuers Anruf kam. Eigentlich war geplant gewesen, dass ich ihr einen Blumenstrauß überreichen sollte und dann vielleicht auf ein paar Worte aus ihrem königlichen Munde hoffen konnte.

Seither habe ich keine Anstalten mehr gemacht, Kontakt zum Buckingham Palace aufzunehmen, obwohl der abgestorbene royale Baum neben unserer Gartenmauer inzwischen eine wirklich lebensbedrohliche Neigung erreicht hatte, die nach resoluten Maßnahmen seitens ihrer Majestät verlangte. Mäuer hingegen hat es seit jenem denkwürdigen Telefonat selten versäumt, auf seinen »besonderen Draht« zu Elizabeth hinzuweisen.

Nun also sollte ich ein Interview mit dem Premierminister führen. Wie schön. Der Mann war zwar ein Vertreter jener Klasse, die – wie man dies in England schmunzelnd formuliert – »mit einem Silberlöffel im Mund« zur Welt kommt, und er hatte die obligaten schulischen und hochschulischen Elite-Einrichtungen besucht. Dennoch galt er als locker und volksnah, vor allem aber als aufgeschlossen gegenüber jeglicher medialen Öffentlichkeit. Leider erstreckte sich diese Aufgeschlossenheit nicht auf ausländische Medien. Denn auch ihm war sonnenklar, dass a) seine Zeit kostbar war und dass b) in Deutschland nur wenige potentielle Wähler lebten.

Einmal hatte ich ihn sogar persönlich getroffen, als er noch nicht Premierminister, sondern Spitzenkandidat seiner Partei gewesen war. Das war auf einem Parteitag in Blackpool gewesen, als ich gerade mit einem Schweizer Kollegen in der Lobby des Tagungshotels stand. Plötzlich schoss aus einem Korridor ein kleiner Knoten ungemein wichtig aussehender Männer in dunklen Anzügen hervor. In ihrer Mitte zogen sie den Kandidaten mit. Mein Kollege und ich stellten uns ihm in den Weg, stellten uns vor und stellten ihm eine Frage. Sein Lächeln erlosch, als er unseren Akzent vernahm, und es erstarb endgültig, als er erfuhr, woher wir kamen. Entgeistert blickte er von einem zum anderen und rang sich dann den einen Satz ab: »Warum soll ich mit Ihnen meine Zeit vergeuden?« Dann hatte ihn das Menschenknäuel schon wieder geschluckt.

Für ein förmliches Interview in der Downing Street sah ich also eher schwarz. Das musste sogar Mäuer einleuchten, denn auch er schränkte ein, dass »mitunter ein bloßer Korrespondent allein es nicht schafft, die Aufmerksamkeit eines Präsidenten oder Premierministers« zu erregen. »Deshalb habe ich mich dafür entschieden, an all diesen Interviews persönlich teilzunehmen. Die Aussicht, dass der Chefredakteur einer großen europäischen Tageszeitung sich die Zeit für eine Begegnung nimmt, dürfte sicherlich das Interesse der Gesprächspartner wecken.«

Es folgten die üblichen Floskeln zu Weihnachten und zum neuen Jahr, und ich wollte die Mail schon seufzend schließen, als ich das Postskriptum entdeckte, das sich an mich persönlich richtete.

»Auf meine Reise nach London freue ich mich ganz besonders«, schrieb Mäuer. »Ich erinnere mich gut an meine Zeit in Cambridge und an die guten Gespräche mit meinen britischen Kommilitonen. Was meinen Sie: Könnten wir nicht versuchen, im Anschluss an das Interview in der Downing Street einen Termin im Palast zu bekommen? Wenn ich mich recht erinnere, ist es gar nicht weit. Man geht nur durch den St.-James-Park, nicht wahr?«

DREI

Diese E-Mail ging mir nicht aus dem Kopf, als ich hinter Chico durch den Park trabte. Jedes Mal, wenn ich sie beiseitezuwischen versuchte, drängte sie sich erneut in den Vordergrund. Ich ärgerte mich über mich selber, denn Mäuers Reise- und Interviewpläne waren nun wirklich nicht mein vordringlichstes Problem. An erster Stelle stand immer noch die Suche nach einem Christbaum, und was ich auf dem Markt nicht bekommen hatte, hoffte ich nun hier zu finden. So begann ich, während des Spaziergangs nach einem geeigneten Exemplar Ausschau zu halten, das klein genug war, um es im Schutze der Dunkelheit über die Mauer in unseren Garten zu wuchten.

Ich war so sehr in Gedanken vertieft, dass ich Chico aus den Augen verloren hatte. Ich hätte mir keine Sorgen machen müssen. Wie üblich war er weit zurückgeblieben und stand nun, für die Welt verloren, neben einem Farn, den er derart hingebungsvoll beschnupperte, dass ihm kleine Tröpfchen aus den Nasenlöchern kullerten.

Es gibt Hunde, die weniger riechen, Hunde, die öfter zum Schnuppern anhalten, und dann gibt es Chico. Seine Welt besteht aus einem psychedelischen Drama an Gerüchen. Ich übertreibe nicht, wenn ich sage, dass es Rasenstücke gibt, an denen er jeden einzelnen

Grashalm einer Geruchsprobe unterzieht. Manchmal trifft irgendein Duft seine Nasenschleimhäute, wenn er schon daran vorbeigelaufen ist. Wie von einem Lasso eingefangen, dreht er sich dann ruckartig um und reißt mich mit, wenn ich am anderen Ende der Leine hänge.

Anfangs vermutete ich ein botanisches Interesse bei ihm und spielte mit dem Gedanken, Chico bei einer britischen TV-Talentshow anzumelden, als eine Art von Wunderhund, der verschiedene Pflanzen am Geruch erkennen kann. Bei *»Wetten, dass ...?«* war schließlich schon einmal ein Border Collie aufgetreten, der über einen derart umfangreichen Wortschatz verfügte, dass er so manchen Leitartikler deutscher Tageszeitungen beschämt hätte. Wenn man ihm sagte, er solle aus dem Nebenzimmer den kleinen roten Ball mit den gelben Punkten und der Aufschrift adidas holen, dann brachte er den kleinen roten Ball mit den gelben Punkten und der Aufschrift adidas. Dass er keine Leitartikel schrieb, lag letztlich nur daran, dass seine Pfoten zu dick für eine Computertastatur waren.

Chico spielt nicht ganz in dieser Liga. Wenn man ihm das Wort »Ball« zuruft, dann legt er den Kopf schief und blickt zunächst recht skeptisch drein. Nach mehrmaliger Wiederholung trollt er sich und bringt ein Gummifrisbee oder einen Pantoffel. Manchmal, wenn er nichts anderes findet, auch einen Ball.

Deshalb verwarf ich den Gedanken an einen TV-Auftritt rasch wieder. Chico, so beobachtete ich, roch ja weniger die Blumen als vielmehr die von anderen Hunden hinterlassenen Nachrichten, die sogenannten Pee-Mails, wie eine amerikanische Freundin die Hundeduftmarken einmal zutreffend getauft hatte. Als beunruhigend empfand ich freilich, dass er sich hauptsächlich für seine eigenen Nachrichten interessierte, die er soeben an einem Baum hinterlassen hatte wie in einem toten Briefkasten. Darin ähnelte er einigen meiner schreibenden Kollegen, von denen bekannt ist, dass sie vorzugsweise ihre eigenen Geschichten lesen.

Nun aber wurde er bei seiner Lektüre von zwei Corgis gestört, die auf ihren kurzen Stummelbeinen herangewackelt kamen. Ich kannte die beiden, einen Rüden und eine Dame. Sie hießen Tiddly und Winks und strahlten trotz ihrer lächerlichen Figur doch etwas Majestätisches aus. Dasselbe galt noch mehr für ihr Frauchen, zumindest was ihren Körper- und Stimmumfang betraf. Felicity Smythe-Stockington hätte die Rolle der legendären Keltenkriegerin Boadicea übernehmen können oder ersatzweise die einer DDR-Schwimmerin: Sie hatte in etwa die Ausmaße einer Telefonzelle, jedoch ohne deren weiche Formen. Ihre Stimme trug so weit wie das Nebelhorn eines Luxusdampfers, nur mit dem Unterschied, dass sich dieses Nebelhorn in einem permanenten Stimmbruch zu befinden schien. Wie die meisten weiblichen Angehörigen der englischen Oberklasse begann auch Felicity Smythe-Stockington jeden Satz knapp oberhalb des dreigestrichenen C, um dann rasch mehrere Oktaven abzusinken.

Diese Stimme drang nun unverkennbar durch das Unterholz.

»Tiddly! Winks! Hierher! Treibt euch nicht mit Fremden herum!«

Wenn Chico sich nicht festgequatscht hätte mit den beiden Corgis, hätte ich mich vielleicht noch verdrücken können. So aber sah sie mich schon von weitem.

»Ah, genau der Mann, den ich brauche«, dröhnte sie.

Vorsichtig blickte ich mich um, in der vagen Hoffnung, dass sie vielleicht jemand anderen gemeint hatte. Denn dass Felicity Smythe-Stockington ausgerechnet mich brauchen konnte, hielt ich für unwahrscheinlich. Wir kannten uns seit langem von Begegnungen mit den Hunden im Park und einer kurzen Episode in jenem Reitstall, wo wir beide Reiten lernen wollten.

Felicity macht keinen Hehl aus ihrer tiefsitzenden Skepsis gegenüber allen Nicht-Briten, wozu sie selbstverständlich auch mich zählt. Allerdings ist sie trotz regelmäßiger Nachfragen nie sicher, woher ich eigentlich komme. Meist einigt sie sich mit sich selbst auf eine polnische Herkunft.

»Ja, hallo, Sie meine ich«, winkte sie mir jetzt von weitem zu. Sie war gekleidet wie immer, egal ob es Sommer war oder Winter. In Deutschland würde man vermutlich Landhausmode dazu sagen, nur dass in Großbritannien Tweed den Loden ersetzt und Gummistiefel die Haferlschuhe. Ihre Stiefel waren jägergrün, mit einer Passe in beigem Schottenkaro am oberen Rand – ganz eindeutig Burberry.

Man musste freilich schon genau hinsehen, um dies zu erkennen. Bei oberflächlicher Musterung wirkte Felicitys Garderobe, als trage eine Obdachlose abgelegte Edel-Labels auf. Aber damit genügte Felicity nur den Anforderungen ihrer Klasse, die nichts so sehr verabscheut wie jede Art von ostentativem Auftreten. Der Anzug muss zwar so viel gekostet haben wie ein gebrauchter 5er BMW; aussehen sollte er allerdings wie das Outfit eines Clochards, der sich ein bisschen gehenlässt.

Schwer atmend war sie nun den Hang heraufgestiefelt und hatte sich vor mir aufgebaut.

»Sie sind doch Ausländer«, stellte sie mit keinen Widerspruch duldender Stimme fest, »und Ausländer besuchen doch meistens, äh, Örtlichkeiten, nicht wahr?«

Die Sitte der Engländer, jeden Satz am Ende in Frage zu stellen, ist gewöhnungsbedürftig. Wohlwollende Beobachter legen diese sprachliche Marotte so aus, dass Briten damit ihrem Gegenüber eine Brücke bauen wollen für den Fall, dass er anderer Meinung ist.

»Nun, ich glaube, dass nicht nur Ausländer, ähm, Örtlichkeiten aufsuchen«, antwortete ich. »Auch von Briten hat man das schon gehört.«

Felicity Smythe-Stockington verdanke ich meine wenigen intimen Kenntnisse der englischen Oberklasse, und dazu gehören erstaunlich detaillierte Verhaltensregeln, welche die persönliche Hygiene und gewisse stille Örtchen betreffen. Von ihr hatte ich erfahren, dass man Angehörige der besseren Stände daran erkennt, dass sie das derbere Wort »loo« dem anrüchig französischen »toilet« vorziehen, und dass es sich für Männer nicht gehörte, sich nach dem kleinen Geschäft die Hände zu waschen. Als »äußerst mittelklassig« hatte sie diese »schlechte Angewohnheit« bezeichnet und sich dabei auf keinen Geringeren als Winston Churchill berufen.

»Er war stolz auf zwei Dinge«, hatte sie mir berichtet. »Dass er nicht in Eton auf die Schule gegangen war, und dass er sich nicht die Hände wusch. Einmal wurde er von einem alten Eton-Schüler ermahnt: In Eton hat man uns beigebracht, dass man sich hinterher die Hände wäscht. Und was hat Churchill ihm geantwortet? In unserer Schule in Harrow hat man uns beigebracht, dass man sich nicht auf die Hände pinkelt.«

Seit dieser Anekdote assoziierte ich Felicity Smythe-Stockington grundsätzlich mit dem Sanitärbereich, und deshalb war ich nicht besonders erstaunt, dass sie schon wieder auf Örtlichkeiten zu sprechen kam.

Aber irgendwie schien ich sie missverstanden zu haben.

»Örtlichkeiten im Sinne von Orten, historischen Orten«, herrschte sie mich an. »Orte, wo Touristen hingehen. Schlösser, Burgen, Herrenhäuser. Vor allem Herrenhäuser.«

Mit Herrenhäusern kenne ich mich aus. Wegen dieser früheren Landsitze des Hochadels hatte ich meine Familie sogar dazu genötigt, eine Mitgliedschaft im National Trust zu erwerben. Der National Trust ist eine britische Institution, die es mit der Monarchie, dem Parlament und der Heilsarmee aufnehmen kann. Sie übernimmt heruntergekommene historische Bauwerke, möbelt sie auf und zeigt sie gegen Eintrittsgeld der Öffentlichkeit. In manchen Fällen bleiben die ursprünglichen Lords und Ladys als Teil des Inventars zurück. Das erweist sich im Allgemeinen als besonders anziehungskräftig, zumal dann, wenn man mit ihnen ein wenig plaudern kann.

Ursprünglich wollte der Trust diese Möglichkeit mit der Abkürzung iv für »interactive visit« in seine Broschüren aufnehmen. Doch als jemand auf die Verwechslungsgefahr mit »intravenös« hinwies, nahm man davon Abstand. Das Durchschnittsalter von Mitgliedern und Betreibern des National Trust liegt deutlich über dem nationalen Mittel, weshalb man Anklänge an Krankheit und Gebrechen zu vermeiden sucht.

»Ich kenne ziemlich viele Herrenhäuser«, versicherte ich Felicity. »Wenn Sie wollen, kann ich Ihnen eine Liste aufschreiben, wo sich ein Besuch lohnt.«

»Poppycock«, unterbrach sie mich unwirsch. »Wenn ich einen Haufen alter Ziegel von innen sehen will, dann lasse ich mich übers Wochenende von einem Freund aufs Land einladen. Ich zahle doch keinen Eintritt für die Besichtigung eines zugigen Speisesaals und einer bröckelnden Freitreppe. Nein, ich möchte wissen, wie viel ein Tourist für einen Besuch bei mir zahlen würde. Euch Kontinentalen sitzt das Geld doch recht locker in der Tasche, nicht wahr?«

Obwohl sie mir mit der üblichen Nachfrage eine verbale Brücke gebaut hatte, weigerte ich mich zunächst, diese zu betreten. Zahlen für einen Besuch bei Felicity Smythe-Stockington? Ich glaubte mich zu erinnern, dass sie in einer der besseren Gegenden von New Malden ein sogenanntes Semi-Detached bewohnte – also das Endstück einer Reihenhauszeile. Der Ausdruck »bessere Gegend« von New Malden war zudem relativ, da New Malden insgesamt nicht zu jenen Stadtteilen zählte, in denen »man« wohnen sollte. Es sei denn, man stammte aus Korea.

»Sie wissen doch, ich habe dieses Anwesen in Richtung Wimbledon«, sagte Felicity ungeduldig, als ihr mein Schweigen zu nachhaltig war. »Richtung Wimbledon« war noch mehr geprahlt als »bessere Gegend«. Es stimmte zwar, dass man nach Wimbledon kam, wenn man rüstig eine Stunde lang von New Malden aus nach Nordwesten marschierte. Aber dazwischen lag der Stadtteil Raynes Park, der noch weniger wimbledonische Züge aufwies als New Malden.

»Wissen Sie, so viele meiner Bekannten haben ihre

Häuser zu Safariparks oder botanischen Gärten umgewandelt und für die Proleten geöffnet, dass ich mir dachte, ein kleines Zubrot kann nicht schaden, gerade in diesen ökonomisch angespannten Zeiten. Was meine Freunde können, kann ich schon lange.«

»Ich bin mir aber nicht sicher, ob Ihre Nachbarn einverstanden wären, wenn Sie Löwen und Nilpferde in Ihrem Garten hielten«, gab ich zu bedenken. »Ganz abgesehen von der Gemeindeverwaltung.«

»Ach, hören Sie mir mit diesen Korinthenkackern auf. Die wollen mich ja noch nicht mal eine Fahne aufziehen lassen. Den Union Jack, wohlgemerkt.«

»Das geht aber wirklich zu weit«, erklärte ich mich mit ihr solidarisch. »Wo wollten Sie den denn hissen?«

»Auf meinem Wehrturm selbstverständlich. Oder wo würden Sie eine Flagge aufziehen?«

»Ich wusste gar nicht, dass Sie einen Wehrturm haben.«

»Den habe ich auch noch nicht. Die Gemeindeverwaltung verweigert mir die Baugenehmigung. Alles Sozialisten, wie Sie sich denken können. Aber ohne Turm kann ich keine Fahne aufziehen, oder?«

Nach und nach stellte sich heraus, dass Felicity ihr Haus tatsächlich für zahlende Gäste zur Besichtigung freigeben wollte – notfalls auch ohne Turm, Wassergraben oder Verlies. Aber würde wirklich jemand ein Einfamilienhaus mit vier Schlafzimmern und drei Bädern in New Malden besichtigen wollen?

»Wir haben immerhin einen Wintergarten, und meine Urgroßeltern hängen in der Diele. In Öl, von einem zu Unrecht vergessenen spätviktorianischen Künstler.« Sie klang selbst nicht sehr überzeugt davon.

»Und dann hat natürlich mein Name eine gewisse Anziehungskraft«, fügte sie ein wenig sicherer hinzu.

»Oh, ich wusste nicht, dass Sie adelig sind.«

»Nein, das nicht. Noch nicht. Der Brief aus dem Buckingham-Palast muss jederzeit kommen, spätestens mit der nächsten Ehrenliste. Aber Smythe-Stockington klingt ja auch nicht schlecht.«

Ich war mir da nicht so sicher, selbst wenn Doppelnamen in Großbritannien im Allgemeinen mehr bedeuten als die Frucht einer Eheschließung, bei der keiner der beiden Partner auf seinen Geburtsnamen verzichten wollte. »Double-barrelled names« heißen sie auf Englisch, was wortwörtlich so viel bedeutet, dass sie mit zwei Gewehrläufen auf das arglose Gegenüber zielen. Und sie markieren keine stinknormale Ehe, sondern die dynastische Verbindung zweier Geschlechter.

Blaues Blut fließt freilich nicht unbedingt in den beiden Namen, vor allem dann nicht, wenn einer davon Smythe lautet. Denn dahinter verbirgt sich ein gewöhnlicher Mister Smith, selbst wenn er darauf besteht, »Smaith« ausgesprochen zu werden. Die Aussprache englischer Familiennamen ist ohnehin ein Minenfeld, neben dem sich die allgemeingültigen Ausspracheregeln ausnehmen wie ein Spaziergang im Park. Die Familie Cholmondeley etwa spricht sich, selbstverständlich, Chumley aus, die schottischen Menzies sind Mingies, und das edle Geschlecht der Marlborough spricht sich Molbrey, was sich eigentlich von selbst versteht, weil man sie sonst mit einer Zigarettensorte verwechseln würde. Manchmal zieht sich der Aussprachegraben mitten durch Familien. Die Brüder Charles und Jonathan Powell etwa waren prominente politische Berater: Der ältere Charles diente Margaret Thatcher, der jüngere Jonathan dem Labour-Mann Tony Blair. Doch während Jonathan sich volksnah Pauell anreden ließ, verstieg sich der ältere zu Pohl.

»Ich will Sie nicht entmutigen«, redete ich begütigend auf Felicity Smythe-Stockington ein. »Aber ein bisschen mehr werden Sie schon bieten müssen, wenn Sie wollen, dass Leute wie ich Eintritt zahlen für die Symthe-Stockington Mansions. An wie viel hatten Sie denn gedacht?«

»Na ja, zwanzig Pfund für Erwachsene sollten es schon sein, damit sich das Ganze überhaupt rechnet. Schließlich lässt man ja immerhin Leute über seine Schwelle, denen man auf der Straße tunlichst aus dem Wege gehen würde. Peregrine hat mir die grässlichsten Dinge erzählt über die Touristen, die auf seinem Gut einfallen«, erregte sie sich.

Wer in England Peregrine heißt, ist wahrscheinlich mit einer Frau namens Penelope verheiratet, hat Kinder, die auf Namen wie Tarquin, Daphne oder Chloe hören, und war als Schüler in Eton und als Student in Oxford oder Cambridge. Man kann getrost davon ausgehen, dass ein Manchester-United-Fan mit einem auf den Bizeps tätowierten englischen Sankt-Georgs-Kreuz nicht Peregrine heißt.

»Und was, bitte schön, stört Peregrine an den Leuten, die immerhin sein Anwesen finanzieren?«

Der unbotmäßige Unterton hatte sich wie von selbst in meine Stimme geschlichen.

»Ach, das Grässliche ist, dass er unterschiedslos allen Klassen die Türen öffnen muss. Und wissen Sie, woran er sie unfehlbar erkennt? Nun?«

Ich hatte zwar die eine oder andere Vorstellung, schüttelte aber den Kopf.

»Am Trinkgeld. Die Unterklasse gibt gar nichts, die Oberklasse lässt natürlich eine Kleinigkeit auf dem Teller liegen. Nur die unsägliche Mittelklasse zerbricht sich ständig den Kopf darüber, ob, wie, wo, wann und gegebenenfalls wie viel sie wem geben soll.«

»Sehr interessant«, murmelte ich, ohne es wirklich zu meinen.

»Richtig, und es wird noch interessanter. Denn er unterteilt die Mittelklasse weiter: Die untere Mittelklasse, noch im Bann ihrer eigenen niederen Herkunft, gibt maulend zu wenig. Die obere Mittelklasse gibt ostentativ zu viel, in der irrigen Annahme, damit der Oberklasse zugerechnet zu werden. Am schlimmsten aber ist die mittlere Mittelklasse: Mit ermüdenden Entschuldigungen trennt sie sich von exakt zwölfeinhalb Prozent des Eintrittspreises. Nur die Amerikaner, die überhaupt nichts von den Feinheiten sozialer Unterschiede verstehen, liegen immer daneben – mit der Höhe des Trinkgeldes ebenso wie mit demjenigen, dem sie es geben.«

»Und woher weiß Ihr Freund Peregrine das alles? Hat er sein Personal interviewt?«

»Für Sie, mein Bester, ist das immer noch Lord Kingsale and Ringrone und nicht Peregrine«, ermahnte mich Felicity streng. »Und nein, er brauchte seine Leute nicht zu befragen. Er chauffiert die Gäste selber im Golfkarren über sein Gelände, und natürlich hält er am Ende die Hand hin. Und selbstverständlich vertrinkt er sein Trinkgeld.«

Mir kam ein Gedanke, wie man Felicity vielleicht doch helfen konnte.

»Ich habe gelesen, dass manche Earls und Lords ihre Anwesen für gewisse Filmaufnahmen – na, Sie wissen schon – zur Verfügung stellen. Oder einfach nur für Sexpartys. Partnerwechsel zwischen Himmelbett und Eichenschrank. Der Geruch von Juchten, Leder und Brokatgardinen. Ganz offensichtlich gibt es viele Leute, die der Gedanke antörnt, wie viele Leute vor ihnen in diesen Gemäuern Sex gehabt haben.«

»Wenn wir von denselben Gemäuern reden, dann dürften das weniger gewesen sein, als diese Leute sich das in ihrer Phantasie ausmalen«, warf Felicity schnippisch ein. Aber ich konnte sehen, dass sie interessiert war.

»Ganz besonders beliebt sind alte Burgverliese, bei der Sado-Maso-Szene, versteht sich. Aber ich glaube nicht, dass Sie drüben in New Malden über ein Verlies verfügen, oder?«

»Ich habe einen Wintergarten«, wiederholte sie kleinlaut.

»Nicht schlecht, aber ich bezweifle, dass jemand 300 Pfund für eine Nacht zwischen Ihren Zimmerpalmen ausgeben wird, es sei denn, er hätte eine Tarzan-Fixierung.«

Felicity Smythe-Stockington schien im Geiste ihren Bekanntenkreis Revue passieren zu lassen. Kaum merklich schüttelte sie den Kopf. Nein, ein Tarzan war offenbar nicht darunter.

»Ich hab's«, rief ich aus. »Spukt es denn wenigstens bei Ihnen? Ich meine: Mindestens einen Geist hat doch jedes anständige englische Haus zu bieten. Muss ja nicht gleich eine Lady in Weiß sein, die schluchzend vor dem Kühlschrank sitzt.«

»Einen Geist?« Felicity schüttelte traurig den Kopf.

»Nicht dass ich wüsste. Ich höre nachts zwar manchmal Geräusche im Haus, aber ich schätze, das ist mein Mann. Aber Sie haben recht. Geister wären gut.

Wussten Sie übrigens«, fügte sie noch hinzu, »dass Geister auch sehr praktisch sein können?«

Ich schüttelte den Kopf.

»Sie sagen das Wetter voraus. Wenn man von Toten träumt, wird es schlecht. Probieren Sie es aus. Es funktioniert.«

VIER

Von Geistern sollte ich ja eigentlich etwas verstehen, immerhin lebe ich selbst mit einem Gespenst unter einem Dach. Das behauptet jedenfalls Katja, die trotz ihrer Kindheit und Jugend im real existierenden Sozialismus mit einem tiefen Glauben an Gespenster groß geworden ist.

Sie sagt, dass bei uns ein sogenannter Domowoi wohnt. Dahinter versteckt sich ein gewöhnlicher Hausgeist, der – je nach Laune – mal Schabernack treibt und mal hilfreich zur Hand geht. Mit anderen Worten: eine Kreuzung aus Rumpelstilzchen und Heinzelmann, nur eben, dass er russisch spricht.

Das könnte der Grund sein, dass weder Julia noch ich ihn je gesehen, geschweige denn gesprochen haben. Er zeigt sich wohl nur russischen Landsleuten. Noch nicht einmal bei meinen nächtlichen Plünderungen des Kühlschranks ist er mir je begegnet.

Nur über Chico stolpere ich, der nachts öfter ruhelos durchs Haus streift, als ob er den Hund von Baskerville nachäffen wollte. Er ist allerdings weniger schrecklich als schreckhaft: Hört er ein lautes Geräusch von der Straße oder donnert es gar bei einem Gewitter, dann steht er schlotternd an meiner Bettkante und weckt mich gnadenlos auf, weil er sich in der Gästetoilette verstecken will. Sein Frauchen belästigt er zu diesen Zeiten nie, was von großer Menschenkenntnis zeugt. Denn Katja würde ihm zu dieser Uhrzeit kein Radio ins Klo stellen – mit Kuschelrock oder Hits der siebziger und achtziger Jahre, Chicos Favoriten.

Meine Nächte verlaufen also oft recht lebhaft, wenn auch nicht immer so, wie ich mir das wünsche. Dennoch wies Katja mein Argument, dass sie vielleicht meine oder Chicos nächtliche Wanderungen mit dem Erscheinen des Hausgeistes verwechseln könnte, entgeistert, wenn diese Wortwahl hier erlaubt ist, zurück. So schlimm, meinte sie, stehe es noch nicht um sie, dass sie ihren Mann nicht mehr von einem Gespenst unterscheiden könne.

Auf alle Fälle war sie begeistert, als ich ihr einmal erzählte, dass die Redaktion eine Reportage über die merkwürdige Häufung von Geistererscheinungen in Großbritannien bestellt hätte und dass ich zu diesem Zweck alle möglichen übersinnlichen Phänomene untersuchen würde.

»Phantastisch«, hatte sie gejubelt. »Wenn du mir schon nicht glaubst, dann vielleicht einem Experten. Es ist immer gut, wenn du etwas dazulernst.«

Katja mag in vielerlei Hinsicht eine einzigartige Frau sein. In manchen Punkten jedoch unterscheidet sie sich nicht von ihren Geschlechtsgenossinnen. Dazu gehört, dass sie ihren Ehemann für ein verbesserungsbedürftiges Rohprodukt hält.

Für sie ist ein Mann das, was man in England als »work in progress« bezeichnet. Diese Redewendung verwendet man vor allem, wenn von Umbauarbeiten am Eigenheim die Rede ist. Es heißt so viel wie: Die

Sache ist in Arbeit, sie macht Schmutz und Ärger und sie wird voraussichtlich nie abgeschlossen sein. Was Ehefrauen nicht daran hindert, sie verbissen fortzusetzen – an Häusern ebenso wie an ihren Gatten.

»Für mich bist du wie ein Rohdiamant«, hatte mir Katja ihre Bemühungen um meine Vervollkommnung einmal auseinandergesetzt. »Eckig, ungeschliffen, unscheinbar und überhaupt nicht strahlend.«

»Besten Dank«, erwiderte ich trocken. »Du bist heute mal wieder ausnehmend charmant.«

»Warte, ich bin noch nicht fertig.«

»Ach, kommt noch mehr?«

»Ich sehe zumindest, welches Potential in diesem Diamanten steckt, wie er an mir funkeln wird, so dass sich die Blicke aller anderen Frauen magnetisch auf ihn richten werden.«

»Und auf dich.«

»Selbstverständlich. Auch auf mich. Weshalb, glaubst du, machen wir Frauen uns diese Mühe mit euch?«

»Du weißt aber, wie man Rohdiamanten bearbeitet«, gab ich zu bedenken. »Durch Schliff.«

»Kluger Junge.«

Jedenfalls verfolgte Katja meine Recherchen über die britische Geisterwelt mit einem Interesse, das erheblich größer war als für die meisten anderen meiner Storys.

In meinem Hinterkopf war schon immer der Gedanke herumgegeistert, dass es auf den Britischen Inseln mehr zu spuken schien als auf dem Kontinent. Alle Grundvoraussetzungen waren gegeben: Wetter und Landschaft hätten nicht besser sein können, und selbst neuere Häuser waren von einer Bauqualität, dass eine mittelschwere Brise sie schon zum Ächzen und Knirschen bringen konnte.

Der Eindruck von Großbritannien als einer Art XXL-Geisterbahn verstärkte sich, als ich begann, englische Freunde und Bekannte nach spukhaften Erlebnissen zu befragen. Es stellte sich heraus, dass fast alle eher an Gespenster glaubten als an ein höheres göttliches Wesen. Die meisten konnten sich darüber hinaus an persönliche Erfahrungen mit einem Geist erinnern.

»Mein Vater kommt regelmäßig nachts zu mir ins Schlafzimmer«, gestand mir die Sprechstundenhilfe beim Zahnarzt. »Er setzt sich auf meine Bettkante und starrt mich unverwandt an.« Was zunächst beängstigend nach einem Fall von Inzest klang, löste sich gottlob recht rasch als unverfänglich auf: Der Vater war seit Jahren tot, und außer mit einem fröstelnd kalten Hauch belästigte er seine Tochter nicht.

Melodramatischer war da schon die Gruselgeschichte, die mir Ian zum Besten gab. Ian hat das unbestimmbare Alter einer Mumie und sieht mit seiner ledrigen Haut, den eingefallenen Wangen und den strohigen Haaren ohnehin schon so aus, als ob man ihn im Tal der Könige ausgegraben hätte. In seinem Fall scheint der Körper freilich nicht nur einbalsamiert, sondern auch geräuchert worden zu sein. Denn aus jeder Pore verströmt er kalten Zigarettenrauch. Der Ursprung des Geruchs bleibt rätselhaft, denn Ian behauptet steif und fest, nicht selbst zu rauchen. In seinem Taxi herrscht striktes Rauchverbot.

Ian fährt mich, wenn ich zum Flughafen muss oder zu einem der Bahnhöfe in der Innenstadt, und wie alle Taxifahrer weltweit redet er gern und viel. Es bedurfte also nur eines ganz leichten Anstoßes, und er sprudelte schier über von Geistergeschichten. Sein gruseligstes Erlebnis hatte er offensichtlich unten an der Uferstraße von Kingston erlebt. Natürlich war es nachts, im November oder Dezember, dunkel also und neblig, als ein Mann sein Taxi stoppte.

»Er hatte einen langen, dunklen Mantel an und den Kragen hochgeschlagen. Seinen Hut hatte er ganz tief heruntergezogen, so dass ich sein Gesicht nicht sah. Ich habe dann hinten im Fond die Tür entriegelt, er ist eingestiegen. Gesagt hat er nichts, nur nach vorn gedeutet, ich soll weiter geradeaus fahren.«

Ich wollte Ian schon bitten, doch zumindest geradeaus zu gucken, denn während seiner Erzählung blickte er immer wieder in den Rückspiegel, um sicher zu sein, dass ich auch zuhörte.

»Dann kam ich an eine Kreuzung und wusste nicht, ob ich links oder rechts abbiegen sollte«, nahm Ian den Faden wieder auf. »›Wohin jetzt?‹, habe ich gefragt. Als ich keine Antwort erhielt, habe ich in den Rückspiegel geschaut – und, was soll ich Ihnen sagen, der Typ war weg. Wie fortgeblasen.«

Ian starrte mich im Rückspiegel an, sichtlich erleichtert, dass ich ihm nicht aus dem fahrenden Auto abhandengekommen war. Ich versuchte, beeindruckt dreinzuschauen, was nicht ganz einfach war, weil ich im Gegensatz zu Ian sah, dass wir auf einen schwankenden Radfahrer zuhielten. Im letzten Moment ließ irgendein Instinkt Ian nach vorne blicken, und der Radler blieb am Leben.

»Der Kerl konnte nicht auf natürliche Weise ausgestiegen sein«, beteuerte Ian und blies die hohlen Wangen auf. »Ich hatte fünfzig Sachen drauf, und die Türen waren verriegelt. Ich bin links rangefahren, geschlottert hab ich wie ein nasses Hemd an der Wäscheleine, und dann hab ich einen Notruf an die Zentrale abgesetzt. Die haben aber nur gelacht. Ach, den Typen mit dem Schlapphut hast du aufgegabelt. Da bist du nicht der Erste.«

So wie Ian seine Story erzählte, klang sie recht glaubwürdig, zumal er beim Leben seiner Mutter schwor, dass sie sich wirklich so zugetragen habe. Ich war beinahe überzeugt davon, dass es zumindest an der Themse in Kingston wohl Dinge zwischen Himmel und Erde gab, die sich nicht erklären ließen, als Ian sich räusperte und abermals den Blickkontakt im Rückspiegel suchte.

»Habe ich Ihnen eigentlich schon erzählt, wie mich ein Ufo verfolgt hat – fast den ganzen Weg von Heathrow bis Surbiton«, fragte er. »Schade, dass meine Mutter das nicht mehr miterleben konnte. Die war bis zu ihrem Tod ein großer Fan von *Star Wars*.«

Abgesehen von den Gespenstergeschichten aus der näheren und weiteren Bekanntschaft war mir bereits kurz nach unserer Ankunft in London aufgefallen, dass es eine eigene Art von Gespensterfernsehen zu geben schien – ein Kanal, der ausschließlich Gespensterbeschwörern, Medien und allen möglichen Spökenkiekern eine Plattform bot.

Fasziniert hatte ich mich Abend für Abend zugeschaltet, wobei mich eher nostalgische Erinnerungen an die Tage des Schwarzweißfernsehens als ein Interesse am Übersinnlichen antrieb. Denn die Filme waren einheitlich schwarzweiß. Was daran lag, dass sie mit Infrarotkameras gedreht wurden, die den Geisterjägern leuchtende Augen verliehen, wenn sie durch die nachtschwarzen Zimmer huschten.

Dieser Spezialeffekt freilich fehlte, als ich mich zum ersten Mal selbst unter die Geisterjäger begab. Ich hatte mich mit Rosie MacMurdie getroffen, einer unscheinbaren Frau ungewissen Alters, die ihr zwischen grau und graubraun changierendes Haar zu einem golfballgroßen Dutt festgezurrt trug.

Rosie war Generalsekretärin des Ghost Club, und vielleicht schlug sie gerade deshalb als Treffpunkt den von jeglichen spirituellen Einflüssen freien Starbucks in Wimbledon vor. Dennoch blickte sie sich ständig scheu um, als ob sie der eiskalte Hauch eines Gespenstes am Nacken gestreift hätte. Es waren aber nur andere Gäste, die bedenklich nahe hinter ihrem Rücken ihre Venti Lattes an einen Tisch jonglierten.

Recht schnell stellte sich heraus, dass es bei den organisierten Geisterjägern in Großbritannien auch nicht anders zugeht als im internationalen Boxsport, bei den Catchern oder den Darts-Spielern: Auch hier gibt es erbittert rivalisierende Organisationen, die jeweils von sich behaupten, exklusiv für die gesamte Geisterwelt zu sprechen. Rosies Verein, so versicherte sie mir, sei schon deshalb der vertrauenswürdigste, weil er bereits vor beinahe hundertfünfzig Jahren gegründet worden war.

»Charles Dickens ist bei uns Mitglied«, verkündete sie stolz.

»Sie meinen wohl, er war Mitglied«, gab ich zu bedenken.

»Nein, Sie haben schon richtig gehört. Bei uns scheidet niemand aus, nur weil er stirbt. Ist ja auch plausibel bei einem Geisterclub, finden Sie nicht? Wir haben mehr Mitglieder als alle anderen Vereine«, fügte sie nach einer kurzen Pause noch hinzu.

Ich konnte mich ihrem Argument nicht verschließen, wandte aber gleichwohl ein, dass es bei Mitgliedern wie Charles Dickens schwierig sein dürfte, die Monatsbeiträge einzutreiben.

»Geld ist nicht alles«, lachte sie nervös. »Und unsere aktiven Mitglieder kommen mit ihren Beiträgen Gott sei Dank für die Karteileichen auf.«

Rosie hatte mich eingeladen, an einer jener regelmäßigen Sitzungen teilzunehmen, bei denen der Club versucht, Kontakt zum Jenseits herzustellen. Und so saß ich zwei Wochen später mit elf Männern und Frauen im holzgetäfelten Raum eines alten Bürgerhauses in York, um an einer veritablen Séance teilzunehmen.

York ist eine der schönsten Städte Englands und wahrscheinlich sogar Europas. Die Geschichte der Stadt reicht so weit in die Vergangenheit zurück, dass ganze Generationen von Geistern die Gelegenheit hatten, sich in ihren Mauern einzunisten. Gegründet wurde York vor rund 2000 Jahren von den Römern, und deshalb wunderte sich auch niemand, als ein Maurerlehrling einmal einem kompletten Trupp römischer Legionäre über den Weg lief. Ein ideales Pflaster für Gespenster also, wie die Stadt und ein paar rührige Touristikunternehmen ganz richtig erkannt hatten.

Selbst einige Ladenbesitzer werben mittlerweile weniger mit ihrem Warenangebot, sondern vielmehr mit den übersinnlichen Erscheinungen, die sich zwischen ihren Regalen und Grabbeltischen zutragen sollen. So schaltet sich in einem Souvenirgeschäft von allein das Radio ein, in einer Modeboutique erschnuppern Personal und Kundschaft unerklärbaren Zigarrenrauch, und vor kurzem wurde der erste verhexte iPod vermeldet: Er spiele keine Musik ab, versicherte seine totenblasse Eignerin, sondern nur geisterhaftes Lachen. Es könnte sich, genau betrachtet, um Julias MP3-Player handeln, wenn ich mir den Musikgeschmack meiner Tochter in Erinnerung rufe.

Pop- und Rockmusik dürfte ohnehin die Zukunft der Geisterwelt sein. Künstler wie Ozzy Osbourne, Rod Stewart und Keith Richards nehmen schon zu Lebzeiten ihre jenseitige Gestalt vorweg. Und hatte Rosie MacMurdie nicht vorhergesagt, dass eines Tages auch Michael Jackson spuken würde? Der bislang unerreichbare Maßstab, so hatte sie erklärt, sei Elvis Presley, hinter dem alle Ghostbuster wie verrückt her seien. »Aber Elvis ist halt meistens echt busy«, hatte sie geseufzt.

Mit Michael Jackson und dem King konnten wir also wohl eher nicht rechnen in dem stickigen Raum, in dem die Séance stattfinden sollte. Kein Ton war zu hören, und es war – kein Wunder, mitten in der Nacht – so finster, dass sich die Augen auch nach mehreren Minuten nicht an die Dunkelheit gewöhnt hatten. Umso geschärfter lauschten meine Ohren. Irgendwo draußen auf der Straße rumpelte ein Lastwagen übers Kopfsteinpflaster, eine Taube flatterte aus dem Schlaf geschreckt in die Höhe.

Ich hätte auch lieber in meinem Bett gelegen. Als notorischer Frühaufsteher fand ich es reichlich taktlos von den Gespenstern, dass sie sich generell nur nachts zeigten.

Die Augen wollten mir schon zufallen, als ich plötzlich von rechts ein verdächtiges Geräusch vernahm. Es klang wie eine Mischung aus Knurren und leichtem Pfeifen, als ob Luft aus einem Ballon entwich, gefolgt von einem wohligen Stöhnen. Der Laut kam aus der

Richtung jener Matrone, die sich als Linda vorgestellt und die Hardcore-Ghostbuster mit ihrer ostentativ zur Schau gestellten Diesseitigkeit genervt hatte. Denn sie hatte lang und breit von dem feurigen Curry geschwärmt, den sie zuvor bei einem Inder in der Altstadt verzehrt hatte. Dass sich der Geist ausgerechnet hinter ihrem Stuhl bemerkbar machen sollte, stieß bei den übrigen Séance-Teilnehmern daher nicht unbedingt auf ungeteilte Begeisterung.

Erwartungsvoll drehte ich den Kopf in die Richtung, aus der das Geräusch gekommen war, und ebenso schnell wandte ich mich wieder ab, als die ersten Partikel einer Gestankwolke meine Nasenschleimhäute trafen. Sie schien sich konzentrisch im ganzen Raum auszubreiten, denn in der Dunkelheit waren nun von allen Seiten unterdrückte Würgegeräusche und leises vorwurfsvolles Zischen zu hören.

Dann kehrte wieder Ruhe ein. Für mein Leben gern hätte ich auf die Uhr gesehen, aber Uhren mit Leuchtziffern waren verboten, weil sie die Geister verschreckt hätten. Ich war der Einzige, der bei dem Gedanken, dass man ein Gespenst erschrecken konnte, gelacht hatte. Aber ich hätte sowieso nicht auf die Uhr schauen können, weil ich noch immer die Hände meiner beiden Tischnachbarn umklammert hielt, wobei die eine noch feuchter, die andere noch kälter geworden war. Mehr und mehr erkannte ich auch, dass mittelalterliches Gestühl nicht für Bequemlichkeit gezimmert worden war. Schmerzhaft bohrten sich die Schnitzereien in der Lehne in meinen Rücken, und wenn ich nach vorn rutschte, schnitt mir die Stuhlkante wie ein Schwert in die Kniekehlen.

Dennoch musste ich irgendwann eingenickt sein,

denn ein lautes Scheppern ließ mich aus dem Schlaf aufschrecken. Es kam aus der Richtung der Tür. Dort saß niemand, und deshalb wurde nun aufgeregt das Licht angeschaltet. Ein großer Zinnkrug war von einem Regal gefallen, und da sich offenkundig niemand in seiner Nähe befand, konnte er sich, so jedenfalls die Schlussfolgerung der Geisterjäger, nur dank übersinnlicher Kräfte bewegt haben.

Mit fliegenden Händen untersuchten Rosie MacMurdie und ihre Mitstreiter die Messgeräte, die sie überall im Raum aufgestellt hatten: Luftgeschwindigkeitsmesser, EMF-Meter zur Messung elektromagnetischer Felder, Bewegungsmelder und ganz schlicht Thermometer. Denn Gespenster, so hatte ich mir vorab erklären lassen, sind von einer eisigen Aura umgeben. So betrachtet, hatte ich wohl den ganzen Abend das kalte Händchen eines Geistes gehalten.

Ich teilte als Einziger die Aufregung nicht, und deshalb bemerkte auch nur ich, wie sich Linda, die stattliche Hausfrau mit dem Curry im Magen, verlegen die Wand entlang Richtung Ausgang schob. Als sie sah, dass ich sie beobachtete, zuckte sie bedauernd die Schultern und gab mir per Zeichensprache zu verstehen, dass sie dringend zur Toilette musste. Unser Geist, so schien es, hatte sich zumindest vor meinen Augen materialisiert. Denn Linda war, kurz bevor die Lichter angingen, versehentlich an dem morschen Holzregal mit dem Zinnkrug entlanggeschrammt.

Die abendliche Séance erwies sich also als ziemlicher Fehlschlag, und dasselbe konnte ich von dem Ausflug sagen, den ich am nächsten Abend mit grob geschätzt dreihundert Mitstreitern unternahm, die Yorks nächtliche Kopfsteingassen auf der Suche nach Geistern durchstreiften. Das Unternehmen nannte sich »Geisterjagd«, aber ich hätte auch bei der »Geister-Tour«, dem »Geister-Spaziergang« oder dem »Geister-Detektiv« buchen können. Es ist noch nicht lange her, da begannen diese Exkursionen als kleine Grüppchen von Interessierten. Heute sind Gespensterstreifzüge durch York ein profitables Geschäft. Jede Nacht wälzen sich Tausende von Touristen durch die Stadt, angeführt von Geisterjägern mit großem Mundwerk und phantasievollen Kostümen. Konkret gesichtet wurde aber noch kein einziger Geist. Wie auch? Welches Gespenst traute sich denn schon hervor, wenn Heerscharen kichernder, lachender und angetrunkener Menschen mit Handy-Kameras ihm auflauerten?

FÜNF

Ich weiß nicht, ob es einem guten Geist geschuldet war oder nur dem Zufall, aber wir überstanden Weihnachten auch dieses Jahr wieder einigermaßen heil. Selbstverständlich ist das nicht. Dass Weihnachten neben Todesfällen, Umzügen oder dem Verlust des Arbeitsplatzes zu den stressigsten Ereignissen im Leben gehört, ist zwar Allgemeinwissen, aber dieses Wissen wird hartnäckig verdrängt. Weihnachten widerlegt sogar Leo Tolstois berühmten Ausspruch, wonach alle glücklichen Familien einander ähneln, aber alle unglücklichen auf verschiedene Weise unglücklich seien. Zum Christfest sind alle Familien gleichermaßen gereizt, kratzbürstig und generell schlecht drauf – egal, wie glücklich oder unglücklich sie den Rest des Jahres über sein mögen.

Unsere Familie spielt alle Jahre wieder aufs Neue mit dem Gedanken, die Bescherung angelsächsisch zu feiern und auf den Morgen des 25. Dezember zu verlegen. Vor allem Julia liebäugelt immer wieder mit dieser Möglichkeit, schließlich ist sie als Kind von Amerika und kitschigen amerikanischen Weihnachtsfilmen geprägt geworden. Und da tobt nun mal die frohe Rasselbande am Christmorgen lautstark die Treppen hinab zur Bescherung, anstatt sich Heiligabend ehrfürchtig um den Baum mit den brennenden Kerzen zu versammeln.

Doch als wir sie vor die Entscheidung stellten, ob sie nun den Heiligabend oder den Weihnachtsmorgen vorziehe, blieb sie unschlüssig. Am Ende verlangte sie, pragmatisch, wie sie nun mal ist, zwei Bescherungen. Das lehnten ihre Eltern, pragmatisch, wie sie nun mal sind, ab.

Katja und ich hingegen dachten uns, dass ein Weihnachten nach britisch-amerikanischer Art doch eigentlich wesentlich stressfreier verlaufen müsste als die herkömmliche deutsche Variante. Schließlich steht man am Weihnachtsmorgen entspannt und ausgeruht nach einer langen und erholsamen Nacht des Tiefschlafes auf. Alle Vorbereitungen wurden am Vortag abgeschlossen, und das bisschen Truthahn brät sich von alleine. Jedenfalls gaukelten dies Supermarktwerbung und Fernsehköche vor.

Doch dann versicherten uns britische Freunde, dass die Realität nicht der Hollywood-Version entspreche. Es stimme zwar, dass die Nacht vor der Bescherung Erinnerungen in ihnen wachrufe. Doch die seien nicht nur positiv. »Erst gehen die Kinder ewig nicht ins Bett, weil sie hoffen, einen Blick auf Santa Claus zu erhaschen, wenn er sich durch den Kamin zwängt«, erzählte unser Nachbar Peter, Vater zweier Jungen im Vorschulalter. »Wenn sie dann endlich schlafen, musst du auf Socken durchs Haus schleichen, damit du sie nicht weckst, und die Strümpfe füllen, die Päckchen unter den Baum legen. Und wenn du dann erschöpft ins Bett gefallen bist und die Augen schließen willst, fällt dir siedend heiß ein, dass du noch mal runter musst und die Kekse anknabbern und von der Milch trinken, die die Kinder für den Santa Claus hingestellt haben. Dass Geschenke herumliegen, genügt nämlich nicht als Beweis dafür, dass der gute Mann da war. Er muss auch genascht haben. Und wenn du dann endlich die Augen zumachst, zappeln die kleinen Monster schon an der Bettkante herum und wollen ihre Geschenke auspacken. Und dann stehen dir auch noch die Schwiegereltern zum Truthahnessen ins Haus. Glaub mir: der blanke Horror.«

Bei uns stand der Heilige Abend schon früh am Morgen unter keinem guten Stern. Es war noch dunkel draußen, als jemand mit dem unbeschwerten Selbstbewusstsein eines Menschen Sturm klingelte, der weiß, dass ihm niemand etwas übelnehmen kann. Frühes Klingeln, ja selbst ein frühes Vogelzwitschern sind Vorgänge, die Katja grundsätzlich persönlich nimmt, vor allem dann, wenn sie noch schläft. Sie gehört einer Denkschule an, die – was das Liegenbleiben am Morgen betrifft – auf Willensstärke schwört. Wenn man es nur stark genug will, so wird sie nicht müde, mir zu versichern, dann überwindet man alle Ablenkungen durch bimmelnde Wecker, nervende Ehegatten und lärmende Kinder, an der Decke zerrende Hunde oder Geklingel an der Türe und bleibt eisern im Bett.

Bei dem Ruhestörer handelte es sich allerdings nicht um einen verfrühten Weihnachtsmann. Der Mann kam vielmehr aus Litauen, trug einen Dreitagebart, eine gefütterte Windjacke – und unseren Koffer. Ein leichter Raureif überzog den Trolley, was nicht an der Außentemperatur lag, sondern an der Tiefkühlung in dem Lagerhaus, in dem die Fluggesellschaft ihn verwahrt hatte. Sehr umsichtig angesichts der Tatsache, dass unser Koffer sensible Lebensmittel enthielt, aber doch ein wenig zu gut gemeint. Denn der Aal war bis zum Abend nur so weit aufgetaut, dass er die halbgefrorene Konsistenz einer guten Cassata besaß. Dasselbe galt für unsere Unterwäsche.

Wie gesagt, für gewisse Familienmitglieder war von Anfang an der Wurm drin in diesem Tag der Freude. Ein weiterer kritischer Punkt war erreicht, als ich unverrichteter Dinge aus dem Park zurückkehrte. Das heißt: Chico kam durchaus verrichteter Dinge zurück, nur ich hatte kein Glück mit dem immer noch ausstehenden Weihnachtsbaum. Ein erneuter Rundgang bei Christbaumhändlern der näheren und mittleren Umgebung hatte mir im günstigsten Fall geheucheltes Mitgefühl, in den meisten Fällen jedoch nur beißenden Spott eingetragen.

»Da hätten Sie früher aufstehen müssen«, höhnte es mir entgegen. »So etwa Mitte November.«

Sogar Deutsche klagen darüber, dass Weihnachten jedes Jahr weiter nach vorne wandert. Aber das ist nichts, verglichen mit den Briten, wo man die ersten Indizien schon im Frühherbst oder Spätsommer beobachten kann. Kaum sind die letzten Kürbiskerne von Halloween weggeräumt, da rieseln schon die ersten Nadeln auf den Teppich. Einen Rekord registrierte ich einmal in einem Hotel in Bournemouth, wo bereits Mitte August eine mit Lametta und goldenen Kugeln geschmückte Kunstfichte in der Lobby stand.

»Wir wollen schon bei den Sommergästen auf unsere Weihnachtspartys hinweisen«, erklärte mir die Dame an der Rezeption. »Sie wissen ja, wie es ist: Man kann gar nicht früh genug buchen. Und wenn sie das im August machen, dann sind sie schon mal eine Sorge los.« Problematisch sei nur, den unjahreszeitlichen Schmuck den kleinen Kindern zu erklären, die mit Sandschaufel, Eimerchen und Badehose auf dem Weg zum Strand am Weihnachtsbaum vorbeimüssten. »Wir erklären ihnen, dass Santa Claus hier ebenfalls Badeurlaub macht«, zwinkerte mir die Rezeptionistin verschwörerisch zu. Die frühe Weihnacht ist natürlich eine schamlose Anbiederung an amerikanische Bräuche, und dies ist umso besorgniserregender, als die heutige Christmas-Tradition der Briten mit den geschmückten Bäumen noch vergleichsweise jung ist. Zuvor hatte es jahrhundertelang auch ein kümmerlicher Mistelzweig im Türstock getan. Erst der deutsche Prinz Albert beglückte sie mit der Weihnachtstanne, die sie dann recht schnell und begeistert umarmten – was nicht wörtlich verstanden werden sollte.

Doch leider kannte er den Adventskranz noch nicht. Als der erfunden wurde, war Albert schon bei seiner Victoria unter die Haube gekommen. Für die deutsche Community im Südwesten Londons hat dies heute die unangenehme Konsequenz, dass sie entweder auf ihrer eigenen Hände Arbeit oder auf den Weihnachtsbasar der Deutschen Schule angewiesen ist. Flinke deutsche Exilhausfrauenfinger beginnen Wochen vorher fleißig Kränze zu flechten und zu dekorieren. Katja mokiert sich zwar jedes Mal aufs Neue über das Design und die zuweilen eigenwillige Farbgestaltung (es soll schon Kränze in Schwarz-Rot-Gold gegeben haben) und behauptet, dass sie es viel besser könnte. Im Konflikt zwischen Kunstverstand und Bequemlichkeit siegt dann allerdings meist Letztere, und wir reihen uns ganz früh schon in die Schlange vor den Tapetentischen ein, auf denen der Adventsschmuck feilgeboten wird.

Aber wahrscheinlich ist es nur eine Frage der Zeit,

bis sich auch diese teutonische Tradition unter Briten durchgesetzt hat. Zu Katjas tiefster Befriedigung haben mittlerweile deutsche Weihnachtsmärkte auch noch die entlegensten Winkel der Insel erobert.

Überraschen konnte das eigentlich niemanden: Die Kombination aus fetten oder zuckrigen Snacks und alkoholischen Getränken, die man bei schlechtem Wetter unter freiem Himmel genießt, hat auf Briten schon immer eine unwiderstehliche Anziehungskraft ausgeübt.

Wer einmal gesehen hat, wie Engländer am Strand Campingmobiliar auspacken und beherzt Sandwiches und Plastikbecher umklammern, die ihnen ein Orkan aus der Hand zu reißen versucht, der versteht, welches Gefühl wohliger Behaglichkeit ihnen ein Becher Glühwein und ein Tütchen klebriger gebrannter Mandeln vermitteln, die im Nieselregen und mit dünnen Halbschuhen in einer Pfütze stehend verzehrt werden.

Seitdem es sogar bei uns in Kingston einen Weihnachtsmarkt gibt, können wir uns gottlob unsere vorweihnachtlichen Spritztouren nach Deutschland schenken, auf denen Katja immer bestanden hatte. Wir hatten die Nachtfähre von Dover nach Calais genommen und waren am Vormittag in Aachen eingetroffen. Nicht, weil uns irgendetwas an Aachen gebunden hätte. Es war nur die unserer Insel am nächsten gelegene deutsche Stadt mit einem Weihnachtsmarkt. Die Bekehrung der Briten zu einer besinnlichen deutschen Weihnacht darf nicht unterschätzt werden. Denn wenn sie sich selbst überlassen bleiben, verwechseln sie Weihnachten gerne mit einer Abart altrömischer Bacchanalien – schlüpfrigen, sexuell angehauchten, alkoholisierten Orgien, die mehr mit heidnischen

Mittwinterfeiern zu tun haben als mit dem lieben Jesuskind.

Das beginnt, anscheinend harmlos, mit dem druidischen Brauch vom Mistelzweig, unter dem man von jedem beliebigen Menschen einen Kuss stehlen kann. Es geht weiter mit sogenannten Weihnachtspartys, die von ganzen Bürogemeinschaften schon ab dem Spätsommer je nach Gemütslage entweder herbeigesehnt oder voll dunkler Vorahnungen gefürchtet werden. Die vermeintlich so zurückhaltenden, prüden Engländer setzen sich dann Papierhüte auf, blasen Luftschlangen und konsumieren erstaunliche Mengen alkoholischer Getränke. Derart enthemmt, vergreifen sie sich an Kolleginnen und Kollegen, die sich in Reichweite befinden. Vor allem jüngeren Mitarbeitern werden Ratschläge mitgegeben, nicht den nackten Hintern zu fotokopieren oder es mit der Frau des Chefs im Besenschrank zu treiben. In letzterem Fall ist nicht immer klar, ob sich die Empfehlung auf die Frau des Chefs bezieht oder nur auf den Ort, sprich: den Besenschrank. Diese Unklarheit führt denn auch jedes Jahr zu bedauerlichen Missverständnissen, die im Januar häufig in Kündigungen münden.

Wenig weihnachtlich war der Geruch, der mir entgegenschlug, als ich tannenlos und zutiefst geknickt vom Parkspaziergang zurückkam und das Haus betrat. Ein widerlich süßliches Aroma raubte mir fast den Atem, und ich befürchtete schon, dass die in Deutschland erstandene Ente aus irgendeinem Grund dem Kühlprozess im Lagerhaus der Fluggesellschaft entgangen war.

»Um Himmels willen, was stinkt denn hier so bestialisch!«, rief ich.

»Eine Kerze, mein Schatz«, erwiderte Katja spitz. »Eine Kerze, die ich mir zu kaufen erlaubt habe. Sie soll beruhigend wirken.« Nach einem kurzen Blick auf mich und Chico fügte sie pointiert hinzu: »Jedenfalls bei Menschen soll sie wirken, steht auf der Packung.«

Katja hatte allerdings nicht nur eine Kerze gefunden.

»Wirf doch mal einen Blick in die Garage. Während du nutzlos durch den Park gestreift bist, habe ich Entscheidungen getroffen und Anschaffungen gemacht.«

Ein Erfolgsgeheimnis unserer Ehe besteht darin, dass wir Entscheidungen gemeinsam treffen. Konkret sieht das so aus, dass Katja es nie versäumt, mich nach meiner Meinung zu fragen. Um Zeit zu sparen, tut sie das meist, nachdem sie schon gehandelt hat. Auf diese Weise ersparen wir uns quälend lange Debatten.

In der Garage fiel mir zunächst nichts Besonderes auf. Ich hatte insgeheim einen Baum erwartet, und der wäre eigentlich nicht zu übersehen gewesen. Stattdessen bot sich mir das übliche Sammelsurium an Kisten, Kartons und dem Sortiment diverser Mülltonnen Unsere Garage ist insofern der vermutlich britischste Teil unseres Hauses, da auch wir sie nicht zur Unterbringung eines Autos nutzen, sondern als Abstellraum. Genau genommen ist Abstellraum nicht der richtige Ausdruck; Garagen entsprechen eher jenen Gedächtnislöchern, die George Orwell in seinem Roman 1984 erfunden hat und in denen jene Zeitungsartikel und Bücher auf Nimmerwiedersehen verschwinden, die bei der Umarbeitung der Geschichte vergessen werden sollen. Nichts, was einmal in einer britischen Garage abgelegt wurde, erblickt jemals wieder das Licht des Tages, weder die Klappstühle mit den Flaggen Indiens und Pakistans fürs Cricket-Match noch der alte Drucker, den man eigentlich bei eBay verhökern wollte, oder das Snowboard, das die Tochter unbedingt haben musste.

»Na, siehst du nichts?«, fragte mich Katja ungeduldig und deutete auf einen großen Karton, der sich zuvor nicht dort befunden hatte und den das Bild eines Nadelbaumes zierte.

Obwohl ich es versuchte, konnte ich das Stöhnen nicht unterdrücken, das sich am Grunde meiner Seele zusammenbraute und nun an die Oberfläche stieg wie eine Giftblase vom Meeresgrund.

»Du hast einen Kunstbaum gekauft«, war alles, was ich herausbrachte.

Bei dieser Gelegenheit sollte ich vielleicht einschieben, dass wir in meiner Familie nie ewige Werte hochgehalten haben, weder religiöser noch ideologischer Natur. Wir sind stets dem Motto »Leben und leben lassen« gefolgt und haben uns viel auf unseren Pragmatismus zugutegehalten. Andere würden dies als Opportunismus bezeichnen, aber wer sagt, dass man beide Begriffe nicht als Synonyme verwenden kann. Diese Haltung hat Julia übrigens nun bereits in dritter Generation verinnerlicht. Als sie eines Tages aus der Schule nach Hause kam und mitteilte, dass sie einen Aufsatz über die sittlichen und moralischen Werte der Familie schreiben sollte, und in mein ratloses Gesicht blickte, fügte sie rasch hinzu: »Es muss nicht die eigene Familie sein.«

Nur ein einziges Prinzip wurde in unserer prinzipienlosen Familie stets hochgehalten: Immer stand zu Weihnachten ein echter Baum im Wohnzimmer. Das war ein Brauch, dem ich immer treu geblieben bin, auch wenn es mitunter schwierig war. Als ich beispielsweise in Ägypten lebte, einem Land ohne Weihnachts- und Nadelbaumtradition, musste ich auf eine Art von Buchsbaum ausweichen, wie man ihn gemeinhin auf Friedhöfen vorfindet. Aber verkleidet mit Lametta und Kugeln ging er zur Not als Christbaum durch. Sogar in all den Jahren, die wir in Amerika lebten, hatte ich Katjas Vorstöße, einen Kunststoffbaum anzuschaffen, tapfer abgewehrt. Und ich blieb standhaft. »So etwas kommt mir nicht ins Haus«, erklärte ich auch diesmal dezidiert und deutete angewidert auf die Pappschachtel.

Katja antwortete nicht, sondern griff wortlos in die Werkzeugkiste und holte einen scharfen Fuchsschwanz heraus.

»Ganz ruhig, Katja, keine Panik«, besänftigte ich sie. »Tu jetzt nichts Unüberlegtes. Vielleicht ist der Baum ja gar nicht so schlecht …«

»Wenn du Natur willst, dann hol dir Natur«, zischte sie mich an. »Völlig egal, woher. Aus dem Park, aus dem Wald, raube einen von einem Nachbarn. Hier ist die Säge, du hast noch ein paar Stunden, bevor es dunkel wird. Wenn du keinen anderen Baum findest, schrauben wir den hier zusammen. Bei unserem handwerklichen Geschick wird er genauso krumm ausfallen wie die Naturexemplare, die wir ansonsten immer nach Hause schleppen.«

Bevor ich antworten konnte, klingelte es, und Katja öffnete die Tür. Draußen stand Mister Win, unser Briefträger. Er hatte nicht damit gerechnet, so kurz vor den Feiertagen in die Szenerie eines Kettensägenmassakers zu stolpern, und prallte beim Anblick meiner Frau erschreckt zurück.

»Ich wollte nicht stören«, stammelte er sichtlich verwirrt. »Merry Christmas und ein gutes neues Jahr.«

Obwohl Katja mitsamt der Säge in der Küche verschwunden war, zitterte er noch immer, als er mir einen Stapel Briefe aushändigte, der angesichts der Jahreszeit enttäuschend *dünn* war.

Hört man denn nicht überall, dass die Vorweihnachtszeit die härteste Zeit für die Post und ihre Briefträger sei? Nirgendwo erwartet man Weihnachtskarten so sehnlich wie in Großbritannien. Denn hier ist die Anzahl der empfangenen Festtagsgrüße ein ähnliches Statussymbol wie der Jaguar vor der Garageneinfahrt oder die Wochenendeinladung zu betuchten oder adeligen Freunden »in the country«.

Die Wochen vor Weihnachten sind daher auch die einzige Zeit des Jahres, in der Briten ihre Haustüren bereitwillig öffnen. Nachbarn, zu denen ich bestenfalls ein Winkverhältnis mit marginalem Blickkontakt hergestellt hatte, erfanden jetzt plötzlich durchsichtige Vorwände, um mich in ihre gute Stube zu locken.

Ich hatte Hermann auf dieses untypische Verhalten angesprochen. Hermann ist der am längsten dienende deutsche Korrespondent in London. Niemand weiß genau, wann er zum ersten Mal den Fuß auf die Insel gesetzt hat. Ich schätze mal, dass er – als Deutscher – im Gefolge von Prinz Albert nach England gekommen war, als dieser die junge Königin Victoria heiratete. Für diese These sprach unter anderem, dass er sich daran zu erinnern schien, wie schockiert das Establishment damals wegen des Namens der künftigen Königin war. »Victoria war kein Name für eine Königin, musst du wissen«, hatte er mir erklärt. »Königinnen hießen Elizabeth, Mary oder Anne. Bestenfalls Louise. Aber

Victoria, das war so, als gäbe es heute eine Queen Britney oder Kimberley.«

Auf alle Fälle war Hermann Experte in allen britischen Lebenslagen. »Ist dir denn nichts aufgefallen, als du bei deinen Nachbarn im Wohnzimmer gestanden hast?«, forschte er mich nun aus. »Irgendetwas war doch anders, oder etwa nicht?«

»Wie soll ich Unterschiede bemerken, wenn ich nie zuvor in dem Haus war.«

»Hast du nicht den Kaminsims gesehen? Die Karten. Sie bauen die Karten auf dem Kaminsims auf, dicht an dicht, damit sie möglichst viele unterbringen. Denn mit den Weihnachtskarten zeigen sie, wie beliebt, wie einflussreich, wie mächtig sie sind. Mindestens in Dreierreihen gestaffelt sollten sie schon dastehen. Ich kenne Leute, die schicken sich selber Karten, damit der Sims nicht zu leer aussieht.«

»Ah, jetzt verstehe ich, warum uns unsere Nachbarn so schräg ansehen. Wir stapeln die Karten, die wir kriegen, in der Küche. Aber wir haben auch gar keinen Kamin, geschweige denn einen Sims. Sollen wir sie ans Fenster pinnen?«

»Nein, macht es wie alle Engländer, denen der Platz auf dem Kaminsims ausgeht. Spannt eine Schnur quer durchs Zimmer und hängt die Karten daran auf. Das erklärt dir nebenbei, warum du dich unbeliebt machst, wenn du jemandem eine Karte schickst, die nicht in der Mitte gefaltet ist. Ganz abgesehen davon, dass so eine einfache Karte auch billiger ist und Rückschlüsse darauf zulässt, wie viel die Leute dir wert sind.«

Die Karte, die ich jetzt Mister Win in die zitternde Hand drückte, eignete sich gottlob zum Aufhängen auf einer Wäscheleine, obwohl ich mir nicht sicher bin, ob

Burmesen diesem Brauch folgen. Vielleicht, wenn sie so lange in England gelebt haben wie er. Wichtiger dürften ihm sowieso die lila Zwanzig-Pfund-Scheine gewesen sein, die ebenfalls in dem Umschlag steckten.

»Vielen Dank, aber das wäre wirklich nicht nötig gewesen«, murmelte er, während er den Umschlag in eine Tasche zwängte, die schier zu platzen schien, so viele Karten steckten schon darin. An diesem Tag schien er mehr Post mitzunehmen als auszutragen. Mister Win ist ein populärer Briefträger.

Unsere Post enthielt eine einzige kümmerliche Weihnachtskarte. Sie war vom Chinesen unten an der Ecke, wo wir einmal im Sommer die Nummer 38 und die Nummer 17 bestellt hatten, mit einer Portion gebratenem Reis. Dass sie uns mit einer Weihnachtskarte beehrten, zeugte eher von einem akkurat geführten Adressenverzeichnis als von zupackendem Geschäftssinn.

Ich wollte den Rest der Briefe schon ungeöffnet in die Kiste mit dem Altpapier befördern, als Julia wie eine Elster einen Umschlag herauspickte und triumphierend in die Höhe hielt.

»Leopard Films. Cool«, rief sie. »Kann ich bei denen vorsprechen?«

Seit kurzem plant meine Tochter eine Karriere beim Film, notfalls auch beim Fernsehen. Letztlich ausschlaggebend für sie ist nur, dass sie dann in Los Angeles leben könnte.

»Das ist wahrscheinlich nur Reklame«, vermutete ich und streckte die Hand aus. Da aber hatte schon Katja mit spitzen Fingern Julia den Brief aus der Hand genommen und schützend vor ihre Brust gehalten.

»Der ist für mich«, flötete sie und senkte dabei auf jene Art unschuldig die Lider, die mich im Allgemeinen das Schlimmste befürchten lässt.

»Mama geht zum Film?!«

Julia war sich nicht sicher, ob sie eher enttäuscht, entgeistert oder entsetzt sein sollte. »Nehmen die überhaupt noch Leute in deinem Alter? Na ja, vielleicht für einen Werbespot für Kukident«, fügte sie nach kurzem Nachdenken hinzu.

»Nein, wir alle kommen ins Fernsehen«, verkündete Katja stolz, die inzwischen das Kuvert aufgerissen und den Brief überflogen hatte. »Sie interessieren sich für uns und wollen jemanden vorbeischicken.«

»Immer mal langsam. Wer will wen, wann, warum und weshalb vorbeischicken?«

»Na, ›Cash in the Attic‹ natürlich«, verkündete sie. »Die Fernsehsendung. Die kennt ihr doch?«

Julia und ich sahen uns fragend an und zuckten mit den Schultern. Was Fernsehsendungen angeht, so gehen die Geschmacksrichtungen in unserer Familie deutlich auseinander. Julia ist vor dem Bildschirm ohnehin kaum anzutreffen. Sie scheint per USB-Kabel unzertrennlich mit ihrem Laptop verbunden. Das bisschen Fernsehen, das sie guckt, holt sie sich über YouTube – wann und in welcher Länge sie es will. Als ARD-Intendant würde ich mich vor Julia und ihren Altersgenossen fürchten. Als Zeitungsverleger sowieso: Eine Zeitung würde Julia genauso wenig in die Hand nehmen wie eine Spindel oder einen Dreschflegel.

Ich selbst bin nabelschnurartig mit dem Nachrichtenkanal der BBC verbunden, dessen Reporter und Ansager ich an manchen Tagen häufiger sehe als meine eigene Familie. Nick Robertson mit seiner altmodischen Hornbrille, Laura Kuensberg mit dem schiefen Kinn, John Sopel mit der frechen schwarzen Tolle – was habe ich mit ihnen nicht schon alles erlebt, ohne dass ich mich auch nur einen Schritt von meinem Schreibtisch entfernen musste. Das moderne Korrespondentenwesen mit seinen schnelllebigen Nachrichten reduziert sich ohnehin weitgehend auf zwei Bildschirme: TV und Desktop. Was man auf dem einen sieht, schreibt man auf dem anderen auf. Manchmal schalte ich von den Nachrichten auf Unterhaltung um. Dabei habe ich einen eher schlichten Geschmack. Mir reicht es eigentlich schon, wenn Bruce Willis mitspielt. Zur Not tut es auch ein früher Tom Cruise.

Katja aber betrachtet Fernsehen als eine Art von zweitem Bildungsweg. Seit Jahren schon lässt sie keine der unzähligen Immobiliensendungen aus, mit denen britische TV-Sender den Markt für Häuser und Wohnungen anfachen. Katja ist bestens informiert über gute Wohnlagen, Wertsteigerungen bei Urlaubsdomizilen in Schottland oder Spanien und natürlich auch über die pekuniären Vor- und Nachteile des Dachstuhlausbaus. Im Grunde genommen könnte sie morgen als Makler anfangen.

Doch wie sich jetzt herausstellte, hatte sie ihr Interesse seit einiger Zeit auf Antiquitäten ausgeweitet und sich dabei ebenso landestypisch verhalten. Wenn Briten etwas noch mehr interessiert als der Preis ihrer vier Wände, so ist es der Trödel, den sie in ihnen angesammelt haben. Das Fernsehen trägt diesem Umstand Rechnung, unter anderem in der Kultsendung »Cash in the Attic«. Hier rechnen Experten den Leuten vor, dass sich auf Dachböden – also den »Attics« – Antiquitäten von unschätzbarem Wert verbergen, die sich auf Auktionen zu hartem Cash versilbern lassen.

»Manche Leute haben da echt abgeräumt«, warb Katja jetzt strahlend für ihre Idee. »Man ahnt ja gar nicht, was für Schätze man unbeachtet herumstehen hat.«

Dunkel erinnerte ich mich nun, einmal eine Folge von »Cash in the Attic« gesehen zu haben. Im Gedächtnis waren mir allerdings weniger traumhafte Auktionserlöse haftengeblieben als vielmehr verbogene Teelöffel, Bierdeckelsammlungen oder Holzgefäße ungewisser Provenienz, deren sich kein einziger Käufer auf der Versteigerung erbarmen wollte.

Aber Katja war in Fahrt geraten und ließ sich nicht mehr aufhalten.

»Wir haben so viel Kram zusammengetragen, dass wir uns kaum mehr von Raum zu Raum bewegen können«, meinte sie, nachdem sie uns in groben Zügen über die Fernsehsendung informiert hatte. »Und wenn wir neue Stücke kaufen wollen, dann bleibt uns nichts anderes übrig, als Platz zu schaffen.«

Also daher wehte der Wind. Ich hatte mich schon gewundert, dass meine Frau sich plötzlich dafür einsetzte, Klarschiff zu machen. Eigentlich neigt sie zum Sammeln und zum Anhäufen. Ich häufe nur Bücher an. Aber seitdem ich bei den letzten beiden Umzügen bemerkt habe, dass meine Bibliothek von Umfang und Gewicht her mühelos für einen Nachbau der Cheops-Pyramide ausreichen würde, habe ich schweren Herzens ganze Regalbretter voll abgebaut.

»Gerade hier in England gibt es wunderschöne alte Stücke«, hakte Katja nach. »Es wäre eine Schande, wenn wir die nicht kaufen könnten, nur weil wir uns kein größeres Haus leisten können, in dem mehr Platz ist.«

»Ja, das sind die Stücke, von denen sich die Leute mit Hilfe des Fernsehens getrennt haben und die nun auf neue Käufer warten«, gab ich zu bedenken. »Und was ist mit den Stücken, die wir haben? Fanden wir die nicht auch mal schön?«

»Schatz, die Menschen bleiben nicht stehen. Sie entwickeln sich. Das gilt vor allem in Geschmacksfragen. Jedenfalls für die meisten Menschen.«

SECHS

Katja teilte meine griesgrämige Einstellung natürlich nicht. Im Gegenteil: Sie war die ganzen Feiertage über so aufgeregt wegen der Fernsehsendung, dass sie die Weihnachtsgeschenke völlig vergaß, die wahrscheinlich in zehn Jahren reif für eine Versteigerung waren. Dabei hatte sie genau das bekommen, was sie sich gewünscht hatte, was freilich kein großes Kunststück war, da sie im Allgemeinen schon ab September Hinweise gibt, die so unübersehbar sind wie Elefantenspuren am Sandstrand.

Eigentlich hatten wir uns ja auch dieses Jahr wieder geschworen, dass wir uns nichts schenken würden, wegen Konsumterror und so. Und wie jedes Jahr hatten wir uns natürlich auch diesmal nicht daran gehalten. Wir redeten uns ein, dass unsere Liebe uns dazu antrieb, aber in dunklen, zynischen Momenten schrieb ich es eher tiefsitzendem Misstrauen zu. Denn woher wussten wir schon, ob sich der Partner wirklich an die Absprache halten würde – und man selber dann bis auf die Knochen blamiert mit leeren Händen dastehen würde.

Ich weiß, wovon ich rede. Vor ein paar Jahren hatte ich ein Versprechen eingelöst, das mir Katja abverlangt hatte, und, statt ein Geschenk für sie zu kaufen eine Spende an eine karitative Drittweltorganisation überwiesen. Als Katja dann am Heiligen Abend die auf gräulich braunem Recyclingpapier gedruckte Glückwunschkarte laut vorlas, verstand unsere Tochter die Welt nicht mehr. »Was?«, fragte sie ungläubig, »Mama hat einen Wasserbüffel in Bangladesch geschenkt bekommen, und er gehört ihr noch nicht einmal richtig?« Im Jahr darauf revanchierte sich meine Ehefrau. Katja überreichte mir feierlich eine Karte, aus der hervorging, dass ich für die nächsten zwölf Monate eine sechzig Zentimeter lange Riesenratte in Mosambik sponsern würde, die fürs Aufspüren von Landminen abgerichtet wurde. Mein Geld, so hieß es, finanziere die Bananen, von denen sich der Nager ernähre.

Dieses Jahr hatte Katja es mir leicht gemacht, indem sie offen über ihren größten Wunsch redete, obschon ich sie um ein Haar missverstanden hätte. Ich führe das darauf zurück, dass meine Frau ihre Fremdsprachen nur durch aufmerksames Zuhören und nicht durch Lesen lernt und daher manchmal bei der Aussprache etwas miteinander verwechselt. Katja, die darin heftig von Julia unterstützt wird, glaubt jedoch, dass die Schuld einzig bei mir liege, weil ich angeblich mit fortschreitendem Alter schwerhörig werde.

»Also, wenn du mir eine große Freude machen willst«, hatte Katja irgendwann im November gesagt, »dann schenkst du mir einen Airport.«

Ich bilde mir ein, nicht nur ein guter, sondern auch ein großzügiger Ehemann zu sein. Ganz abgesehen davon, dass diese beiden Eigenschaften in den Augen vieler Ehefrauen ohnehin eine untrennbare Einheit darstellen. Deshalb brach ich auch nicht in Hohngelächter aus, sondern hakte erst einmal zur Sicherheit nach.

»Ah, ja, interessant«, erwiderte ich, ohne mich festzulegen. »Einen kleinen oder einen großen?«

»Natürlich keinen großen, was denkst du denn.«

Katja schüttelte erstaunt den Kopf über so viel Begriffsstutzigkeit.

Eigentlich hätte mich das beruhigen müssen, doch stattdessen wuchs meine Nervosität. Heathrow stand sowieso nicht zum Verkauf, für Gatwick gab es schon andere Interessenten. Beide Airports hätte ich Katja also leicht ausreden können. Aber ein süßes kleines Flugfeld irgendwo in Surrey oder Sussex war etwas anderes. Je nach Größe und Nutzung lag das möglicherweise durchaus im Bereich unserer finanziellen Möglichkeiten, ja, war wahrscheinlich billiger als ein Haus mit Garten. Und wer weiß, vielleicht plante Katja in einem Anflug von Romantik den Umzug in eine Wellblechbaracke mit angeschlossenem Flugzeughangar und Kontrollturm, in dem sie ihr Malstudio einrichten konnte.

Das alles schoss mir durch den Kopf, als mein Blick auf Julia fiel, die schweigend zugehört hatte. Nun nickte sie unmerklich in Richtung ihrer Mutter und führte mit den Zeigefingern kreisende Bewegungen neben ihren Schläfen aus. Obwohl ich in diesem Augenblick ihrem Urteil grundsätzlich zustimmte, konnte ich einen derartigen Ausdruck von Respektlosigkeit nicht durchgehen lassen. Doch bevor ich den Mund öffnen konnte, raunte sie mir zu:

»iPod, Mama will einen iPod, keinen Airport.«

Nun aber war der iPod vergessen. Stattdessen verbrachte Katja den Weihnachtstag damit, musternd durch das ganze Haus zu streichen, hier eine Vase hochzuheben, dort eine Porzellanfigur unschlüssig hin und her zu drehen oder minutenlang vor sich hin murmelnd vor einem Bild stehen zu bleiben. Schließlich ging sie dazu über, alle möglichen Stücke mit bunten Aufklebern zu markieren. Als ich sie zur Rede stellte, erntete ich einen dieser Blicke, mit denen Ehefrauen ihre Enttäuschung über ihre augenscheinlich so unzureichende Partnerwahl zu erkennen geben.

»Das ist doch offensichtlich«, seufzte sie. »Die mit blauem Punkt kommen sicher zur Auktion, die roten vielleicht, und die grünen bleiben hier.«

»Grüne Punkte sehe ich eigentlich nur auf deinen Messingtöpfen«, wandte ich ein. »Aber auf allen meinen Samowaren klebt ein blaues Etikett.«

»Und? Du nimmst doch sowieso Beutel, wenn du schon mal Tee trinkst?«

So recht erschloss sich mir die Eile bei der Auswahl für die Versteigerung freilich nicht. Das Produktionsteam hatte keinen Zeitpunkt für den Besuch eines Schätzers erwähnt. »Wir melden uns bei Ihnen«, lautete der entsprechende Passus in dem Brief. Im englischen Sprachgebrauch ist das ähnlich präzise wie das spanische *mañana*.

»Wir haben so viele gute Sachen hier, also echte Leckerbissen für einen Sammler. Wir werden ein Vermögen bei der Versteigerung machen«, konstatierte sie, nachdem sie eine endgültige Liste erstellt hatte.

»Bist du sicher, dass das alles ist, was du dem Fernsehteam in den Rachen werfen willst?«, fragte ich nach einem Blick auf die vergleichsweise kurze Liste, gemessen an der Zeit, die Katja für die Aufstellung gebraucht hatte, und an der Menge an Trödel, die wir im Laufe der Jahre angehäuft hatten.

Die Sache ist die, dass Katja und ich entgegengesetzte Auffassungen von der Gemütlichkeit einer Wohnung haben. Knapp gesagt: Sie ist eine Maximalistin, ich würde mich eher als einen Minimalisten bezeichnen. Klare, einfache Linien reichen mir, und es müssen auch gar nicht viele Linien sein: Ein japanisches Teehaus, eine Bauhaus-Küche, eine Zelle in Guantánamo Bay – das käme meinem Ideal am nächsten.

Katja hingegen macht die Ruhe, die von schlichtem Design ausgeht, eher nervös. Sie liebt es üppig und opulent. Gut denkbar, dass dies Teil ihres russischen Erbes ist. Denn Russland ist ein Land, wo die Menschen für das Übermaß an klaren Linien in der Natur in ihren Heimen einen Ausgleich in barocken Schnörkeln suchen. Es liegt ja auf der Hand: Schneewehen, Tundra und Taiga, Steppen, ja sogar die Birke, Russlands Lieblingsbaum – alles ist in schlichtem Schwarzweiß gehalten. Da ist es nicht verwunderlich, wenn man noch im kleinsten Plattenbauwohnzimmer mit dem Talmi-Plüsch und -Prunk der Zaren dagegenhalten möchte: mit bunt bemalten Porzellantassen neben dem Messing-Samowar, mit russischen Puppen und nicht zuletzt mit dem grellgemusterten Teppich an der Wand.

Letzterer erfüllte in der Sowjetunion gleich mehrere Funktionen. Zum schmückenden Aspekt kam hinzu, dass er den Raum warm halten und hässliche Unregelmäßigkeiten im Putz kaschieren musste.

In der Türkei, wo wir früher einmal gelebt haben, hatte Katja regelmäßig die Warenlager des berühmten überdachten Basars von Istanbul durchkämmt, und später in den USA waren unsere Wohnungen zum Glück groß genug gewesen, um die Früchte ihrer Kauf- und Sammelleidenschaft zur Schau stellen zu können.

Doch in England mit seinen eher engen Wohnverhältnissen waren wir schnell an Grenzen gestoßen.

Maximalisten, die in einem englischen Minimalhaus wohnen und mit einem Minimalisten verheiratet sind, haben genau genommen drei Möglichkeiten, um sich von alldem angehäuften Tand zu trennen: skip, storage oder eben eine Show im Fernsehen.

Am brutalsten ist die erste Variante, bedeutet sie doch einen Abschied für immer. Eines Tages rumpelt ein Lastwagen heran, der einen Stahlcontainer derart unpraktisch vor der Haustür absetzt, dass auch die Nachbarn zur Rechten und zur Linken nicht mehr parken können und der Durchgangsverkehr in der Straße blockiert wird. Alles, was man in diesem Container versenkt, wird unwiderruflich abgeholt. Entweder vom Skip-Verleih oder von Plünderern aus der Nachbarschaft, die in diesen Gräbern des Konsumrausches nach Nützlichem und Verwertbarem suchen.

Variante zwei hält die Fiktion am Leben, dass man eines schönen Tages in der Zukunft mit all den Dingen wiedervereint wird, die man sein Leben lang gesammelt hat: Golfschläger und Musikinstrumente, die man nicht mehr braucht, weil man beides nicht mehr spielt; Ballkleider und Smokings, aus denen man herausgewachsen ist, und Anzüge oder Schuhe, die so ausgefallen sind, dass sie garantiert nie wieder in Mode kommen. Nicht zu reden von CD- und Videokassettensammlungen, über welche der technische Fortschritt gnadenlos hinweggerollt ist, die aber immer noch die Pizza- und Rotweinspuren jener Abende tragen, an denen man sie zusammen mit Freunden angesehen hat. Für all das gibt es Safe Storage.

Amerika ist der Spitzenreiter jener einsamen Lagerhallen mit bienenwabenartigen Zellen, in denen das Leben Abertausender Menschen abgelegt ist. In Europa sind es die Briten, welche die meisten Lagerplätze gebaut haben – denn hier paaren sich angelsächsische Kaufwut und Kreditfreude mit akutem Platzmangel. Außerdem sind Briten, wie mir mein Freund Hermann einmal versicherte, eine Nation von Hamsterern.

»Seit vielen Jahren schon haben sie außerdem ziemlich viel verfügbares Einkommen und damit massig Kram«, meinte er. »Das Einzige, was sie nicht haben, sind Platz und Zeit. Die Zelle bei einem dieser Storage-Unternehmen wird zu einer Fortsetzung der Wohnung. Manche ziehen dort sogar ein. Billiger als ein möbliertes Zimmer ist es allemal und meistens auch in besserem baulichem Zustand.«

Die Lagerstätten heißen Big Yellow oder Safestore und versprechen nichts Geringeres als Freiheit – die Freiheit von materiellen Gütern, ohne dass man wirklich auf sie verzichten muss. In ganz Europa gibt es 1200 derartiger Zwischenlagerhalden, davon stehen allein 750 auf den britischen Inseln. Ein Grund dafür ist wohl auch, dass britische Häuser keine Keller haben und die Garagen schon zugestellt sind. Dasselbe gilt für Dachböden, die im Englischen nur im Fernsehen versnobt *attic* genannt werden, ansonsten aber treffend *crawl space* heißen, weil sie gerade hoch genug sind, dass man dort auf allen vieren herumkrabbeln kann. Dennoch verwandelt der britische Hausherr sie gerne in eine Art von Barbie-Penthouse und nennt es dann Loft.

Kein Wunder also, dass siebzig oder hundert Kubikfuß Raum unten an der Hauptstraße eine derartige Anziehungskraft ausüben. Von einem Safestore-Kunden ist bekannt, dass er drei Einheiten angemietet und mit alten Zeitungen gefüllt hat. Ein anderer hat seine Sammlung von Churchill-Andenken dort untergebracht.

Big Yellow teilt sich das Gelb übrigens mit Ikea, und genau genommen unterscheiden sich beide Firmen nicht großartig voneinander. Der einzige Unterschied besteht darin, dass man im einen Fall Möbel, die man nicht braucht, abholt. Im anderen Fall liefert man Möbel, die man nicht braucht, ab. Da die Zeit, in denen man die Möbel tatsächlich braucht, immer kürzer wird, ist der Tag absehbar, an dem Ikea und Big Yellow verschmelzen. Dann braucht man das Etagenbett Mydal oder den Schuhschrank Trones gar nicht mehr mühsam zusammenzuschrauben. Man verschiebt die Flachpackung nur von einem Lager ins andere.

Katja freilich hatte sich für die dritte Variante der Entsorgung überflüssiger Ware entschieden, die Version mit dem Show-Faktor: Wir würden unsere überflüssigen Habseligkeiten vor den Augen einer staunenden britischen Nation auf einer Versteigerung an den Höchstbietenden abgeben und im Gegensatz zu den Storage-Kunden nicht für Lagerraum teure Pfund Sterling bezahlen, sondern verdienen. Da unsere Familie im Laufe der Jahre in den verschiedensten Ländern Station gemacht hat, haben wir auch Mitbringsel und Erinnerungen aus aller Welt. Das war es offensichtlich, was die Produzenten der Sendung »Cash in the Attic« auf uns aufmerksam gemacht hatte: ein paar Exoten mit einem Sammelsurium an kuriosem Ethno-Trödel. Das wäre mal eine nette Abwechslung zu den langweiligen Briten mit ihren ewigen viktorianischen Silberkännchen und georgianischen Beistelltischchen.

Erst jetzt war mir bewusst geworden, wie viele Fernsehsendungen in diesem Land altem Trödel und der Möglichkeit gewidmet sind, ihn in Bargeld zu verwandeln. Das Prinzip ist immer dasselbe: Schlichte Bürger schleppen irgendwelchen alten Kram zu irgendwelchen nicht minder alten Experten, in der Hoffnung, dass die in Stroh gewickelte Chianti-Flasche, welche die Oma in den späten 50er Jahren aus Rimini mitgebracht hatte, eine phänomenale Wertsteigerung erfahren hat oder zumindest das Interesse eines skurrilen Sammlers von Chianti-Flaschen wecken würde, dem ausgerechnet dieses Exemplar in seiner Kollektion fehlt.

Letztlich ist es die pure Habgier, die sich als Kunstinteresse tarnt.

Besonders deutlich wird das bei der Sendung »Antiques Roadshow«. Hier übernimmt ein Team der BBC ein Wochenende lang das Kommando über eine historische Abtei, eine Burg oder ein Herrenhaus auf dem Land. Zu Tausenden strömen die Bewohner der Umgebung herbei, schleppen Standuhren an und Kleiderschränke, Gemälde, Ritterrüstungen und Teetassen mit den Porträts lebender oder toter Royals. Geduldig reihen sie sich in Schlangen ein, die so lang sind wie sonst nur bei Castingshows für Superstars.

Wie Hunde, die nicht wissen, ob sie das Stück Wurst nun zugeworfen bekommen oder nicht, sitzen sie dann endlich vor einem Fachmann, der quälend lange Punzen auf Goldschmuck oder feinste Unterschiede in der Porzellanglasur untersucht.

»Eigentlich ist diese Art von Vase ja absolut grässlich«, sagt der Experte dann beispielsweise, und dem Besitzer entgleist seine mühsam aufrechterhaltene

Miene höflichen Interesses. »Aber zum Glück gibt es ja Leute, die so etwas sammeln«, ergänzt der Experte tröstend. »Wenn ich fragen darf: Wie viel haben Sie denn damals dafür gezahlt? Ach, doch so viel, sehr interessant.«

Er dreht und wendet den Gegenstand abwägend in der Hand, und dem Eigentümer ist anzusehen, wie sich sein Magen dreht und wendet vor lauter Anspannung und Ungeduld.

»Nun, auf einer Versteigerung könnten Sie ...«

Er kneift die Augen zusammen, hält das gute Stück ans Licht.

»... vorausgesetzt, da sind zwei Bieter, die sich gegenseitig hochtreiben ...«

Dem Besitzer hängt mittlerweile die Zunge hechelnd aus dem Mund.

»... an einem guten Tag, nun, bis zu 200 Pfund erzielen.«

»Ach, wirklich«, schluckt da tapfer der enttäuschte Eigentümer. »Damit hätte ich nicht gerechnet.« In der Tat, das hatte er wirklich nicht. Er hatte sich eine deutlich höhere Summe erhofft.

Welchen Wert unsere Antiquitäten haben würden, wagte ich beim besten Willen nicht vorherzusagen. Ich erinnerte mich nur, dass mir einst beim Kauf die jeweiligen Basarhändler in Kairo, Istanbul oder Jerusalem die Authentizität der einzelnen Stücke feierlich beschworen hatten, meist beim Leben näherer Verwandter. Katja verwendete eine eigene Formel für die Wertsteigerung: Sie multiplizierte jedes Jahr, das seit dem Kauf vergangen war, mit dem Faktor 17, addierte die Jahre und hängte an das Ergebnis Pfund Sterling an.

»Was meinst du«, fragte sie mit vor Aufregung rotglänzenden Wangen, »wir werden doch sicher genug kriegen, dass wir uns eine Ferienwohnung in Florida kaufen können?«

Ich blickte auf die Schmuckstücke, die Katja auf dem Esszimmertisch zusammengetragen hatte. Julia hatte ihre Zimmertür noch nachhaltiger als sonst verrammelt, als sie sah, was ihre Mutter vorhatte. Zu sagen, dass sich Julia nur ungern von etwas trennt, wäre eine Untertreibung. Es gibt Fernsehsendungen über sogenannte Messies. Das sind Menschen, die es nicht schaffen, die über die Jahre angesammelten alten Zeitungen, leeren Konservendosen und abgetragenen Kleidungsstücke zu entsorgen. Ich fürchte, dass Julia schon bald eine Idealbesetzung für ein solches Programm sein könnte. Sie war jedenfalls in Panik, dass ihre Mutter auch ihr Zimmer ausräumen und ihre unberührten Barbie-Puppen wegauktionieren würde.

Chico wiederum sah sich das Treiben sehr aufmerksam an. Dann trollte er sich und kam nach einiger Zeit mit einem seiner gut durchgekauten und teilweise enthäuteten Tennisbälle zurück. Sorgsam legte er ihn neben die Messingtöpfe, die Katja für die Auktion zur Seite gestellt hatte. Ich kann mich täuschen, aber ich bin mir ziemlich sicher, dass dabei ein leichtes Grinsen um seine Lefzen spielte.

Für die Sendung hatte Katja bisher zusammengetragen:

einen original russischen Samowar mit nur einer kleinen Delle sowie zwei weitere Samoware ohne Delle, die aber nicht unbedingt aus Russland stammten;

diverse Porzellanfiguren aus der russischen Manufaktur Gschel, die im Lichte heutiger kritischer Betrachtung nur noch kitschig aussahen;

einen echten türkischen Fes mit ausgefranster Bommel nebst dazugehörendem Hutständer aus poliertem Nussbaum;

einen mit Intarsien versehenen Spieletisch, der damals im Chan-el-Chalili-Basar in Kairo wie ein Märchen aus Tausendundeiner Nacht auf mich gewirkt hatte, den man aber nie zum Schach- oder Backgammonspiel benutzen konnte, weil er wackeliger zusammengebaut war als ein von mir zusammengeschraubtes Billy-Regal;

ein römisches Glas, das unbeschadet zwei Jahrtausende, aber nicht den Zugriff durch zupackende, aber nie identifizierte Mitglieder unserer Familie überlebt hatte und nun mit *Super-Glue* praktisch unzerstörbar zusammengeleimt worden war (der nette Palästinenser in Jerusalem, der es mir vor vielen Jahren verkaufte, hatte mir versichert, dass dieses Glas als Essigfläschchen auf dem Tisch stand, als Jesus seine Jünger zum letzten Abendmahl lud);

eine Art von zinnerner Wetterfahne, die in einem türkischen Halbmond endete und von der Katja behauptete, dass sie die Spitze eines türkischen Minaretts geziert habe;

ein Kupferkännchen, das bis vor wenigen Jahren immer blitzblank gewienert war, weil wir Julia erfolgreich eingeredet hatten, dass es sich dabei um Aladins Wunderlampe handelte. Sie hat uns diesen Betrug bis heute nicht vergeben und rächt sich damit, dass sie nun überhaupt nichts mehr im Haushalt putzt.

Und dann kamen die Töpfe. Sie sind Katjas größter Stolz. Große und kleine, bauchige und schlanke, aus Metall oder aus Ton. Es gibt kaum ein der Menschheit bekanntes Material, aus dem Katja nicht einen Topf besäße. Die kleinsten sind kaum größer als Shampoo-Behälter, in den beiden größten, fast mannshoch und so dickleibig wie ein amerikanischer BigMac-Freund, ließe sich ein Jahresvorrat an Olivenöl aufbewahren – wenn sie nicht porös wären. Gemeinsam ist ihnen allen, dass sie alt sind oder zumindest so aussehen.

Zu gebrauchen sind diese Töpfe zu nichts – entweder sie lecken, so dass sie sich nicht als Vasen eignen, oder sie sind derart verrostet, dass es sich nicht empfiehlt, Getränke in ihnen aufzubewahren.

Gefunden hatte Katja dieses Sammelsurium an Gefäßen in einem Lagerhaus in der Nähe des Istanbuler Atatürk-Flughafens. »Stell dir vor«, hatte sie stolz berichtet, nachdem der Taxifahrer und zwei von ihm auf der Straße angeheuerte muskulöse Männer eine von zwei riesigen Ton-Amphoren in den zweiten Stock geschleppt hatten, »die fahren aufs Land und schwätzen den dummen anatolischen Bauern diese Kostbarkeiten ab. Sie geben ihnen nicht mal Geld dafür, sondern speisen sie mit einem Fissler-Dampfkochtopf oder so was ab. Clever, was? Drum sind diese alten Töpfe so billig.«

Ich dachte mir damals zwar, dass es gar nicht so dumm war, einen funktionstüchtigen Schnellkochtopf gegen rostiges Kochgeschirr einzutauschen, behielt das aber für mich. Denn es hätte nichts genützt. Nicht einmal die Drohung mit der türkischen Antikenbehörde, die eine Ausfuhr der kostbaren Altertümer stoppen und vielleicht obendrein eine Strafe hätte verhängen können, hätte Katja Einhalt geboten. »Wer behauptet denn, dass das kostbare Altertümer sind«, hatte sie in einem jener logischen Salti erwidert, zu denen auch die unsportlichste Ehefrau fähig ist. »Das sind doch nur ein paar alte, verrostete, wertlose Töpfe.«

Ich beschloss, Katja mit ihrer Liste allein zu lassen, schnappte mir Chico und verschwand in den Park. Oben auf der großen Wiese sah ich von weitem einen Blinden, der vorsichtig Fuß vor Fuß setzte und mit einem Blindenstock den Weg vor sich abtastete.

Beim Näherkommen bemerkte ich jedoch, dass es sich um unseren Nachbarn Euan handelte, und er schwenkte auch keinen Stock, sondern ein Metallgerät, das so aussah, als ob man damit Minen aufspüren könnte. Über die Ohren hatte er sich ein paar Kopfhörer gestülpt, wie sie Straßenbauarbeiter am Presslufthammer tragen.

Vor einiger Zeit, es war schon länger her, hatte ich Euan schon einmal auf derselben Wiese bei einem merkwürdigen Treiben ertappt. Damals hatte er, Fußspitze an Ferse setzend, Schritt für Schritt ein Areal abgemessen. Er hatte sich, wie er mir erklärte, ein Grundstück auf einer karibischen Insel gekauft und wollte sich nun eine Vorstellung von dessen Größe machen.

Euan konnte sich solche Immobilien leisten. Er hatte irgendetwas mit Fonds, Banken und Geld in der Londoner City zu tun. Über Einzelheiten hatte er sich zwar schon in Schweigen gehüllt, bevor die Reputation von Bankern in der öffentlichen Meinung abgestürzt war. Seine ostentativ zur Schau gestellte Liebe zu teuren *gadgets* und allem möglichen Luxus wies ihn jedoch als den vermutlich reichsten Bewohner unserer Gegend aus.

Mit der Wirtschaftskrise hatte er allerdings allzu auffälligen Konsum zurückgefahren. Sogar den Aston Martin – eines der vier Fahrzeuge in seinem Fuhrpark – hatte er abgestoßen. Zugleich aber ersetzte er seinen Range Rover durch ein neues Modell. Es war eine Spezialanfertigung für die Jagd, mit Sitzen aus flauschig weichem Chamoisleder und einer mit Silber beschlagenen Kiste aus Walnussholz im Kofferraum, in der Flinten verstaut werden konnten. Richtig stolz war er auf die mit Intarsien geschmückte Bar im Fond. Sie war, wie er mir grinsend eingestanden hatte, der eigentliche Grund für seine Kaufentscheidung gewesen. »Range Rover stockt den Inhalt immer wieder kostenlos auf«, hatte er atemlos erzählt. »Ein Jahr lang. Wenn ich mir durchrechne, was ich alleine dadurch spare, da war der Wagen ein echtes Schnäppchen.«

Ich hatte den Fehler begangen, ihn zu fragen, ob er sich das Auto von seinem Bonus gekauft hatte. Er hatte entnervt die Arme hochgeworfen. »Fang du nicht auch noch damit an«, stöhnte er. »Unsere Boni wirken nur so üppig, wenn man sie von der Warte eines Normalverdieners aus sieht. Unser Kingston Hill sieht für einen Maulwurf ja auch aus wie der Mount Everest. Ist immer eine Frage des Standpunktes. In Wirklichkeit sind unsere Boni nur die Brosamen, die von den Deals abfallen, die wir machen. Und dafür arbeiten wir, dass uns die Socken wegfliegen.«

Seitdem hatte ich das heikle Thema nicht mehr angesprochen, und deshalb fragte ich auch nun ganz vorsichtig, was Euan denn mit seinem Gerät suche.

»Römische Münzen, angelsächsische Streitäxte, elisabethanische Trinkbecher – du kannst es dir aussuchen. Der Boden unter unseren Füßen strotzt nur so vor Geschichte.«

»Ach, das ist ein Metalldetektor«, sagte ich und deutete auf den Stab. »Hast du denn schon was gefunden?«

Euan runzelte die Stirn.

»Ziemlich viele Kronkorken, einen alten Schlüssel und ein Zwei-Pence-Stück«, murmelte er. »Aber ich habe das Ding erst seit einer Woche. Und kürzlich hat jemand auf einem Feld einen Kuhknochen gefunden, der mit Goldmünzen vollgestopft war.«

Im Prinzip hatte Euan ja recht, auch wenn antike Kuhknochen im Richmond Park vermutlich eher unwahrscheinlich waren. Aber in England wimmelt es tatsächlich nicht nur in privaten Haushalten von altem Trödel, sondern auch im Erdreich. Anders als auf dem europäischen Kontinent mit seinen Kriegen und brandschatzenden fremden Heeren waren die letzten fremden Soldaten, die auf den Britischen Inseln einfielen, die Holländer unter Wilhelm von Oranien vor 350 Jahren gewesen. Selbst wenn sie die Einheimischen ausgeplündert hätten, wären diese Schätze dem Land nicht verlorengegangen, weil diese Truppen mitsamt ihrem Anführer im Lande geblieben und zu guten Briten mutiert waren.

Und diese guten Briten achteten auf ihre Altertümer, sorgten dafür, dass sie nicht zu Schaden kamen, und gründeten Museen, wo sie sie aufbewahrten. Außerdem geben sie bis heute die Hoffnung nicht auf, dem Erdreich Schätze zu entreißen. Mindestens 180 000 Metalldetektoren sind im Vereinigten Königreich im Gebrauch, und es gibt offenbar Menschen, die sich mit der Schatzsuche an Stränden und in Wäldern ihren Lebensunterhalt verdienen.

Während ich Euan betrachtete, wie er gravitätisch mit seinem Detektor weiterging, kam mir ein Gedanke. Aber ich verwarf ihn schnell wieder. Katja würde mir nie vergeben, wenn sie mir auf die Schliche käme.

Aber reizvoll wäre es schon: einige ihrer Schätze im Park zu vergraben, Euan einen heißen Tipp zu geben und sich von ihm mit fünfzig Prozent am Verkaufs- oder Auktionserlös beteiligen zu lassen.

SIEBEN

Ich beneide alle Menschen, die das Leben gelassen angehen. Katja zum Beispiel. Sie schafft es, sich vor allem dann in eine geradezu tibetische Trance zu versetzen, wenn ringsherum das nackte Chaos ausbricht. Das ist meistens dann der Fall, wenn wir auf dem Weg in den Urlaub sind. Der Taxifahrer wartet schon seit einer Viertelstunde vor der Tür, ich weiß, dass der Pilot nicht warten wird, und Katja öffnet noch einmal mit aufreizender Ruhe alle fünf Koffer und Reisetaschen, weil sie vergessen hat, wo sie die Badelatschen eingepackt hat.

»Das ist doch völlig egal, wo diese dämlichen Latschen sind«, zische ich hyperventilierend zwischen den Zähnen hervor. »Du wirst sie erst in Teneriffa brauchen und nicht in Gatwick beim Einchecken.«

»Beruhige dich, kein Grund zur Panik. Es ist noch kein Flugzeug ohne uns abgeflogen.«

Das stimmt, aber ich schmeichle mir, dass dies nur mir zu verdanken ist. Ich bin lieber etwas früher überall dort, wo ich sein muss, als zu spät zu kommen: Flughafen, Bahnhof, Theateraufführung, Dinner-Einladung. Zugegeben: Am liebsten habe ich es, wenn ich ein gutes Stündchen früher als notwendig eintreffe, mindestens eine Stunde. Wenn ich allein reise, sitze ich so entspannt am Gate, dass ich Mühe habe, nicht einzuschlafen.

Katja konnte dies noch nie nachvollziehen. Wenn wir gemeinsam irgendwo hinfliegen, treffe ich als schlotterndes, schwitzendes und unzusammenhängenden Unsinn vor sich hin stammelndes Nervenwrack am Airport ein. »Du schaffst es doch jedes Mal, mir den letzten Nerv zu rauben«, sagt Katja dann.

Es ist vermutlich das bereits erwähnte Klarsichthüllen-Phänomen. Wenn ich könnte, würde ich mein ganzes Leben säuberlich in einzelne Kapitel unterteilen und übersichtlich wegsortieren. Besonders schlimm ist das immer, wenn ein neues Jahr beginnt. Ich sortiere gute Vorsätze, Pläne und alle Probleme, ordne sie der Reihe nach und erwarte, dass ich sie nach und nach auf einer Liste abhaken kann. Diese Liste existiert in den meisten Fällen nicht nur in meinem Kopf, sondern ganz real auf meinem Schreibtisch.

Ein neues Jahr ist für mich wie ein neues Kapitel, was sage ich, wie ein neues Buch. Unbeschriebene, einladend saubere und jungfräuliche Seiten, die nur darauf warten, von schöner, kalligraphischer Hand beschrieben zu werden. Aber spätestens Mitte Februar verhält es sich mit diesem imaginären Buch genauso wie mit all den Tagebüchern, die ich im Laufe meines Lebens bereits zu schreiben begonnen habe: Drei, vier Seiten maximal sind es, die ich gefüllt habe, bevor ich das Unternehmen aufgab. Und mit Kalligraphie haben diese Eintragungen auch nicht viel zu tun. Als Katja den ersten Liebesbrief unserer Beziehung erhielt, dachte sie zunächst, dass ein paar Spatzen mit kotigen Krallen über das Blatt gelaufen seien.

Dieses Jahr war keine Ausnahme von der Regel.

Alles, was zu Weihnachten und Silvester noch so dringend, so unaufschiebbar, so reif für die Klarsichthülle schien, hatte im Laufe der Wochen und Monate deutlich an Brisanz verloren. Auf ein untypisch trockenes Frühjahr war ein nicht minder trockener Frühsommer gefolgt, und die Nation bangte wieder einmal einem sogenannten »hosepipe ban« entgegen. Dies ist das Schlimmste, was man einem gartenverliebten Briten antun kann, einmal abgesehen vielleicht von einem Biertrinkverbot. Denn bei Wassermangel wird die Flüssigkeit rationiert, die er auf seinen Rasen und seine Blumenrabatten gießen kann. Zu Hunderttausenden stehen die Menschen dann in ihren Gärten und sehen hilflos zu, wie Begonien und Geranien vertrocknen. Der Tod eines nahen Angehörigen könnte sie nicht schwerer treffen. Manche würden denn auch lieber eine meckernde Tante verlieren als einen sorgsam hochgepäppelten Rosenstock.

Uns freilich kam die Trockenheit entgegen, denn das Leck in der Wohnzimmerdecke war natürlich noch immer nicht geflickt worden. Wir stellten fest, dass es im Wesentlichen zwei Arten von Handwerkern gibt: unbedarfte Dilettanten oder routinierte Profis. Erstere kommen auf Zuruf ins Haus und versprechen nach einer eher oberflächlichen Untersuchung des Problems, am nächsten Tag mit dem ganzen Team anzurücken. Wenn man Glück hat, ist dies das Letzte, was man von ihnen sieht. Hat man Pech, versuchen sie sich zuerst an einer Reparatur, bevor sie auf Nimmerwiedersehen verschwinden. Der zweiten Gruppe eilen ein hervorragender Ruf und glühende Lobpreisungen ehemaliger Kunden voraus. Eine Terminvereinbarung mit ihnen gestaltet sich aber leider ähnlich komplex wie die Planung eines Staatsbesuches der Königin in den Vereinigten Staaten. Uns hatte man ein ungefähres Zeitfenster in Aussicht gestellt. In der Zwischenzeit behalfen wir uns mit einer extragroßen Salatschüssel, die wir an Regentagen unter das Loch stellten.

Von der Filmfirma hatten wir auch nichts mehr gehört, seitdem ein Jüngling neugierig durchs Haus gewandert war und eine eigene Liste erstellt hatte, die sich nicht einmal entfernt an Katjas System mit den Farbpunkten hielt. »Glaubst du, dass der wirklich von der Produktionsgesellschaft kommt?«, wisperte sie mir zu. »Guck doch mal, wie jung der ist. Die paar flaumigen Barthaare verdecken ja noch nicht mal seine Pickel.«

Insgeheim hoffte ich, dass unsere Antiquitäten keine Gnade vor den Augen der Produzenten finden würden und dass man uns einfach still vergessen würde.

Auch um Mäuer und sein Interview-Projekt war es verdächtig still geworden. Er habe gemerkt, dass seine neue Aufgabe nicht nur neue Ehren, sondern auch mehr Arbeit mit sich gebracht habe, hatte mir ein Kollege aus der Redaktion maliziös mitgeteilt. Nun, da er nicht nur für die Außenpolitik zuständig sei, berichteten andere, entdecke er die Freuden der Innenpolitik.

In jeder Redaktion herrscht ein gesundes Spannungsverhältnis zwischen Innen- und Außenpolitikern. Sicher, es gibt auch andere Ressorts. Aber das Feuilleton, der Sport oder die Wirtschaft sind im Allgemeinen auf Raumstationen angesiedelt, die weit außerhalb der regulären Umlaufbahn einer Zeitung durchs All kreisen und nur selten auf dem Radar auftauchen. Die wahren Revierkämpfe finden zwischen

Innerem und Äußerem statt, da sie sich denselben Platz im Blatt teilen müssen.

Nun ist dieses Verhältnis nicht hundertprozentig fair und ausgeglichen. Die Innenpolitik hat einen geringen Startvorteil – so wie der Hund von Baskerville gegenüber dem Chihuahua von Paris Hilton ebenfalls einen gewissen genetischen Vorsprung hat. Das Schoßhündchen mag zwar mehr von der Welt gesehen haben als Mister Baskerville. Aber das Ungetüm aus dem Moor erheischt von seiner Umwelt automatisch mehr Respekt. Das lässt sich täglich in Redaktionskonferenzen beobachten, wenn von den Plätzen der Außenpolitik kläffende Geräusche zu vernehmen sind. Ein kehliges Knurren aus der innenpolitischen Ecke genügt meistens, um die gewohnten Hierarchien wieder herzustellen.

Irgendwie sind diese Prioritäten ja auch nachvollziehbar. Leser interessieren sich eben mehr für den Raubüberfall auf den Lidl-Markt in Giesing oder Sankt Georg als für die Umsätze der Lidl Corporation in Großbritannien. Und Steuererhöhungen, die Berlin beschließt, werden von den Zeitungsabonnenten unmittelbarer und schmerzhafter aufgenommen als jene, die man Amerikanern abverlangt.

Zu Lesern und Abonnenten zählen in der Regel auch eher deutsche Bundes- und Landespolitiker als der amerikanische Präsident, der Kremlchef oder die Hausherren im Élysée-Palast oder in Downing Street No. 10. Diese Herren werden verhältnismäßig selten wegen eines Kommentars um den Schlaf gebracht, den eine deutsche Zeitung, und sei sie auch noch so groß, veröffentlicht. Wenn ein deutscher Kommentator besorgt den Zeigefinger erhebt und niederschreibt, dass »der amerikanische Präsident gut beraten« wäre, dies oder jenes zu unterlassen, dann kann man getrost davon ausgehen, dass sich bei keinem Mitarbeiter im Weißen Haus der Blutdruck erhöht.

Entsprechend niedrig rangieren ausländische Publikationen auf der Prioritätenliste von Politikern. »Bei allem Respekt, aber wir versuchen, dass sie in England gewählt wird und nicht in Deutschland«, beschied man mir einmal abschlägig eine Interview-Anfrage während eines Unterhauswahlkampfes. Es war keine international bekannte Spitzenpolitikerin, die ich sprechen wollte, sondern die Chefin der im Vereinigten Königreich zwergenhaft unbedeutenden Grünen.

In Berlin und München aber nimmt man uns ernst. Da lesen sogar Kanzler, Minister und Ministerpräsidenten das Blatt. Mäuer, sein Leben lang Außenpolitiker, genoss es daher zutiefst, zum ersten Mal in seinem Leben von echten Machern ernst genommen zu werden. Seit seiner Beförderung zum Chefredakteur war aus dem süßen Doggie, das in Paris Hiltons Handtasche Platz gehabt hätte, eine mächtige Dogge geworden.

Ein wenig ziellos schlenderte ich durch Waterstones, die Buchhandelskette, an der man in Großbritannien nicht vorbeikommt, wenn man Lesestoff besorgen will. Seit Katja jedes Buch, das ich kaufe, gegen einen Messing- oder Tontopf aus ihrer Sammlung aufwiegt, lese ich neue Romane häppchenweise im Laden.

Das ist einfacher, als man denkt, vor allem im hinteren Teil des Geschäftes. Denn dort halten sich ohnehin kaum Kunden oder Verkäufer auf. Buchläden blockieren das Ladeninnere mit Tischen und Stellwänden, auf denen Bestseller, Neuerscheinungen und Sonderangebote ausgelegt sind. In Britannien ist das meist ein und dasselbe, da neue Titel grundsätzlich billiger abgegeben werden als alte, mithin jene, die bereits länger als vierzehn Tage auf dem Markt sind.

Die findet man weiter hinten in den Regalen, wo man, wie gesagt, kaum jemandem begegnet. Vielleicht schreckt es viele ab, dass einem die Titel hier nicht ins Gesicht springen und dass man sie vielmehr mit quer gelegtem Kopf auf den Buchrücken entziffern muss. Dies scheint eine Fähigkeit zu sein, die in westlichen Kulturnationen zusehends in Vergessenheit gerät.

In Buchhandlungen überkommt mich in letzter Zeit immer öfter der Wunsch, vielleicht einmal etwas anderes zu machen, als jeden Tag Zeitungsartikel für Leute zu schreiben, die die Frucht meiner Mühen zwischen Orangensaft und Müsli am Frühstückstisch gleichgültig überblättern. Dabei ist es ja nicht so, dass wir dem Leser und seinen Geschmacksvorlieben nicht entgegenkämen. Erst heute wieder hatte ich den Auftrag bekommen, eine vergleichende Kritik zwischen Großbritannien und Frankreich zu schreiben. Nein, keinen Vergleich der Sozialpolitik oder der unterschiedlichen Methoden, das Haushaltsdefizit zu reduzieren. Ich sollte darstellen, ob die Ehefrau des französischen Staatspräsidenten immer noch einen besseren modischen Eindruck macht als die stets etwas tantenhaft wirkende Gattin des Premierministers. Auf besonderen Wunsch Mäuers, von dem es heißt, dass er mitunter auf recht anzügliche Art und Weise von der Frau des Premiers schwärmt, soll der Artikel die Titelseite der morgigen Ausgabe schmücken. »Die Leser wollen dort schließlich auch mal was Lockeres sehen«, sagte Mäuer in der Konferenz und brachte damit jede Kritik zum Verstummen.

An derartige Aufträge war ich eigentlich schon gewöhnt. Was mich diesmal leicht verwunderte, war, dass ich den Artikel verfassen sollte, bevor das britisch-französische Gipfeltreffen überhaupt stattgefunden hatte. »Am Tag danach wäre es zu spät«, hatte man mir mitgeteilt. »Da war alles schon online und im Fernsehen. Orientieren Sie sich einfach daran, was die beiden Damen das letzte Mal getragen haben, als sie in der Öffentlichkeit auftraten.«

Die Internet-Konkurrenz erzwingt immer häufiger derartige Vorberichte. »Nicht schön muss es sein, sondern schnell«, ist das Motto, das Mäuer ausgegeben hat. Einmal, es war während meiner Zeit in Washington, schrieb ich einen Vorbericht auf einen Hurrikan, dessen prognostiziertes Eintreffen tageszeitungstechnisch ungünstig auf einen Freitagabend fiel. Wir hätten daher frühestens am Montagmorgen unsere Leser informieren können. So aber dichtete ich mir zusammen, was der Sturm wohl für Schäden im Großraum rings um die amerikanische Hauptstadt anrichten könnte. Am Ende erzeugte mein Artikel mehr Wind als der Hurrikan selbst, aber den Leser schien es nicht zu stören, der die Geschichte wohlig schaudernd am Samstagmorgen am Frühstückstisch las.

Früher bezeichnete man uns als Reporter – abgeleitet vom lateinischen Verb *reportare* –, weil wir Fakten und Impressionen von einem Ereignis zurücktrugen, das wir persönlich erlebt hatten. Inzwischen sollte man uns lieber Präporter nennen, weil wir Geschichten voraustragen wie eine Monstranz, bevor sie sich ereignet haben.

Ich seufzte. Es war ja nicht das erste Mal, dass ich mit meinem Berufsstand haderte. Wäre es nicht wunderbar, dachte ich mir bei diesen Gelegenheiten, wenn ich schreiben könnte, was ich wollte? Bücher zum Beispiel, Bestseller natürlich, die einen Mann ernährten. In den meisten Journalisten steckt ja ein verhinderter Literaturnobelpreisträger, bei dem es für hohe literarische Weihen nicht gereicht hat. Auch die meisten Klavierlehrer wären lieber Konzertpianisten geworden, anstatt untalentierten und übungsfaulen Kindern Tonleitern und Czerny-Etüden einzubimsen. Es sollte doch nicht so schwer sein, dachte ich mir, ein paar Millionen Exemplare eines Buches zu verkaufen.

»Oh, sorry«, murmelte ich. Ich war so in Gedanken vertieft gewesen, dass ich glaubte, in einen Mann gestolpert zu sein. Doch ich bemerkte rasch, dass er sich mir in den Weg gestellt hatte.

»Sorry«, gab er zurück. »Darf ich Sie kurz etwas fragen: Möchten Sie, dass ich Ihnen eines meiner Bücher signiere?«

Ich sah ihn mir nun näher an. Er war nicht viel größer als ich, so um die Mitte vierzig, und hatte den Gesichtsausdruck, den Chico aufsetzt, wenn er mir weiszumachen versucht, dass er noch nicht gefüttert worden ist. Obwohl es draußen vorsommerlich warm war, trug der Mann einen Trenchcoat jener Art, wie man ihn an Exhibitionisten vermutet.

»Aber ich kenne doch Ihre Bücher gar nicht«, wandte ich ein.

»Oh, das macht nichts. Ich habe genug dabei.«

Er hielt einen Jutebeutel hoch, der viereckig ausgebeult und bis zum Rand mit Büchern angefüllt war.

»Ich habe Lyrik und meinen neuesten Roman«, warb er und machte Anstalten, in den Beutel zu greifen.

»Ich weiß nicht«, meinte ich gedehnt. »Lyrik spricht

noch nicht mal richtig zu mir, wenn sie sich hinten reimt. Und Romane liest lieber meine Frau.«

Er musste wohl den Unterton in meinen Worten herausgehört und meinen zweifelnden Blick gesehen haben, denn mit einer abwehrenden Handbewegung fügte er nun eilig hinzu: »Nein, nein, es ist nicht, was Sie denken. Das Management hier im Laden hat mich zu einer richtigen Signierstunde eingeladen. Dort drüben, sehen Sie, ist der Tisch.«

Tatsächlich stand im äußersten Winkel, gleich neben der Tür zur Kundentoilette, ein Tisch, auf dem ein paar eher mickrige Bücherstapel aufgeschichtet waren.

»Warum sitzen Sie nicht dort und signieren Ihre Bücher?«

»Ich verstehe es ja auch nicht«, schüttelte er nun den Kopf. »Wenn schon mal ein Kunde vorbeikam, dann hat er gleich den Kopf zur Seite gedreht, als ob er einen verkrüppelten Bettler gesehen hätte. Da habe ich mir gedacht: Ich muss auf die Leute zugehen. Ich habe mir das Ziel gesetzt, heute zehn Exemplare zu verkaufen. Glauben Sie, das ist zu optimistisch?«

Ich versicherte ihm, dass ich dies durchaus für realistisch hielt, und empfahl mich mit einem hastigen Blick auf die Uhr, ohne ihm ein Buch abgekauft zu haben. Vielleicht war es doch besser, den gewünschten Artikel über die Kleidung der Präsidentengattin und der Frau des Premierministers zu schreiben, jedenfalls fürs Erste.

Als ich nach Hause kam, saß Katja tief über ihren Laptop gebeugt. »Sag mal, diese Irre mit ihren Corgis, die du immer im Park triffst, wie heißt die noch mal«, fragte sie mich, ohne aufzusehen.

»Felicity. Aber so irre ist sie auch wieder nicht. Ich meine, im Vergleich.«

»Nein, mit Nachnamen. Wie heißt sie mit Nachnamen? Hier steht nur F. H. Smythe-Stockington.«

»Ja, das ist sie. Das ist ihr Name, und das F stimmt auch. Gott weiß, wofür das H steht. Hyacinth vielleicht, oder Hortensie. Sicher irgendwas Blumiges.«

Ich hatte Felicity schon seit einiger Zeit nicht mehr getroffen. Das konnte natürlich auch daran liegen, dass Chico seit kurzem einen großen Bogen um den Park macht. Stattdessen bevorzugt er Rundgänge durch die Nachbarschaft. Er hat einen neuen Trick gelernt, der zeigt, dass er wirklich britisch geworden ist. Es ist der »Haltet-die-Welt-an-jetzt-komme-ich-Trick«, und er hat ihn sich von britischen Fußgängern abgeguckt.

Für diesen Trick braucht man einen Zebrastreifen und ein Maß an Frechheit. Vorweg muss man wissen, dass die für ihren Individualismus bekannten Briten sich auch im Straßenverkehr individualistisch verhalten. Grundsätzlich geht alles, und ebenso grundsätzlich lässt man dem anderen Verkehrsteilnehmer auch alles durchgehen – mit drei Ausnahmen. Wer jemandem in einem Kreisverkehr die Vorfahrt nimmt, stellt sich mutwillig außerhalb der zivilisierten Gesellschaft und darf von Rechts wegen als Vogelfreier verfolgt werden. Er wird an Infamie nur von jenen Autofahrern übertroffen, die es versäumen, sich zu bedanken, wenn man sie in einer bis auf eine schmale Mittelspur zugeparkten Straße großzügig passieren lässt.

Fußgänger bewegen sich mit einer Mischung aus Gleichmut, Gottvertrauen und Gleichgültigkeit durch den Verkehr. Borniert sind sie nur an Zebrastreifen, wo sie bedingungslose Vorrechte besitzen. Ein Passant muss nur einen Fuß heben und über dem ersten Streifen schweben lassen, dann erwartet er schon, dass der gesamte motorisierte Verkehr in der näheren Umgebung bremsenquietschend zum abrupten Stillstand kommt. Hält ein Fahrer nicht schnell genug an, so bestrafen ihn manche Fußgänger, indem sie dann besonders aufreizend langsam über die Straße schlendern. Wahre Virtuosen bleiben in der Mitte stehen, fassen sich an den Kopf, als ob sie etwas vergessen hätten, und kehren wieder um. Zu ihnen gehört Chico, der an und auf Zebrastreifen ein ausgeprägt antisoziales Verhalten entwickelt, das die Geduld auch des langmütigsten britischen Autofahrers strapaziert.

Letztlich obsiegt bei ihm dann aber doch die Zielstrebigkeit, mit der er seine Stadtrundgänge anpackt. Zuerst vermutete ich, dass er neue Düfte aufspüren wollte, doch als er immer wieder dieselben Ziele ansteuerte, schwante mir, was er wirklich im Kopf hatte: Futter.

Der erste Halt auf unserem Spaziergang ist das spanische Tapas-Restaurant. Er setzt sich erwartungsvoll vor die Tür und sieht mich aufmunternd an. Beim ersten Mal dauerte es ein wenig, bevor bei mir der Groschen fiel. Vor ein paar Monaten hatten wir hier gegessen, Chico durfte mit in den Wirtshausgarten, und da war vom Tisch das eine oder andere Stück Chorizo abgefallen. Kein Wunder, dass er sich besser erinnerte als ich.

Der zweite Stopp ist der italienische Delikatessenladen, wo ich manchmal auf einen Cappuccino mit Panettone einkehre. Letzterer wird gerecht mit Chico geteilt, und so ist es kein Wunder, dass »I Fratelli« fest auf seiner Route eingeplant ist. Zum Schluss drängt es ihn bis an die Stadtgrenze von Kingston. Dort liegt das Zoogeschäft, in dem wir seine Dosen mit Hundefutter besorgen, das er nur dann zu sich nimmt, wenn er ausgehungert oder besonders gnädig gestimmt ist. Der Laden hört auf den kecken Namen »Woofsadaisy«, und weil er auch Hundekuchen und andere Leckereien führt, hat Chico sich fest eingeprägt, wo er liegt. Er läuft von Regal zu Regal und sucht aus, was er will.

So klug, könnte man also sagen, ist unser Hund, wenn es da nicht einen kleinen Schönheitsfehler gäbe. Denn da die Kenntnis des gregorianischen Kalenders bei ihm nicht so gut ausgeprägt ist wie sein Orientierungssinn, trabt er auch sonntags, wenn man nicht aufpasst, schnurstracks zu »Woofsadaisy«. Dass die Tür verschlossen ist, stört ihn nicht sonderlich. Er setzt sich auf das Hinterteil und gibt zu erkennen, dass es ihm nichts ausmachen würde, bis Montagmorgen zu warten.

Da Felicitys Corgis ihre Hundekuchen vermutlich von irgendeinem Nobelkaufhaus beziehen, in dem auch die Königin einkauft, sind die Chancen eher gering, ihr bei »Woofsadaisy« zu begegnen.

»Die hatte ich schon beinahe vergessen«, rief ich aus. »Und was macht die gute Felicity im Internet?«

Katja runzelte die Stirn.

»Séancen. Sie bietet Séancen an, in einer, warte mal, hier steht es ja – in der Spuk-Atmosphäre eines spätviktorianischen Herrenhauses. Geistersichtung optional, aber nicht garantiert. Sag mal, hat die noch alle Tassen im Schrank?«

Sieh mal an, dachte ich mir. Da hat sich die gute Felicity doch meinen Ratschlag zu Herzen genommen und ihr Haus für Geisterjäger geöffnet. Ich blickte Katja über die Schulter und sah, dass Felicity obendrein ein

»Weekend Special« anbot: Dinner bei Kerzenlicht und Übernachtung in einem »authentischen Himmelbett«. »Bei einem Aufpreis von 50 Pfund pro Person wird das Erscheinen eines Gespenstes garantiert«, las ich. Nicht nur Felicity, auch ihre Geister schienen über gesunden Geschäftssinn zu verfügen.

Plötzlich fing Katja haltlos an zu kichern.

»Der fehlt im Oberstübchen wirklich ein IKEA-Inbusschlüssel zum Bettenbausatz«, höhnte sie. »Siehst du, hier kann man sich anmelden für eine Séance.«

Sie klickte auf ein Fenster, und es entfaltete sich ein Menü, dessen unteres Ende am unteren Bildschirmrand verschwand. Es war ein ähnlich langes Elektronik-Leporello wie jene Fenster, die sich öffnen, wenn man nach dem Geburtsjahr gefragt wird. Sie lassen mir immer mehrere Sekundenbruchteile lang das Herz stehen. Ich scrolle und scrolle immer weiter nach unten und stoße noch immer nicht auf mein Geburtsjahr. Ich bin mir sicher, dass der Tag kommen wird, an dem die Liste vorher endet. Sorry, bei 1960 ziehen wir einen Schlussstrich, wird das dann bedeuten. Oder glauben Sie, dass wir Flugtickets an Scheintote verkaufen?

Felicitys ausführliches Aufklapp-Menü war den Anreden gewidmet. Sie hatte es nicht bei der üblichen Auswahl Mr, Mrs, Ms und Miss bewenden lassen, sondern jede erdenkliche gesellschaftliche und professionelle Rangabstufung aufgeführt. Ich konnte sie buchstäblich hören, wie sie der Website den letzten Schliff verpasste: »Man kann gar nicht vorsichtig genug sein, wen man in seine eigenen vier Wände lässt.«

Doktor und Professor ließ ich mir ja noch einreden. Aber Leutnant, Oberstleutnant, Major, Oberst und General? Männer und Frauen der Kirchen mussten sich ebenfalls outen: Pater, Schwester, Reverend und Rabbi konnten angeklickt werden, nicht aber der Imam. Aber, so erinnerte ich mich, dies war ja Felicitys Website, und ich konnte mir nicht vorstellen, dass sie ihren Gespenstern Muslime zumuten würde.

Genauso wenig überraschte mich die Präzision, mit welcher sie den niederen und höheren Adel auflistete: Lord und Lady, Baron und Baroness, Gräfin, Vicomte, Earl und Herzog. Die Liste endete beim Titel Prinz. Erstaunlich, dachte ich mir. Von Felicity hätte ich eigentlich erwartet, dass sie zumindest theoretisch einen Besuch der Königin mit in Betracht gezogen und daher die Zeile »Queen of …« mit aufgenommen hätte.

»Wie bist du überhaupt auf diese Website gestoßen?«, fragte ich Katja.

»Ach, das weißt du ja gar nicht. Andrew hat gefragt, ob wir nicht nach Edinburg kommen wollen, und ich habe ein Hotel gesucht. Das Sommer-Festival fängt bald an, und er sagt, wenn es zu Hogmanay nicht geklappt hat, wäre das eine gute Alternative.«

Andrew ist einer meiner ältesten Freunde. Seit Jahren schon lädt er uns ein, das schottische Neujahrsfest mit ihm zu verbringen. Es heißt Hogmanay und wird von allerlei keltischer Geheimnistuerei umrankt. David aber, mein anderer schottischer Freund, der im englischen Exil in Kingston lebt, hat mir glaubwürdig versichert, dass es nur ein Geheimnis bei Hogmanay gebe: Wie so viele Schotten in einer Nacht so viel trinken können, ohne ohnmächtig zu werden.

Aber das Edinburgh-Festival gilt als eines der berühmtesten Kulturspektakel Europas. Außerdem hat es den Vorteil, dass es im Sommer stattfindet. Da soll es sogar in Schottland sonnige Tage geben.

ACHT

Paris ist nicht Frankreich, Moskau nicht Russland, Wien – man frage nur einmal in Tirol nach – ganz bestimmt nicht Österreich. In New Jersey haben sie einmal vor ein paar Jahren an den Ausfahrten von New York Schilder an die Autobahn gestellt, auf denen stand: Welcome to America. Die Einzigen, die die Ironie nicht verstanden, waren die New Yorker. Aber wie sollten sie auch: Hauptstädte und andere Megametropolen sonnen sich, teils arrogant, teils ignorant, in ihrer Ausnahmestellung. Über das Land, in dem sie zufällig liegen, sagen sie selten etwas Verbindliches aus.

Das trifft ganz besonders auf London zu. Gewiss, hier wohnen und arbeiten überdurchschnittlich viele Briten. Ja, wenn man die nähere Umgebung zwischen Essex und Buckinghamshire, Hertford und Hampshire dazurechnet, dann leben wahrscheinlich die meisten Untertanen der Queen in diesem Gebiet, das man als die Home Counties bezeichnet, die Heimatgrafschaften.

Dieser Begriff erlaubt freilich schon Rückschlüsse darauf, wie die Londoner den Rest des Landes betrachten: eben nicht als heimisch, sondern als barbarisch wild oder mindestens ungebildet kantig. Ganz besonders trifft diese Einschätzung auf die nicht englischen Landesteile zu, und da wiederum speziell auf die Schotten. Erzählt man einem Südengländer, dass man nach Schottland fährt, dann überziehen sich seine Augen mit einem merkwürdig glasigen Glanz. Das kann zweierlei bedeuten: entweder romantische Sehnsucht nach einem Stück unverfälschter Natur, oder aber Horror vor unbeherrschten Wilden, die sich in Felle hüllen und dabei nur die Knie frei lassen.

Wir aber wollten nur nach Edinburg und wild ist eigentlich nichts an dieser Stadt. Auch diese Metropole sagt nicht viel über das Land aus, dem sie vorsteht. Sie hat noch nicht mal einen über die Stadtgrenzen hinaus bekannten Fußballclub mit einschlägig berüchtigten alkoholisierten Fans.

Selbst vielen Schotten wird beim Gedanken an Edinburg nicht warm ums Herz. Ihnen ist ohnehin suspekt, dass ihre Hauptstadt so tief im Süden liegt, beinahe schon in England. Misstrauisch stimmt sie auch, dass die Edinburger nicht ehrlich mit Pullovern, Erdöl oder der Destillation von Gerste, vulgo: Whisky, ihr Geld verdienen, sondern – und darin den Pfeffersäcken der Londoner City nicht unähnlich – mit Geld. Bis zur finanzpolitischen globalen Kernschmelze war die schottische Hauptstadt ein kleines, aber feines und vor allem unverhältnismäßig großes und reiches Banken-, Fonds- und Versicherungszentrum – eine Art von Liechtenstein ohne Berge, mit Karo statt mit Loden.

Sogar architektonisch und städtebaulich kapselt sich Edinburg vom Rest des Landes ab: Bewohnt man überall sonst im Königreich sein eigenes Reihenhäuschen mit Garten, so bevorzugte man hier schon im Mittelalter eine Wohnung in einem mehrstöckigen Mietshaus. Und während man anderen britischen Städten gestattete, ungeordnet wild zu wuchern und zu wachsen wie der japanische Staudenknöterich, wurde die New Town von Edinburg am Reißbrett geplant – nach einem Grundriss übrigens, für den die bei nationalbewussten Schotten verhasste Flagge des vereinigten Reiches, der Union Jack, die Grundlage bildete.

Vor allem aber machen sich die Bürger von Edinburg durch eine fast schon hanseatisch anmutende Versnobtheit unbeliebt. Wird man in dieser Stadt von einem Auto überfahren und liegt blutend auf der Straße, dann fragen herbeieilende Passanten der Legende nach zunächst einmal, welche Schule man besucht hat. Von der Antwort hängen sowohl der Grad als auch die Schnelligkeit der geleisteten Ersten Hilfe ab.

Andrew lebt in Edinburg, aber nur wegen seines Jobs bei einer Bank, wie er bei jeder Gelegenheit betont. Statt des Schurwolldreiteilers mit Schlips und Kragen würde er sehr viel lieber mit kratzigem Shetlandpulli und Kilt auf einer der westlichen Inseln zum Fischen auf die stürmische See hinausfahren.

Von Andrew muss man zwei Dinge wissen: Er ist Schotte und er ist schwul, und er ist beides mit einem an Selbstverleugnung grenzenden kämpferischen Selbstbewusstsein. Als ich ihn vor bald dreißig Jahren in London kennenlernte, trug ihm diese Haltung viele Probleme ein, vor allem der zweite Teil. Die 70er Jahre mögen im Nachhinein zwar als swinging und sexuell revolutionär verklärt werden, aber Swing und sexuelle Freizügigkeit erstreckten sich nicht mit derselben Selbstverständlichkeit auf Britanniens Homosexuelle. Vor allem Polizisten, damals noch häufiger als heute liebevoll Bobbys genannt, machten sich einen Spaß daraus, offenkundig schwul wirkende Männer auf der

Straße aufzugreifen und hochnotpeinlich zu befragen.

Andrew geriet öfter als andere in solche Streifen, vermutlich, weil sein großes Idol Freddie Mercury war, dem er mehr als nur ein wenig ähnlich sah: derselbe Schnurrbart, derselbe aufreizende Augenaufschlag, dazu hautenge Jeans und weiße T-Shirts, unter denen sich seine wohlgeformten Muskelpakete abzeichneten.

Mit onkelhaft freundlichem »Hallo, hallo, wen haben wir denn hier« eröffneten die Polizisten üblicherweise ihre schikanöse Befragung, gefolgt von der herablassenden Frage: »Was haben wir denn heute noch vor?« Er sei auf dem Weg ins Büro, pflegte Andrew darauf zu antworten, und mit seinem Schlafzimmerblick fügte er hinzu: »Aber was Sie heute noch vorhaben, weiß ich leider nicht.« Kein Wunder, dass das Gespräch in aller Regel auf dem Polizeirevier fortgesetzt wurde.

Es war zwar schon spät, als unser Zug in der Waverley Station von Edinburg einrollte, aber es war noch immer taghell. Kein Wunder: Die Stadt liegt so weit im Norden, dass sie eigentlich Sankt Petersburg und Stockholm mit weißen Nächten Konkurrenz machen könnte. Das einzig wirklich Nördliche an diesem Abend freilich war der Wind, der uns empfing. Er schien ebenfalls direkt aus Sibirien oder Skandinavien herzuwehen.

Waverley dürfte der einzige Bahnhof der Welt sein, wo die Fahrgäste ihre Koffer zwei Stockwerke über knarrende Holztreppen bis auf Straßenniveau hinaufschleppen müssen. Da der Bahnhof vor der Erfindung von Elektrizität, Rolltreppen und Fahrstühlen gebaut wurde, gibt es zu diesem Aufstieg wenige Alternativen.

Zum Glück fanden wir sofort ein Taxi. Der Fahrer verstand mich sogar, als ich ihm die Adresse des Hotels nannte. Selbstverständlich war das nicht, denn von ihm verstand ich nur schätzungsweise jedes fünfte Wort.

»Du hättest mir eigentlich sagen können, dass die Schotten eine andere Sprache sprechen«, raunte mir Julia zu.

»Das täuscht«, beruhigte ich sie. »Das ist Englisch, wenn auch eine eigenwillige Abart.«

Die Unverständlichkeit des schottischen Dialektes ist nur einer der Gründe, weshalb Schottland oft mit Bayern verglichen wird. Hinzu kommt die mimosenhafte Reizbarkeit der Urbevölkerung, ein natürliches Habitat von schneebedeckten Bergen sowie die mythische Fauna – hier der Wolpertinger, dort das Monster von Loch Ness. Vergleichende Studien haben mich allerdings davon überzeugt, dass die Unterschiede die Gemeinsamkeiten überwiegen, und sei es nur, dass nicht einmal die Schotten ihren Whisky in derart opulenten Mengen in sich hineinschütten wie die Bayern das Bier. Außerdem brauen Schotten einen Gerstensaft, der die stärksten bayerischen Starkbiere erblassen lässt: »Tactical Nuclear Penguin« enthält atemberaubende 32 Prozent Alkohol. Bemerkenswerte Gemeinsamkeiten zwischen beiden Völkern bestehen freilich darin, dass die jeweilige Volksmusik gewöhnungsbedürftig ist und dass die Männer in ihrer jeweiligen Nationaltracht Wert auf entblößte Knie legen.

Unser Hotel lag in einem Vorort von Edinburg. Alle Unterkünfte in Zentrumsnähe waren belegt, obwohl wir der Empfehlung gefolgt waren und ein Jahr im Voraus gebucht hatten. Inzwischen wissen wir, dass man im Idealfall bei der Geburt eines Kindes reservieren sollte, damit der Nachwuchs zum 18. Geburtstag das Kulturfestival in einem Edinburger Innenstadthotel erleben kann, ohne dafür seine Lebensersparnisse antasten zu müssen. Denn die Preise sind gesalzen.

Geld, ganz nebenbei, ist Schotten wichtig. Den Geiz freilich, den ihnen missgünstige Engländer seit Generationen unterstellen, stellen sie in Abrede. Sie reden lieber von kalvinistischer, haushälterischer Sparsamkeit. Wenn ein Schotte einem anderen unterstellt, dass er »eine Orange in seiner Hosentasche schält«, damit er sie nicht teilen muss, dann schwingt dabei ebenso Hochachtung mit wie in der Redewendung: »Er könnte in deinem Ohr leben und das andere vermieten.«

Unser Zimmer war auch nicht viel geräumiger als eine Ohrmuschel. Den meisten Platz nahm eine überlebensgroße Statue von Robert Burns ein, die derart in die Ecke zwischen dem einzigen Fenster und der Badezimmertür geschoben war, dass der Zugang zur Nasszelle quasi blockiert war. Wie man auf diese Weise Sympathien für den gefeierten Nationaldichter wecken wollte, war mir schleierhaft. Wir jedenfalls verfluchten ihn jedes Mal, wenn sich einer von uns ins Bad zwängen musste. Das Standbild war, um noch eines jener drastischen, aber aussagekräftigen schottischen Bonmots zu zitieren, »so nützlich wie Titten an einem Stier«.

An der Rezeption waren wir von einem Mann unbestimmbaren Alters empfangen worden, der von Aussehen und Gemüt her auf die trostlose Granitfassade des Gästehauses abgestimmt war. Wer hatte noch einmal gesagt, dass man nach Schottland reisen müsse, wenn einem das Herz gebrochen wäre, weil ein gebrochenes Herz hier ein *way of life* sei? Katja vermutete, dass es sich bei dem Empfangsherrn um die Inkarnation des dritten Geistes handeln musste, der Scrooge in Charles Dickens' Weihnachtsgeschichte die Zukunft zeigt. Da Katja erfahrungsgemäß ein engeres Verhältnis zum Jenseits hat als ich, widersprach ich nicht.

Alle ersten Eindrücke bestätigten nur, was wir ohnehin schon wussten: Schottland ist anders als England. Nun sind auch die Bayern anders als andere Deutsche, aber nicht einmal die glühendsten bayerischen Patrioten würden ihr Land als Nation bezeichnen. Schottland aber ist eine eigene Nation, und das haben sogar Engländer nie bestritten – jedenfalls, wenn es um sportliche Ereignisse geht.

Zu den wichtigsten Ereignissen im britischen Sportkalender gehören seit jeher die sogenannten Home Internationals. Was wie ein Widerspruch klingt, löst sich auf, wenn man weiß, dass England, Schottland, Wales und Nordirland in gewissen Sportarten als unabhängige Staaten gelten.

Im Rugby wird der Kreis der Mitspielerländer großzügig um zwei erweitert, weshalb man hier von der Six Nations Championship spricht. Dies ist eine Art von Europameisterschaft, die ein ähnlich internationales Flair besitzt wie die irreführend sogenannte World Series im Baseball, an der nur die USA und Kanada teilnehmen. Zu den Six Nations sind nur jene Nationen zugelassen, die nach Überzeugung der sechs Teilnehmerländer etwas von diesem Sport verstehen – eben jene sechs Länder. Traditionell und in erster Linie sind das England, Schottland, Wales und Nordirland. Um dem Ganzen ein wenig internationalen Glanz zu verleihen, wurden zunächst die Franzosen und vor einigen Jahren die Italiener dazugebeten. Aber auch im Fußball stellten die vier britischen Nationen schon immer ihre eigene Nationalmannschaft auf. Damit wollen sie, so sagen Spötter, sicherstellen, dass keine britische Mannschaft einen internationalen Wettbewerb gewinnt, weil sie ihre Talente lieber auf vier Nationalteams verteilen, anstatt sie zu bündeln.

Die vier Nationen verfügen über ihren jeweils eigenen Heiligen – Georg für England, Andreas für Schottland, David für Wales, und der heilige Patrick ist für die Iren zuständig. Wie die Heiligen zu dieser Ehre kamen, ist Anlass für müßige Spekulationen. Denn nur David – ein frömmelnder Asket und Spaßverderber – war selbst Waliser. George war ein Türke, der in Libyen auf Drachenjagd ging und wahrscheinlich nicht einmal wusste, wo England lag. Andrew kam aus Galiläa. Patrick wurde immerhin in Schottland geboren, also wenigstens in der Nachbarschaft Irlands. Aber zum Kelten machte ihn auch das nicht: Vermutlich war er Spross einer römischen Familie.

Alle vier Nationen lassen mittlerweile stolz ihre eigenen Fahnen im Wind knattern: die verschiedenfarbigen und verschiedenförmigen Kreuze von England, Schottland und Irland bilden gemeinsam die britische Nationalflagge, den Union Jack. Wales ist darin nicht vertreten, sehr zur Erleichterung von Schulkindern und Fahnenmachern. Denn die Waliser führen kein Kreuz im Wappen, sondern einen roten Drachen – und der wäre nicht so leicht zu zeichnen wie eine geometrische Figur aus roten, weißen und blauen Balken.

Die Waliser fallen auch beim Nationalsymbol aus dem Rahmen. Dass die Engländer sich die vornehme rote Rose reserviert haben, versteht sich fast von selbst.

Das Kleeblatt der Iren steht für das angeblich sprichwörtliche Glück einer Nation, die in ihrer Geschichte allerdings vorrangig Krieg, Ausbeutung, Hunger und Elend kennengelernt hat. Es sei die andauernde Tragödie seines Volkes gewesen, hat der irische Dichter W. B. Yeats einmal sarkastisch konstatiert, die den Iren über kurzfristige Phasen des Glückes hinweggeholfen habe.

Die leicht zum Einschnappen neigenden Schotten haben zwar keine Mimose für sich reserviert, aber sie sind auch mit ihrer stacheligen Distel sehr zufrieden. Nur Wales hat sich stolz für ein Gemüse entschieden, obschon es schwerfällt, bei einem Lauchstängel als nationalem Symbol ernst zu bleiben, zumal dann, wenn er mit einem feuerspeienden Drachen kombiniert wird.

Die drei nicht englischen britischen Nationen werden unter dem Sammelbegriff Celtic Fringe zusammengefasst. Erfunden hat man den Ausdruck in England, und deshalb empfinden ihn die Nachfahren der Kelten als ein wenig herablassend. Denn »fringe« ist eine Franse oder ein Saum, mit anderen Worten unwichtiger Zierrat, der ein wichtiges Kernstück – nämlich England – einrahmt. Derlei sprachliche Niedertracht ist man am keltischen Rand gewöhnt: Welsh (englisch für Waliser) war das Schimpfwort, mit dem die germanischen angelsächsischen Eroberer die keltischen Ureinwohner bezeichneten. Es bedeutete Ausländer und findet sich auch im deutschen Kauderwelsch.

Doch die Franse lässt sich vom Zentrum schon lange nicht mehr zausen. Schotten weisen stolz darauf hin, dass sie es eigentlich sind, die das Vereinigte Königreich regieren. Gemessen an der Zahl von Ministern und Ministerialbürokraten schottischer Herkunft ist das nicht einmal übertrieben. Mittlerweile haben Schotten die Latte noch ein wenig höher gelegt und die Behauptung in die Welt gesetzt, dass sie die moderne Welt erfunden hätten. Auch hier liegen sie nicht ganz falsch: Ob Aufklärung oder moderne Marktwirtschaft, Dezimalpunkte oder Logarithmen, ob Fax, Regenmantel, Asphalt, Mikrowellen, Penicillin oder Fernsehapparate – die moderne Welt wäre ohne schottischen Erfindergeist in der Tat wesentlich ärmer.

Die Iren halten sich – nicht ganz zu Unrecht – zugute, dass es ohne sie keine englische Literatur gäbe. In der Tat: Ob Narnia oder Dracula, Gulliver oder Dorian Gray, Eliza Doolittle oder Leopold Bloom, die Iren haben den Kodex der Weltliteratur unverhältnismäßig stark bereichert. Noch heute wimmelt es in irischen Pubs nur so von verkannten Autoren und Dichtern. In anderen Ländern würde man von Trunkenbolden sprechen.

Das kleine Wales kann da nur insofern mithalten, als es England und dem Rest der Welt Tom Jones und Shirley Bassey geschenkt hat. Waliser singen überhaupt recht gern, wenn auch meist im Chor. Sie halten sich für keltisch leichtlebig, was außerhalb von Wales zu dem Urteil geführt hat, dass sie im Kern nur Italiener mit deutlich höheren Niederschlagsmengen seien. Außerdem schlagen die Waliser alle anderen regelmäßig beim Rugby, sehr zum Verdruss der Engländer, die dieses Spiel eigentlich erfunden haben. Das konnten auch nur Engländer sein, pflegen Waliser zu spotten. Niemand anderem wäre es eingefallen, einen Ball oval zu formen.

Der Beitrag der Engländer zum britischen Kulturerbe schnurrt – so betrachtet – schnell zusammen: ein bisschen Shakespeare, Fünf-Uhr-Tee und Yorkshire Puddings. Man muss nur einen Blick auf die geläufigsten Familiennamen werfen, um zu sehen, wer wirklich auf den Inseln das Sagen hat: Alles, was mit einem O und Apostroph beginnt, ist irisch, dazu noch alle Doyles und Boyles, Kellys, Murphys, Kennedys und Regans. Macs, egal ob mit oder ohne a, sind Schotten, dazu die Stewarts, Camerons, Campbells, Gordons, Grahams, Frasers oder Forbes. Wer vermeintlich urenglisch Davies, Evans, Morris, Jones, Morgan oder Hugh heißt, dessen Vorfahren kommen aus den Hügeln und Tälern von Wales. Wirklich englisch sind meist nur Leute mit banalen Allerweltsnamen, wie es sie in jedem Land gibt: die Millers, Bakers, Cooks und Smiths.

Engländer sitzen ja noch nicht einmal auf dem englischen Thron, jedenfalls schon lange nicht mehr. Charles, der künftige König, hat eine Mutter ursprünglich deutscher Abstammung und einen Vater dänisch-griechischer Herkunft. Deutsche, sei es aus Coburg oder aus Hannover, regieren die Briten schon seit fast 300 Jahren. Vorher saßen Holländer in London auf dem Thron, Schotten, Waliser und Franzosen. Der letzte wirklich englische König Englands war Harold II. Er fiel 1066 auf dem Schlachtfeld im Kampf gegen die Normannen.

All diese Weisheiten hatte Andrew mir im Laufe zahlloser nächtlicher Gespräche eingeimpft, die wir in unserer Jugend unter Zufuhr reichlicher Mengen an »Lebenswasser« (deutsch für Whisky) geführt hatten. Seine Verachtung für die Sassenach (wörtlich heißt das Sachsen, es ist das gälische Wort für die Eroberer vom Kontinent) wurde nur von seiner Geringschätzung für seine eigenen schottischen Landsleute übertroffen. Andere Nationen ließen sich wenigstens von einer anständigen Macho-Kultur kolonialisieren, spuckte er voller Verachtung aus. Nur die Schotten hätten sich mit den Engländern eine Rasse »weibischer Arschlöcher« als Oberherren ausgesucht.

»Der Unterschied zwischen den Iren und uns ist, dass die Iren außen Feuer sind und innen Stahl«, erklärte Andrew die Tiefen des schottischen Unterbewusstseins, als wir uns am nächsten Tag vor dem Burns-Denkmal in der Princes Street trafen. »Bei uns Schotten ist es umgekehrt, und deshalb gibt es Schotten im Wesentlichen in zwei Ausformungen, die beide in derselben Seele Platz finden: Entweder sie hocken still und permanent eingeschnappt in einer Ecke und brüten etwas aus; oder sie toben splitterfasernackt und mit Gänsefett eingeschmiert wie Berserker durch die Hochmoore.«

Dass sich Andrew eher zur zweiten Kategorie rechnete, war mir schon immer klar gewesen. Inzwischen würde er allerdings keine ganz so gute Figur mehr im Hochmoor machen wie damals vor dreißig Jahren. Man sah ihm zwar an, dass er seinen Körper noch immer pflegte; dennoch war unübersehbar, dass dieser Korpus an den falschen Stellen gleichsam Blasen geschlagen zu haben schien. Wo sich einst unter dem T-Shirt die Muskeln riffelten, da brachen sich heute Speckröllchen Bahn. Den Freddie-Mercury-Schnauzer hatte er schon vor längerer Zeit abrasiert, und die modische Kurzhaarfrisur des Queen-Stars, der er in seiner Jugend mit dem Rasierer nachgeholfen hatte, hatte sich mittlerweile ganz natürlich eingestellt. Nur seinen hinreißend schmachtenden Blick hatte er sich bewahrt, und den reservierte er nun ausschließlich für Katja und Julia.

»Ach, warum hat es Gott nur so eingerichtet, dass die charmantesten Männer immer schwul sein müssen«, seufzte Katja, während sie Andrews Hand ein wenig länger festhielt als unbedingt nötig und ihn von oben bis unten betrachtete.

»Und wie schick du aussiehst. Richtig schottisch. Steht dir aber hervorragend.«

Tatsächlich hatte mein Freund einen Kilt angelegt, komplett mit pelzbesetztem Täschchen und überbreitem Gürtel. Darüber trug er einen grobgestrickten Norwegerpullover, dessen Schneeflockenmotive irritierend mit dem Karo seines Rockes und mit dem Kalender kontrastierten, der Sommer angab. Doch die Temperaturen hielten sich sowieso nicht daran.

»Ist das nicht ein wenig leichtsinnig bei eurem Klima?«, kommentierte ich sein Outfit. »Kalter Wind und kurze Röckchen?«

»Mach mir nicht das schottische Klima schlecht«, grinste Andrew. »Unser Klima ist wunderbar. Es ist nur das Wetter, das alles verdirbt. Im Moment regnet es wenigstens nicht, also wie wär's mit einem Stadtrundgang.«

Drei Stunden später keuchten wir die Stufen zu einem Restaurant hinauf.

»So, das reicht fürs Erste. Es wird Zeit, dass wir etwas zwischen die Zähne kriegen«, stöhnte Andrew.

Ohne hinzusehen spürte ich, dass Katja und Julia derselben Meinung waren. Sie hätten schon vor zweieinhalb Stunden nichts gegen eine Rast gehabt. Sie sind der Überzeugung, dass man eine Stadt am besten von einem Bus aus besichtigt. Ihre anfängliche Bewunderung für den unermüdlich in seinem Kilt voraus-schreitenden Andrew war daher langsam, aber sicher einem schwelenden Vorwurf gewichen.

»Ich hoffe, ihr habt euch einen gesunden Appetit angelaufen, denn hier gibt es ordentliche schottische Hausmannskost.«

Julia, die sich als Erste eine Speisekarte geangelt hatte, schüttelte sich. Die drei Wörter »ordentlich«, »schottisch« und »Hausmannskost« deuteten ihrer Meinung nach nicht auf eine schmackhafte Mahlzeit hin.

»Haben die hier keine Nudeln?«, quengelte sie. »Nudeln kann doch jeder.«

Von Oscar Wilde ist der Spruch überliefert, dass er einen ganz einfachen Geschmack habe. Das Beste sei ihm gerade gut genug. Für Julia gilt nur der erste Teil dieses Zitats. Sie könnte sich ausschließlich von Nudeln mit ein bisschen zerlassener Butter ernähren. Ja, manchmal kommt es mir so vor, als ob sie ihr ganzes Leben nichts anderes gegessen hätte.

»Nudeln, wer will schon Nudeln«, protestierte Andrew. »Wir sind doch nicht in Italien. Wenn ihr schon mal in Schottland seid, dann müsst ihr Haggis probieren.«

»Haggis«, riefen Katja und Julia wie aus einem Mund, und darin schwang keine hungrige Vorfreude mit.

»Gefüllter Schafsmagen. Eine Delikatesse.«

»Was? Ihr zwangsernährt ein Schaf und dann fresst ihr es?«

Katja schüttelte angewidert den Kopf.

»Und das ist legal? Die Franzosen dürfen das nicht mal mehr mit Gänsen machen.«

»Nein, so leichte Ladidah-Kost wie bei den Franzosen gibt es bei uns nicht«, sagte Andrew. »Richtiges Essen für richtige Männer. Mit Broccoli und Rucola hätten Braveheart und seine Männer die Engländer nie geschlagen. Gemüse, igitt. Gemüse ist keine Kost für Menschen. Bei uns fressen nur Kühe und Schafe Gras, und wir essen Burger, Steaks und Koteletts. Wir haben hier sowieso nur drei Gemüsesorten, und zwei davon heißen Kohl.«

»Eigentlich habe ich gar keinen großen Hunger«, meinte Julia und schob die Speisekarte weg.

»Für mich auch nur eine klitzekleine Kleinigkeit«, sekundierte Katja. »Das Frühstück war sehr reichhaltig heute Morgen.«

»Aber trinken müsst ihr was«, riet Andrew. »Buckfast für die Erwachsenen und ein Irn Bru für Julia. Okay?«

Bevor wir einschreiten konnten, hatte er schon eine Runde bestellt.

»Mmh, nicht schlecht.« Julia schnalzte mit der Zunge, als sie den ersten Schluck ihres Drinks gekostet hatte. »Das könnte ich öfter trinken.«

»Das ist unser zweites Nationalgetränk, nach dem Whisky«, verkündete Andrew stolz. »Nur zwei Menschen auf der ganzen Welt kennen das Rezept.«

»Lass mich mal probieren.«

In dem Moment, in dem die Flüssigkeit meine Lippen passierte, wusste ich, dass ich einen Fehler begangen hatte. Der erste Geschmacksimpuls erinnerte an konzentrierte, in Zuckerlösung aufgelöste Kaugummikugeln aus dem Automaten. Dann konnte ich schon förmlich hören, wie das Gebräu meinen Zahnschmelz zu zersetzen begann – ein raspelndes, zischendes Geräusch, als ob man das Gebiss in Säure getaucht hätte. Trotz ernster Sorgen um meinen Magen-Darm-Trakt schluckte ich und griff nach dem Glas mit dem Getränk, das Andrew Katja und mir empfohlen hatte.

Das war der zweite Fehler. Das Gesöff war fast genauso süß wie Irn Bru, dafür aber obendrein hochalkoholisch. Schweren Herzens schluckte ich ein zweites Mal und schob das Glas weit von mir.

»Was zum Teufel ist das?«, fragte ich Andrew.

»Buckfast. Von Mönchen gebraut. Sie nennen es einen Tonic Wine. Lässt dir Haare auf der Brust wachsen.«

»Danke, davon habe ich schon genug. Das Zeug ist ja eklig süß.«

»Ja, wir Schotten sind bekannt dafür, dass wir einen süßen Zahn haben«, gestand Andrew ein. »Der beste Snack zu Irn Bru oder Buckfast sind übrigens Schokoriegel. Frittiert.«

»Süßer Zahn, dass ich nicht lache. Bei dieser Ernährung ist es ein Wunder, dass ihr überhaupt noch einen im Mund habt.«

Andrew widersprach nicht, aber er hatte sowieso schon eine neue Idee. »Du musst dir unbedingt einen Kilt kaufen«, riet er mir, als wir mit knurrendem Magen wieder auf der Straße standen. Und mit verschwörerischem Blick raunte er mir zwinkernd zu: »Er ist das ideale Kleidungsstück für, na, du weißt schon, was. Und natürlich bei Durchfall.«

»Ein zwingendes Verkaufsargument ist das nicht gerade«, wandte ich ein. »Ich hoffe, dass ich für beides immer genügend Zeit finde.«

»Warte ab. Das gilt aber natürlich nur, wenn du ihn commando trägst.«

»Commando?«

»Mit nichts drunter. Blank und bloß.«

»Das wollte ich schon immer wissen«, mischte sich Katja ein. »Wie ist das nun wirklich mit den Kilts?« Sie nickte aufmunternd zu Andrews Rock hin. »Wird irgendetwas getragen unter dem Kilt?«

»Wenn du getragen im Sinne von abgetragen oder verschlissen meinst, dann kann ich dich beruhigen, Katja. Unter meinem Kilt ist nichts abgenutzt, alles in bestem Zustand.«

Damit hatte er auf alle Fälle schon mal Katja herumgekriegt. Zu zweit steuerten sie den nächsten Kiltladen an, von denen es in Edinburg mehr zu geben schien als Gemüsehändler. Julia und mir blieb nichts anderes übrig, als hinterherzutraben. Ich fühlte mich an die Definition des Kilts durch den amerikanischen Spötter Ambrose Bierce erinnert, wonach der Schottenrock ein Kleidungsstück sei, das »manchmal von Schotten in Amerika und von Amerikanern in Schottland getragen« werde. Oder von Deutschen in Schottland, setzte ich in Gedanken hinzu. Allerdings nötigte mir der Gedanke der Commando-Tragweise Respekt ab. Was für eine abgehärtete Rasse, dachte ich mir. Röcke tragen mit nichts drunter und die stachelige Distel zum Nationalsymbol küren.

Julia hatte die Diskussion mit wachsender Bestürzung verfolgt.

»Du wirst dir doch nicht wirklich einen Rock kaufen«, hauchte sie mir zu. »Wenn du das tust, verleugne ich dich. Ich gehe keinen Schritt mit dir, wenn du einen Rock anziehst.«

Doch es war schon zu spät. Die Ladentür hatte sich hinter uns geschlossen, und ich befand mich in den erfahrenen Händen eines älteren Verkäufers, der nach seinen eigenen Worten schon Tausenden von Männern zu einem neuen, befreiten Gefühl in den unteren Regionen verholfen hatte.

»Lassen Sie sich nicht irremachen von Leuten, die nichts davon verstehen«, redete er mir zu. »Wir Schotten haben ein Sprichwort.«

»Das dachte ich mir beinahe«, unterbrach ich ihn. »Ihr Schotten habt für jede Lebenslage ein Sprichwort.«

»Aber keines ist so zutreffend wie das über den Kilt-Träger: Wenn Gott auf ihn herabsieht, wird er von Stolz erfüllt; wenn der Teufel zu ihm hinaufblickt, erfasst ihn die Furcht.«

»Das kann man aber wahrscheinlich nicht verallgemeinern«, bemerkte Katja spitz – aber da war ich schon in der Umkleidekabine verschwunden.

Merkwürdig, wie viele Laschen, Gurte und Schnallen man braucht, um ein Stück Stoff am Körper zu befestigen, das – abgesehen von einer Vielzahl von Falten und Plissees – ähnlich kompliziert zugeschnitten ist wie ein Badetuch, wunderte ich mich. Das Gefühl, das sich einstellte, als ich den Kilt endlich um die Hüfte fixiert hatte, war nicht unangenehm. Im Gegenteil: Ich fühlte mich befreit von engen Hosenröhren und kneifendem Stoff im Schritt.

Beschwingt trat ich aus der Kabine. Angenehm umfächelte der Stoff meine nackten Oberschenkel. Probeweise drehte ich mich um die eigene Achse und ließ den Rock hochfliegen. Das ist besser als eine kurze Lederhose, dachte ich.

Katja machte zustimmende Geräusche und riet zum Kauf. »Aber du wirst das Ding doch hoffentlich nur zu

Hause tragen«, vergewisserte sie sich dann doch vorsichtig.

Julia hatte sich abgewendet und studierte angelegentlich eine Vitrine mit Dolchen, wie sie der bekiltete Schotte im Strumpf mitführt.

»Was meinst du, Julia«, rief ich. »Steht mir doch gut?«

»Meine Eltern haben mir gesagt, dass ich nicht mit Fremden reden soll«, warf sie mir schnippisch über die Schulter zu.

Andrew lächelte zufrieden und reckte beide Daumen zustimmend in die Höhe.

»Großartig. Jetzt brauchen wir nur noch eine Tasche und eine Kiltnadel. Und du musst dir aussuchen, welches Karo du möchtest.«

Tatsächlich fiel mir erst jetzt auf, dass der Rock keine Taschen hatte und ich daher auf eine Handtasche angewiesen war. Gottlob nennen Schotten dieses Ding »sporran«, was nicht so fürchterlich klingt wie Männerhandtasche und sehr viel besser aussieht als das, was deutsche Männer in den neunziger Jahren am Handgelenk trugen. Die Kiltnadel erwies sich als unverzichtbar, schließlich sollte sie verhindern, dass ein kecker Windstoß den Rock bis zur Hüfte auseinanderklaffen ließ.

Zufrieden stolzierte ich im Laden auf und ab.

»Ich glaube, dass ich etwas Schottisches in mir habe«, sinnierte ich halblaut.

»Jetzt übertreib mal nicht«, holte mich Katja auf den Boden der Realität zurück. »Der Whisky und dieser Tonic Wine, die du vorhin getrunken hast, sind das einzig Schottische, was im Moment in dir steckt.«

Als wir das Geschäft verließen, stand noch immer

die Sonne am Himmel. Einheimische und fremde Zecher freilich hatten sich nicht an den Ratschlag gehalten, dass man erst mit Einbruch der Dunkelheit zu trinken beginnen sollte. Überall torkelten bereits Betrunkene durch die Straßen. Ihr Grölen verband sich mit Musikfetzen aus unterschiedlichen Richtungen. An strategischen Punkten waren Pop- und Rockgruppen in Stellung gegangen. Über unseren Köpfen turnte eine Trapeztruppe quer über die Royal Mile.

Ein eisiger Windstoß fuhr mir unter den Rock und ließ mich erschauern.

»Daran gewöhnst du dich«, tröstete mich Andrew. »Hauptsache, die Nadel hält. Du wirst sehen: So ein Kilt hält richtig warm.«

Ob es tatsächlich die dicken Stoffbahnen waren, die Whiskys, die wir nun auch zu uns nahmen, oder mein Stolz, mir die Kälte nicht anmerken zu lassen – mir wurde tatsächlich wohlig warm.

Ich tänzelte ein wenig auf und ab, drehte mich und ließ versuchsweise den Rock fliegen. Katja zog die Augenbrauen hoch, Julia steckte sich den Zeigefinger in den Rachen, als ob sie sich übergeben wollte. Nur Andrews Blick ruhte mit unübersehbarem Wohlgefallen auf mir.

»Ich glaube, daran könnte ich mich gewöhnen«, sagte ich. »Warum sollen nur Frauen Röcke tragen dürfen.«

»Oder Schotten«, ergänzte Andrew.

»Genau«, bekräftigte ich. »Sollen Frauen doch die Hosen anhaben.«

»Solange ich Hosen anhabe, wirst du keinen Rock tragen«, verkündete Katja nun mit einer Stimme, die keinen Widerspruch duldete. »Ist ja alles ganz nett, aber wenn ich es mir genau überlege, solltest du das nur zu Hause tragen und nicht damit unter Leute gehen.«

»Und was ist mit deiner bayerischen Tracht?«, fragte ich. Katja hat eine stille Schwäche für Dirndl, Lodenjanker und andere Erzeugnisse alpenländischer Landhausmode.

»Das ist etwas ganz anderes. Mit Tracht blamiert man sich nicht in der Öffentlichkeit.«

Julia verzog ihr Gesicht zu einem spöttischen Grinsen, sagte aber nichts.

Katja ignorierte sie.

»Kurz und gut: Bayerisch oder österreichisch kannst du dich überall sehen lassen, da bist du nie falsch angezogen, da stehen dir alle Türen offen.«

Andrew, der unser Gespräch bislang schweigend verfolgt hatte, räusperte sich.

»Da wäre ich mir nicht so sicher. Es ist noch gar nicht so lange her, da hat das Claridge's, ihr wisst schon, das Luxushotel in London, einem Mann in Lederhosen den Zutritt verweigert. Keine Shorts, das sei ihre Politik, haben sie gesagt. Dabei hatte der Gute lange Lederhosen an.«

»Das ist ja ungeheuerlich«, protestierte Katja. »Wahrscheinlich steckt da wieder mal ein tiefsitzendes Vorurteil gegen die Teutonen dahinter.«

»Nein, glaube ich nicht«, sagte Andrew. »Der Mann war Schotte. Er hatte sich das ganze Outfit – vom Haferlschuh bis zum Tirolerhut – bei einem Besuch bei den Passionsspielen in Oberammergau gekauft. Besonders sauer war er, als man ihm sagte, dass er mit seinem Kilt problemlos ins Hotel gekommen wäre. Nackte Knie unterm Rock sind offenbar was anderes als nackte Knie unter der Hose.«

»Na ja«, ließ ich mich nun wieder vernehmen. »Was zieht sich ein Schotte auch Lederhosen an …«

In dem Moment, in dem die Worte meinen Mund verlassen hatten, erkannte ich meinen Fehler. Katja auch.

»Richtig, mein liebster bayerischer Schatz«, säuselte sie. »Und natürlich gilt auch der Umkehrschluss.«

NEUN

Nach jedem Urlaub ist es dieselbe Geschichte, egal, ob man ein verlängertes Wochenende weg war oder drei Wochen. Alle Probleme, die man bei der Abreise zurückgelassen und rasch vergessen hatte, haben brav daheim auf dich gewartet. Im Gegensatz zu vernachlässigten Topfpflanzen besitzen sie noch nicht einmal den Anstand zu verdorren. Im Gegenteil: Sie scheinen dich genauso übertrieben fröhlich schwanzwackelnd zu begrüßen wie Chico, wenn man ihn aus seiner Sommerfrische abholt.

Nicht so frohgemut wie mein Hund, dafür nicht weniger penetrant hartnäckig wie Chico, wenn er Gassi gehen will, war Mäuer. Obwohl er wusste, dass ich in Edinburg war, hatte er mehrmals angerufen und E-Mails geschickt. Wir sollten doch nun wirklich ernsthaft das Projekt des Interviews mit dem Premierminister vorantreiben, meinte er. Das wiedererwachte Interesse stand in direktem Zusammenhang mit der politischen Sommerpause in Deutschland. Für Mäuer hatte dies zur Folge, dass die Zahl der Einladungen zu Fernseh-Talkshows deutlich zurückgegangen war. Er hatte also wieder mehr Zeit, sich dem Ausland zu widmen – als ob es dort keine Sommerpause gäbe.

Nun tat er so, als ob ein Gespräch mit dem britischen Premierminister ähnlich leicht zu ergattern wäre wie ein Friseurtermin. Mir war nicht klar, woher er diese Selbstsicherheit nahm. Ich vermutete aber, dass er selber schon ein paar Fühler ausgestreckt und dabei alles für bare Münze genommen hatte, was man ihm gesagt hatte.

Schauplatz derart weitreichender Missverständnisse ist meistens ein Restaurant der gehobenen Preisklasse, in dem sich Chefredakteure mit anderen Spesenrittern, gemeinhin getarnt als sogenannte Quellen oder Informanten, zum Lunch treffen. Früher oder später kommt man auf die jeweiligen leidigen Untergebenen zu sprechen, und wenn der Gesprächspartner aus dem Ausland kommt, dann bleibt es nicht aus, dass der Auslandskorrespondent thematisiert wird.

Das ist im Allgemeinen nicht gut für den Korrespondenten. Man weiß ja noch, welche Konsequenzen Elternabende in der Schule hatten, an denen sich Vater und Mutter mit dem Mathe- oder dem Lateinlehrer austauschen konnten. Alle Beteiligten erfuhren dabei Dinge, die lieber unausgesprochen geblieben wären.

Ein klassischer Eröffnungszug ist die beiläufig zwischen Dessert und Espresso eingestreute Bemerkung, dass die Zeitung sich doch mal um ein Interview bemühen sollte. »Unser Ministerpräsident würde gerne seinen Standpunkt einer größeren Öffentlichkeit in Ihrem Land mitteilen, und Ihre geschätzte Zeitung wäre dafür das beste Podium«, wird der Chefredakteur umgarnt.

Oho, denkt der sich, warum kommt da unser Mann vor Ort nicht drauf? Laut sagt er: »Unser Mann vor Ort hat uns immer zu verstehen gegeben, dass ein Treffen fast unmöglich wäre.« An dieser Stelle zuckt der Gesprächspartner mit den Schultern und hebt hilflos die Hände in die Höhe. »Was haben Sie anderes erwartet«, deutet er damit unausgesprochen an. »Würde wahrscheinlich den liebgewonnenen Trott Ihres Korrespondenten stören, wenn er ein paar Extraschichten einlegen müsste.«

Insgeheim hat sich der Chef das sowieso schon immer gedacht, und so endet das Mittagessen im besten gegenseitigen Einvernehmen. Dumm an der Sache ist nur, dass das freundliche Angebot in keinem Augenblick ernst gemeint war und nicht mehr konkrete Bedeutung hatte als, sagen wir, ein Kompliment zu einer neuen Brille. Im Vereinigten Königreich gesellt sich noch ein Problem hinzu: die angeborene Höflichkeit. Anders gesagt: Man scheut sich, jemandem eine Gefälligkeit abzuschlagen, denn damit, so die generelle Überzeugung, zeige man seine schlechte Kinderstube. Um wie viel erfreulicher ist es doch, Hoffnungen zu schüren.

Kontinentaleuropäer im Allgemeinen und Deutsche im Besonderen können diese Denkweise nur schwer nachvollziehen. Für sie ist es Ausdruck schlechten Benehmens, wenn man den anderen mit einem lediglich vorgegaukelten Versprechen tage-, wochen-, ja mitunter monatelang an der Nase herumführt, anstatt ihm reinen Wein einzuschenken.

Ein wenig erinnert dieses Verhalten an japanische Bräuche. Oberflächlich betrachtet haben Briten und Japaner nicht viel gemeinsam, außer vielleicht, dass beide Völker auf Inselgruppen leben, die hinreichend abseitsliegen, um die Entwicklung von Besonderheiten zuzulassen. Aber schon bei der Zubereitung der Meeresfrüchte aus den die Inseln umspülenden Gewässern sind die Japaner mit Sashimi deutlich andere und besser mundende Wege gegangen als die Briten mit paniertem Kabeljau.

Doch wer näher hinsieht, entdeckt unter der Oberfläche erstaunlich viele Gemeinsamkeiten. Dazu gehört vor allem eine latente Aggressivität, die sich mit einem Mantel belangloser Höflichkeit tarnt. Der Alltag wird fraglos leichter, wenn sich jeder bei jedem andauernd entschuldigt. Aber das Berufsleben wird dadurch deutlich erschwert.

Im Kern geht es darum, dass Briten (genauso wie Japaner) lieber ersticken würden, als das kleine Wörtchen »Nein« hervorzuwürgen. Die konkreten Auswirkungen auf das Geschäft des Journalisten sind kaum zu überschätzen. Anfangs glaubt man noch, in einem Paradies gelandet zu sein, in dem nichts unmöglich ist. Ein Interview mit dem Premierminister? »Er wäre ganz sicher entzückt.« Ein Besuch in Faslane, wo Britanniens Atom-U-Boote stationiert sind? »Grundsätzlich spricht überhaupt nichts dagegen.« Pressekarten für eine Westend-Premiere? »Bestimmt kein Problem, schon gar nicht für jemanden wie Sie.«

Erst nach einiger Zeit wird einem klar, dass all die vollmundigen, zuversichtlichen und optimistischen Erklärungen ein einziges kleines Wort maskieren: Nein. Denn praktische Konsequenzen hat die vermeintlich feste Zusage nie. Wenn man – zunehmend irritiert – fünf-, sechs-, siebenmal nachgehakt hat, ergeben sich zwei Möglichkeiten: Entweder werden die Versprechungen immer wolkiger, allgemeiner und unverbindlicher, oder es geht überhaupt niemand mehr ans Telefon.

Es hat wenig Sinn, Briten auf diese Marotte aufmerksam zu machen. Sie ist fest in ihrer DNS abgespeichert. Engländer sind ja nicht von Natur aus konfliktscheu, eher im Gegenteil. Unter der trügerisch blassen, kühlen Oberfläche brodeln kochende Geysire, die jederzeit explodieren und sich in einem Faustschlag ins Gesicht des Gegenübers entladen können. Aber es scheint, als ob es zwischen der gewalttätigen Option und der Leisetreterei keine weiteren Abstufungen gäbe.

Der erfahrene ungarische Briten-Beobachter George Mikes, der über mehrere Jahrzehnte hinweg zahlreiche Bücher seinem verwirrend widersprüchlichen Gastland widmete, registrierte diese Besonderheit kurz nach seinem Eintreffen in London, als seine Bewerbung für einen Job als Übersetzer abgelehnt wurde. Mikes war weniger über die Abfuhr überrascht. Er hatte nichts anderes erwartet, weil er zu diesem Zeitpunkt nur ein paar Dutzend Worte Englisch beherrschte. Umwerfend fand er nur die Begründung. »Es tut mir leid«, hatte man ihm mitgeteilt, »aber Ihr Englisch ist ein klein wenig unorthodox.«

Mikes destillierte seine Beobachtungen in eine Art von Gesetzmäßigkeit. »Wenn dir jemand eine ganz offenkundig unwahre Geschichte erzählt«, schrieb er, »dann würdest du auf dem Kontinent sagen: ›Sie sind ein Lügner, Sir, und ein recht dreister obendrein.‹ In England würdest du nur sagen: ›Oh, wirklich?‹ Oder: ›Das ist eine ziemlich ungewöhnliche Geschichte, nicht wahr?‹«

Mir war daher, im Gegensatz zu Mäuer, von Anfang an klar, welche Antwort ich erhalten würde, wenn ich Downing Street anrufen und formell um ein Interview nachsuchen würde. Ken Brown, mein einziger Kontakt in der Regierungszentrale, enttäuschte mich denn auch nicht.

»Der Premierminister wäre absolut entzückt, wenn er Sie und Ihren Chefredakteur treffen könnte«, sprudelte es spontan aus ihm heraus. Und als ob ihm diese Lüge nicht genügend dick aufgetragen erschiene, schob er sogleich nach: »Er ist ein großer Bewunderer Ihrer Zeitung, auch wenn er leider in diesen Tagen nicht genügend Zeit hat, sie so ausführlich zu lesen, wie er das gerne täte.«

»Ich wusste gar nicht, dass der Premierminister Deutsch kann«, säte ich vorsichtige Zweifel.

»Er versteht es mehr, als dass er es spricht. Und lesen ist ja immer einfacher, da kann man auch mal schnell was nachschlagen.«

Ja, dachte ich mir, das kann ich mir gut vorstellen, wie der Herr Premierminister mit dem Leitartikel einer großen deutschen Tageszeitung am Schreibtisch sitzt und alle drei Zeilen im Wörterbuch blättert.

Mit dem analytischen Scharfsinn eines ehemaligen Kremlkorrespondenten klopfte ich Ken Browns schöne Worthülsen ab, bis eine hässliche Betonmauer übrig blieb, die uneinnehmbar zwischen mir und der Downing Street stand. Der Premierminister »wäre« entzückt, hatte er gesagt. Das war der Konjunktiv, und zwar der Konjunktiv II – also nicht die einfache Möglichkeitsform, sondern der sogenannte Irrealis, wie man ihn aus dem Volkslied »Wenn ich ein Vöglein wär'« kennt. Ich bin kein Vogel und es gibt kein Interview.

»Er wäre entzückt«, fügte er allerdings wie zur Bestätigung noch einmal hinzu, und weil er schon so schön in Fahrt war, redete er sich gleichsam in einen Rausch.

»Letztlich geht es nur um die Terminabsprache, also wann es allen passt«, schnurrte er. »Aber das ist nun wirklich eine Kleinigkeit.«

Ich konnte nur hoffen, dass er diesen grenzenlosen Optimismus nicht direkt an die Redaktion übermittelte. Aber mir machte er nichts vor, und als er sich mit den Worten verabschiedete: »We'll stay in touch«, da übersetzte ich sie sogleich ins Deutsche: »Besten Dank für Ihr Interesse. Bemühen Sie sich nicht, uns anzurufen. Wir melden uns bei Ihnen. Have a nice day.«

Meistens ist es so, dass die Initiative für ein Politikergespräch vom Politiker ausgeht, wenn er glaubt, sich dringend mitteilen zu müssen. Was er mitteilen möchte und was der Journalist erfahren will, deckt sich leider nicht immer zu hundert Prozent.

Einmal wurde ich von einem Anruf aus dem Verteidigungsministerium erschreckt. Der Herr Minister ersuche höflich darum, mir ein Interview geben zu dürfen, flötete sein Sprecher. Ich selbst hatte mehrmals vergeblich um einen Termin nachgesucht und fühlte mich ungemein geschmeichelt, zumal das Gespräch schon am nächsten Tag stattfinden sollte.

Ich wollte schon erfreut zustimmen, als mich der Sprecher um eine kleine Gefälligkeit bat. Ob ich ihm wohl meine Fragen innerhalb der nächsten halben Stunde mailen könnte, damit sich der Minister darauf vorbereiten könne. Ich glaubte mich verhört zu haben. Nein, erwiderte ich kategorisch. Der Letzte, der sich dies ausbedungen habe, sei Saddam Hussein gewesen, und auch ihm hätten wir diesen Gefallen nicht getan.

Gut, keine Panik, vollstes Verständnis, stammelte das Ministerium. Es wäre schon hilfreich, wenn ich ein paar Andeutungen machen könnte, über welche Themen ich mit dem Minister sprechen wolle. Na ja, sagte ich, worüber man eben so spricht mit dem Verteidigungsminister eines Nato-Landes: Kylie Minogues neue Single, Chelseas Pleite in der Champions League, das Wetter. Am Ende kam schließlich heraus, was des Ministers Anliegen war: Er war zu einem feierlichen Gelöbnis von Bundeswehrsoldaten nach Berlin eingeladen worden und wollte sich mit ein paar netten Bemerkungen bei seinen Gastgebern einschmeicheln.

Ähnlich verlief ein Gespräch mit dem Außenminister. Es war freilich weniger ein Gespräch als ein Monolog, der völlig frei von jeglichem Inhalt war. Der Mann sprach viel und lange, ohne eine einzige Aussage zu machen. Immerhin erhielt ich auf diese Weise die Möglichkeit, das Arbeitszimmer zu bestaunen, in dem britische Außenminister wirken. Es war zur Blütezeit des britischen Empire entstanden und spiegelte den globalen Anspruch des Reiches wider. Konkret bedeutete das, dass der Minister eigentlich einen Laufburschen gebraucht hätte, wenn er vom Schreibtisch aus mit jemandem an der Zimmertür sprechen wollte.

Zu dem Interview waren außer mir ein französischer, ein spanischer und ein junger polnischer Kollege eingeladen worden. Der Pole war offensichtlich schwer beeindruckt von der Geschichte, die dem Büro sein prachtvolles Flair verlieh.

Als wir hinaus auf die Straße traten, sagte er zu uns: »Ich fühle mich sehr geehrt, mit so erfahrenen Kollegen wie Ihnen zusammenarbeiten zu dürfen. Was mich besonders erfreut, ist, dass Sie alle aus Ländern stammen, die irgendwann einmal in der Vergangenheit versucht haben, diese Inseln hier zu erobern – und gescheitert sind.«

Verblüfft sahen wir uns an. Der Spanier fand als Erster seine Sprache wieder.

»Das mag ja in den anderen beiden Fällen sein«, protestierte er mit einem Seitenblick auf uns. »Aber uns war ganz einfach das Wetter zu schlecht. Wenn es nicht so gestürmt hätte, wäre die Armada gelandet.«

Ach, wie schön wäre es, wenn auch Mäuer nie hier landen würde. Besuche eines Chefs sind immer unangenehm für den Mann vor Ort. Vorgesetzte neigen dazu, sich bei Auslandsreisen wie osmanische Sultane bei der Inspektion ferner Provinzen zu gerieren. Es ist ein gefährlicher Balanceakt, bei dem man ihnen im Grunde genommen nichts recht machen kann.

Lebt man zu bescheiden in einer engen, kleinen Wohnung, dann wirft das ein schlechtes Licht auf Verlag und Zeitung. »Ein bisschen repräsentativer darf es schon sein«, bekommt man dann zu hören. Ist die eigene Bleibe, in der sich meistens auch das Büro befindet, zu luxuriös, wirft das andere peinliche Fragen auf. »Wir zahlen Ihnen wohl zu viel«, heißt es dann, begleitet von einem pseudojovialen Lachen.

Ganz zu schweigen davon, dass selbstverständlich alle möglichen Dienstleistungen vom Korrespondenten erwartet werden: Chauffeur, Reiseleiter, Dolmetscher, Geldwechsler, Vorkoster – wozu, so die feste Überzeugung, hält man sich überhaupt den teuren Mitarbeiter, wenn er sich nicht einmal alle paar Jahre wirklich nützlich machen kann?

Und natürlich lauern auf Schritt und Tritt Katastrophen. Als ich in Moskau arbeitete, reisten einmal der Geschäftsführer und der Chefredakteur gemeinsam an. Keiner sprach Russisch, keiner war je in der Sowjetunion gewesen, aber da sie sich zu offiziellen Gesprächen in der Stadt aufhielten, erwarteten sie einen Service wie Präsidenten auf Staatsbesuch.

Anfangs ging alles gut. Ich hatte eine sowjetische Nobelkarosse der Automarke SIL angemietet – eine Mischung aus amerikanischem Straßenkreuzer der vierziger Jahre und russischem Mähdrescher der Gegenwart, mit dem normalerweise die Parteibonzen zur Arbeit in den Kreml rauschten. Meine beiden Oberhäuptlinge aus Deutschland nickten wohlwollend, als ihnen der Fahrer und ich die Türen zum Fond aufrissen und sie in den plüschigen Polstersitzen versanken. Probleme entstanden aber beim Einchecken im Hotel, wo man schwor, dass keine Reservierung für die Gäste vorliege.

Ich redete mit Engelszungen, ich fluchte wie ein Teufel, und hinter meinem Rücken spürte ich die Ungeduld der beiden Chefs wachsen. Letztlich erbarmte sich die gefärbte Blondine hinter dem Tresen meiner und bot uns eine Suite an: ein Schlafzimmer mit großem Doppelbett, ein Salon, ein Bad.

Ich drehte mich um und übersetzte. Der Geschäftsführer machte eine gleichgültig zustimmende Handbewegung, doch der Chefredakteur beugte sich zu mir und fragte mich flüsternd, ob diese Suite denn in beiden Zimmern Betten habe. »Ganz bestimmt«, gab ich mich zuversichtlich, aber der Chef blieb hartnäckig: »Fragen Sie, fragen Sie. Ich will meine Nächte doch nicht mit ihm in einem Bett verbringen.«

Was tun? Hätte ich die Frage weitergegeben, hätte die Antwort »njet« gelautet, und das hätte auch mein Chefredakteur verstanden. Zum Glück hatte ich einen

Geistesblitz. »Sagen Sie mal«, wandte ich mich der Dame an der Rezeption zu, »heute ist doch Dienstag?« Sie sah mich erstaunt an. »Da, konjeschno«, nickte sie, »selbstverständlich.« Es erübrigt sich hinzuzufügen, dass mein Verhältnis zu meinem Chefredakteur von Stund an nicht mehr dasselbe war wie früher.

Mäuer freilich würde – hoffentlich – alleine kommen, und das Hotel würde seine Sekretärin buchen. Dennoch konnte ich bei dem Interview nur verlieren – selbst wenn ich mich darauf beschränken würde, wie einer jener altägyptischen Schreiber demütig im Lotussitz auf dem Boden zu hocken und brav jedes gesprochene Wort in eine Papyrusrolle einzutragen.

Aber was, wenn der interviewte Politiker Aussagen von auch nur marginaler Bedeutung schuldig blieb? Dann war natürlich der Korrespondent schuld. Er hätte mit seiner profunden Landeskenntnis nachfragen und notfalls seinem Chef ins Wort fallen müssen, der den Ministerpräsidenten die ganze Zeit über mit dem Gesichtsausdruck einer entspannten Holsteiner Kuh anhimmelte. Entschied sich der Gesprächspartner jedoch, das Interview zur Bekanntgabe einer sensationellen Neuigkeit zu nutzen, dann war das selbstverständlich nur der hartnäckigen und trickreichen Fragetechnik des Chefs zu verdanken.

Am besten wäre es, wenn Downing Street uns nicht zappeln lassen, sondern kurz und bündig absagen würde. Und noch besser wäre es, wenn nicht ich diese Absage weiterleiten müsste, sondern wenn sie direkt an Mäuer ginge. Das hätte wahrscheinlich sogar einen positiven Nebeneffekt. Dann könnte er sich in der Konferenz rühmen, dass er mit dem Premierminister gesprochen hätte.

ZEHN

Die Arbeit eines Auslandskorrespondenten erinnert mitunter an die Tätigkeit eines Ethnologen. Beide müssen – häufiger, als ihnen lieb ist – Verhaltensweisen ihrer Studienobjekte aus nächster Nähe verfolgen oder im Idealfall hautnah miterleben. Und natürlich erwartet der Leser vom Korrespondenten, dass er an vorderster Front recherchiert, notfalls mit vollem körperlichem Einsatz. Unvergessen die Reportage, als ich in Eriwan den Niedergang der armenischen Cognac-Herstellung recherchierte. Mit vollem Körpereinsatz kostete ich mich von Jahrgang zu Jahrgang, von Fass zu Fass – und es lagern viele Fässer in der historischen Weinbrandfabrik. Nicht jeder hätte das durchgestanden.

Schmerzhaft erinnere ich mich an eine Einladung der dänischen Königin zu einem Empfang in Kairo. Dazu musste ich mich in einen Smoking quetschen, der mir akute Atembeschwerden verursachte. Ihre Majestät ist zudem so großgewachsen, dass ich mir beim Versuch, Blickkontakt herzustellen, einen Halswirbel verstauchte. Angesichts meiner Körpergröße ziehe ich daher meine derzeitige Königin, Queen Elizabeth, eindeutig vor.

Leben und Arbeit in Großbritannien halten Herausforderungen ganz besonderer Art für den Korrespondenten bereit: Wer einmal ein dreitägiges Cricket-Testmatch durchsessen hat, der sehnt sich nach einem Dschungelcamp, in dem wenigstens wilde Tiere und Promis für Abwechslung sorgen. Ein Kollege erhielt von seiner Redaktion einmal den Auftrag, mit einer englischen Reisegruppe eine Bustour zum Düsseldorfer Weihnachtsmarkt zu unternehmen: nachts hin, einen Tag lang Glühwein weggluckern, nachts zurück. Er war sehr schweigsam, als er zurückkam. Auf Drängen wollte er nur so viel sagen, dass ihm die Reportagen aus dem Tschetschenienkrieg, über den er früher berichtet hatte, nun gar nicht mehr so schlimm erschienen.

Sport gehört zu England wie Tee, die Queen und Bobbys mit verstärktem Helm. Cricket und Kampftrinken sind zudem nicht die einzigen britischen Sportarten, auf die man als Britannienkorrespondent achten muss. Man übertreibt nicht, wenn man sagt, dass Engländer praktisch alle Sportarten erfunden haben, die heute irgendwo auf der Welt praktiziert werden – abgesehen von diversen Wintersportarten, Judo und Karate oder Gewichtheben. Als Faustregel gilt: Alle Sportarten, die man »spielen« kann – Fußball, Hockey, Tennis, Billard oder Rugby – oder die sich mit einem Wettspiel kombinieren lassen – Pferderennen oder Boxen –, sind britischer Herkunft. Niemand »spielt« Ringen oder Formel I.

So soll denn ein abgeschlagener Wikingerkopf der erste Fußball gewesen sein, den die Männer und Frauen aus zwei Dörfern irgendwo in Nordengland die Feldwege und Wiesenraine entlangkickten. Unter diesen Umständen ist es kein Wunder, dass auch das afghanische Polospiel auf den Britischen Inseln Fuß fasste: Das wurde ursprünglich auch mit den Schädeln erlegter Gegner gespielt.

Golf wiederum soll entstanden sein, als schottische Schäfer gelangweilt mit ihren gekrümmten Hirtenstäben auf herumliegende Kiesel eindroschen und versuchten, diese in die Löcher von Kaninchenbauten zu befördern. Im Wesentlichen hat sich bis heute wenig an diesem Grundmuster geändert, nur dass Profigolfer geringfügig besser entlohnt werden als Schäfer in den schottischen Highlands. All jene Sportarten, die nicht von Briten ersonnen wurden, sind später immerhin von ihnen kodifiziert worden. Für ein Land, das stolz darauf ist, anders als etwa die Deutschen weitgehend ohne Regeln auszukommen, haben Briten die Welt des Sportes gründlich reguliert – und den Rest der Welt zunächst einmal gründlich verwirrt. Denn als Grundlage dienten ihnen ihre eigenen verwirrenden Maßeinheiten.

Wäre Tennis ein französischer Sport geblieben, so würden die Punkte sicherlich nach dem Dezimalsystem in Zehnerschritten gezählt. So aber rechnet man nach »Liebe, fünfzehn, dreißig, vierzig«, was ein wenig nach *Alice im Wunderland* klingt. Hätten Deutsche die Regeln für Fußball festgelegt, dann wären die Spielfelder nicht 75 mal 110 Meter groß, die Zahl der Spieler entspräche nicht der Zahl der Mitglieder eines karnevalistischen Elferrates, und die Spieldauer betrüge eine Stunde und nicht 45 Minuten pro Halbzeit.

Doch mit ihren Regeln zementierten die Briten ihre Vorrangstellung – jedenfalls so lange, wie der Rest der Welt brauchte, um sie zu erlernen. Seitdem schneiden britische Sportler nicht mehr so gut ab. Neuerdings werden sie sogar in ihrem für Außenstehende absolut undurchschaubaren Nationalsport Cricket von Mannschaften wie der niederländischen geschlagen. Nun passen Holland und Cricket in etwa so gut zusammen wie Jamaika und Bobfahren, aber zum einen soll es ja auch das schon geben, und zum anderen wächst stillschweigend eine noch unwahrscheinlichere Cricket-Großmacht heran: Afghanistan.

Hauptsport freilich ist Fußball. Und seit die meisten englischen Spieler, Trainer und Vereinsbesitzer nicht mehr Engländer, sondern aus aller Welt Zugewanderte sind, macht der englische Fußball auch wieder in sportlicher Hinsicht von sich reden und nicht mehr nur wegen seiner Fans. Die freilich sind nach wie vor Engländer, und sie halten ein Match noch immer für eine Fortsetzung des Krieges mit anderen Mitteln. Bezeichnenderweise nennen sie sich selbst nicht Fans, sondern »supporters«, also eine Art von Hilfstruppe, die der Eliteeinheit unten auf dem Platz notfalls zu Hilfe eilt. Hatte doch schon der eher pazifistisch eingestellte Schriftsteller George Orwell festgestellt: »Ernsthafter Sport ist Krieg ohne Schießen.«

Was mich für einen Posten auf diesen Inseln eigentlich disqualifiziert, ist mein völliges Desinteresse an Fußball. Irgendwann einmal war ich, eher aus Lokalpatriotismus denn aus echter Begeisterung, Fan des 1. FC Nürnberg gewesen. Aber der »Club« hat nie etwas getan, um mein Herz für ihn zu erwärmen. Wenn mich nicht alles täuscht, begann sein Abstieg mit meiner ersten Hinwendung zu ihm. Jetzt bin ich »Clubberer«, so wie andere Katholiken sind: Man erinnert sich, wenn man davon hört, aber man geht nicht hin.

Mäuer allerdings ist Fußballfan mit Leib und Seele. Eigentlich hätte er ja bei einer Zeitung wie dem »Kicker« anheuern sollen, aber leider hat er sich doch anders entschieden.

»Welches ist denn eigentlich Ihr Club?«, hatte er mich gönnerhaft gefragt, nachdem ich meinen Posten in London angetreten hatte.

»Oh, die Mitgliedschaft in einem solchen kann ich mir bei meinem Gehalt nicht leisten«, hatte ich arglos geantwortet. »Man braucht da wohl auch Bürgen, um aufgenommen zu werden.«

»Ich meine doch nicht den Reform Club oder Whites«, lachte er. »Ich kann Sie mir auch gar nicht in einem mondänen Londoner Herrenclub vorstellen. Nein, welchen englischen Fußballclub unterstützen Sie?«

Ich hätte ja gerne irgendeinen Namen genannt, wenn mir nur einer eingefallen wäre. So aber konnte ich aus dem schnaubenden Geräusch, das aus dem Telefon an mein Ohr drang, unschwer die Zweifel heraushören, die Mäuer an meiner Entsendung nach London hatte. Immerhin lernte ich bei dieser Gelegenheit, dass er während seiner Studientage in England ein »Gunner« geworden war.

»Gunner, so wie Kanonen«, klärte er mich auf. »Arsenal, verstehen Sie, die Artilleriekaserne. Das ist ein Fußballclub.«

»Ich verstehe«, sagte ich. »So wie Manchester United.«

Mäuer seufzte.

Im Sinne ethnologischer Feldstudien und zu Mäuers Besänftigung ließ es sich nicht mehr länger aufschieben, dass ich mich ein wenig intensiver mit Fußball befasste. Und der Besuch eines Spiels war wohl unvermeidlich. Irgendwo hatte sogar ich mitbekommen, dass Fußball in England eine politische und darüber hinaus sogar eine religiöse Dimension einnimmt. »Ein Atheist«, so hatte man mir erzählt, »ist ein Mensch, dem es bei einer Begegnung von Celtic Glasgow und Glasgow Rangers egal ist, wer gewinnt.« Rangers war traditionell der Verein protestantischer Arbeiter, Celtic wurde von irischen Zuwanderern unterstützt und kickte daher gleichsam für den Papst.

Als ich Katja von meinen Plänen erzählte, ein Fußballspiel zu besuchen, setzte sie diesen Ehefrauenblick auf, in dem sich doppeltes Bedauern widerspiegelt: Bedauern über den armen Irren, mit dem man verheiratet ist, und Bedauern für sich selbst, weil man mit dem armen Irren verheiratet ist.

»Frag vorher in der Redaktion nach, ob die Risikoversicherung das abdeckt«, meinte sie.

»Die gilt nur für Reisen in Krisengebiete, also Afghanistan, Somalia, Sachsen-Anhalt und so«, korrigierte ich sie.

»Eben«, konterte sie. »Krisengebiete.«

»Ich gehe ja nicht allein hin«, versuchte ich sie zu beruhigen. »Ich nehme Len mit.«

Bevor sie sich auf dem Absatz umdrehte, konnte ich noch sehen, wie Katja die Augen verdrehte. Zugegeben, Len ist nicht mehr der Jüngste. Aber er ist drahtig, schließlich hatte er sein Leben lang als Heizer auf einer Dampflok gearbeitet. Das heißt, die letzten 24 Jahre war er mangels Dampfloks auf E- und Diesel-loks mitgefahren, wo es nicht viel für ihn zu tun gab.

So wie Dante vom römischen Dichter Vergil durch die Unterwelt geführt wurde, so führte mich Len durch die britische. Er war Experte für Hunderennen, Pferdewetten, Bingo, Biertrinken und Fußball.

Wir hatten uns im Park beim Gassigehen mit den Hunden kennengelernt. Len konnte man nicht übersehen. Vor allem der Hund an seiner Seite fiel sofort ins Auge. Bates war die monströse Dänische Dogge einer bekannten Kriminalschriftstellerin, die lieber am Schreibtisch saß und Bestseller schrieb, als mit dem Hund spazieren zu gehen. Letzteres durfte der Pensionär Len für sie übernehmen. Viel Bewegung erhielt Len dadurch allerdings nicht, da Bates alle paar Meter ohne ersichtlichen Grund stehen blieb und in eine tiefe meditative Starre verfiel, aus der ihn nichts herausreißen konnte.

Als ich Len anrief und fragte, ob er mit mir zu einem Fußballmatch gehen wolle, war er sofort Feuer und Flamme.

»West Ham«, rief er, »West Ham, das ist mein Club. Die stehen zwar nicht besonders gut in der Tabelle, aber sie sind die Besten.«

In England wird kleinen Jungen (und immer häufiger auch kleinen Mädchen) der jeweilige Club als Morgengabe gleichsam mit in die Wiege gelegt. Die Treue zum Verein geht jeweils vom Vater auf den Sohn über. Das erste Heimspiel ist wie der Initiationsritus eines Amazonas-Stammes: Club und Fan sind miteinander verbunden bis zum Tod. Manchmal auch darüber hinaus: Wegen allzu großer Nachfrage mussten die Vereine die Praxis einstellen, treuen Anhängern ein Begräbnis auf dem Rasen zu gestatten – am Elfmeterpunkt etwa oder an der Eckfahne.

Und wenn man Engländer von ihrer großen Liebe schwärmen hört, kann man davon ausgehen, dass nicht die Freundin oder Ehefrau gemeint ist, sondern der Verein. Ersterer würden sie ihre Zuneigung nicht einmal flüsternd eingestehen. Dem Club versichern sie ihre unverbrüchliche Liebe aus vollem Halse grölend.

»Die Liebe zum Club ist die erste und gleichzeitig immerwährende Liebe eines jungen Mannes«, schrieb einmal der *Guardian*, der sich nur in einer Kleinigkeit täuschte: Diese Liebe glüht nicht nur beim jungen Menschen, sondern sie erkaltet auch im Alter nicht, wie mir Len soeben belegte.

»Nächsten Samstag spielt West Ham daheim«, sprudelte Len aufgeregt weiter. »Gegen Arsenal.«

Ich glaubte förmlich hören zu können, wie er sich die Hände rieb. Unvermittelt begann er zu grölen.

»Osama oooh, Osama oooh, er ist ein Taliban. Osama oooh, Osama oooh, er ist ein Arsenal-Fan.«

»Wie bitte?«

»Alles Terroristen, die Gunners.«

Da könnte er recht haben, dachte ich mir. Waren die Gunners nicht Mäuers Verein? Mein Herz erwärmte sich zusehends für West Ham United.

»Tschimtschim-tscherie, tschimtschim-tscherie, tschimtschim-tscherau«, stimmte Len nun unvermittelt den Kaminkehrer-Song aus *Mary Poppins* an. »Wir sind die Bastards in Weinrot und Blau. Hol mich am Samstag ab. Ich besorge die Karten. Und einen Schal habe ich auch für dich. Weinrot und blau.«

Wie immer war ich natürlich zu früh dran, und Len war noch nicht fertig.

»Komm rein, die Tür ist offen«, rief er mir schwer atmend zu.

Für das Keuchen fand sich schnell eine Erklärung, denn Len saß tief gebeugt auf einem Heimtrainer und trat in die Pedale, als ob er es noch rechtzeitig vor der Sperrstunde in die Kneipe schaffen wollte. Vor sich hatte er eine Landkarte von Südspanien an die Wand geheftet. Überall auf Tischen und Anrichten lagen weitere Karten und Atlanten herum. Von Lens Hals baumelten eine Stoppuhr und ein Navigationsgerät.

»Ein paar Minuten noch, sind nur noch 500 Meter bis zum Hafen«, sagte er und sah auf die Uhr. »Ich müsste die Fähre noch kriegen. Ich hätte nie gedacht, dass Algeciras so hügelig ist.«

Nun schlummert zwar in jedem Briten ein Exzentriker, aber Len war mir bisher noch nicht als außergewöhnlich ungewöhnlicher Mensch aufgefallen. Vorsichtshalber räusperte ich mich nur und setzte ein fragendes Gesicht auf.

»Ach das«, grinste Len und machte eine Handbewegung, die das ganze Zimmer, das Fahrrad und die Landkarten einschloss. »Habe ich dir das nicht gesagt? Ich radle um die Welt. Immer an den Küsten entlang.«

»Ich verstehe«, brachte ich hervor. »Und du übst erst mal zu Hause, um die Muskeln aufzubauen, nicht wahr?«

»Was heißt hier üben. Ich bin schon seit über einem Monat unterwegs. Jetzt nehme ich in Algeciras die Fähre hinüber nach Afrika, und morgen geht's weiter. Ich hab nur noch nicht entschieden, ob ich links abbiege und die Mittelmeerküste entlangradle, oder rechts Richtung Atlas und Atlantik.«

Als wir in der U-Bahn saßen, kannte ich die ganze Geschichte. Seit die Dänische Dogge der Schriftstellerin das Zeitliche gesegnet hatte, mangelte es Len an Bewegung, und deshalb hatte er nach einem Ausgleich gesucht. Radfahren hatte er schon immer attraktiv gefunden; bislang war es freilich daran gescheitert, dass er es nie gelernt hatte und immer wieder umkippte, wenn er es doch einmal versuchte. Das Trainingsrad schien ihm ein perfekter Kompromiss zu sein und weil Len schon immer ehrgeizig gewesen war, nahm er sich eben eine Weltumradelung entlang der Küsten vor.

»Das ist ein paarmal von hier bis zum Mond und zurück«, prahlte er. »Und ich kann doch jede Nacht in meinem Bett schlafen. Und mit dir zu West Ham gehen.«

Trotz des Namens liegt Upton Park, das Stadion von West Ham, im Osten Londons, wo einst die Cockneys lebten, die angeblich immer lustige und schlagfertige Arbeiterklasse der britischen Hauptstadt. Heute ist eine neue Arbeiterklasse in die Gegend gezogen. Sie stammt aus Jamaika und Jaipur, aus Kalkutta und Karachi. Halal-Metzger und eine Filiale der Habib-Bank, Kebab-Brater und ein Friseur mit Spezialisierung auf Afrolook waren denn auch die Geschäfte, welche die High Street zwischen U-Bahnhof und Stadion säumten. Ein Eckladen hatte sich den kubischen architektonischen Charme der 30er Jahre bewahrt – und auch den Humor jener Jahre. »Bringen Sie Ihre Frau nicht um«, stand dort in kühnen Lettern zu lesen. Und darunter: »Lassen Sie uns das erledigen.« Es handelte sich um eine Wäscherei und Reinigung.

Im Stadion selbst war die weiße Arbeiterklasse unter sich. Kein einziger farbiger Zuwanderer hatte sich hierher verirrt, und als ich Len darauf ansprach, sah er mich an, als hätte ich ihn gefragt, warum die Queen nicht in den örtlichen Bingo-Club gehe.

»Hier wohnen doch nur noch Pakis, schon lange.« Er zuckte mit den Achseln, als ob es sich um ein Naturgesetz handelte, das keiner weiteren Erklärung bedurfte.

»Nur das Stadion ist noch da. Das konnten wir nicht mitnehmen. Ist schließlich und endlich unsere Heimat. Und in unsere Heimat kehren wir jeden zweiten Samstag zurück. Oder warum, glaubst du, heißt es Heimspiel? Aber hier wohnen? Nein danke.«

Farbige Gesichter hatten auch nur die Spieler der beiden Mannschaften, die jetzt hereinkamen, um sich warm zu laufen. »Zeig dem Rassismus die rote Karte«, flimmerte ein Slogan über die Riesenleinwände, gefolgt von einem Video mit dem langweiligen Sozialarbeitertitel »Ein Spiel, eine Gemeinschaft«.

Wir saßen in der letzten Reihe, denn Eintrittskarten für Fußballspiele, so hatte ich mir sagen lassen, bewegen sich in denselben Preisklassen wie Premierentickets für das königliche Opernhaus in Covent Garden. Len hatte drei Spezis getroffen, deren Namen ich im Stadionlärm nicht verstand. Ich taufte sie in Gedanken nach ihren vorherrschenden Gesichtszügen: das Frettchen mit den vorstehenden Schneidezähnen, die Bulldogge mit den hängenden Schwabbelbacken und Mister Ed, dessen Kinnbacken ins Bodenlose abstürzten wie bei dem gleichnamigen sprechenden Pferd aus einer Uralt-Fernsehserie. Mister Ed kam, ebenso wie Len, ohne Zähne aus und machte den Eindruck, als ob er schon bei der Vereinsgründung von West Ham dabei gewesen wäre.

»Wie sind denn eigentlich die anderen Clubs?«, wollte ich von ihnen wissen. »Chelsea zum Beispiel.«

»Wichser«, sagte Mister Ed.

»Und Arsenal?«

»Wichser.«

»Manchester United, die sind doch gut, oder?«

»Oberwichser.«

Jetzt drängte sich Frettchen vor. »Cool ist nur West Ham, mehr musst du nicht wissen.«

»Aber West Ham ist doch Tabellenletzter«, gab ich zu bedenken, denn ich hatte meine Hausaufgaben gemacht. »Woran liegt denn das?«

Mister Ed meldete sich erneut.

»Das Management. Alles Wichser. Aber heute werden wir die Gunners niederhämmern, wie 1946. Da haben wir sie sechs zu null abgefertigt. We are the Hammers«, krakeelte er, als die Clubhymne erklang. Das ganze Stadion erhob sich und sang mit. »Ich bin West Ham, bis ich sterbe, ich weiß es, ich bin sicher, ich bin West Ham, bis ich sterbe.«

Das mit der religiösen Dimension des Fußballs schien tatsächlich zu stimmen. Mit ähnlich ewigen Sicherheiten tun sich heute sogar etablierte Kirchen schwer.

Von der gegenüberliegenden Seite dröhnten die Sprechchöre der Arsenal-Fans herüber. Zunächst traute ich meinen Ohren nicht, so romantisch klang die erste Zeile: »Wenn ich die Flügel einer Schwalbe hätte«, tönte es, »und den Arsch einer Krähe, dann würde ich nach West Ham fliegen und auf die Bastarde da hinunterscheißen.« Auf Englisch reimt sich das, was den Effekt geringfügig verbessert.

Spieltechnisch lief es nicht gut für meine Mannschaft. Nach zehn Minuten stand es eins zu null für Arsenal, und Bulldog keifte: »Säbel ihn um, mach ihn nieder! Schneid ihm doch die Beine ab, du Weichei, hau ihm die Knie kaputt.«

Len lächelte nachsichtig.

»Keine Bange, das ist nicht wörtlich gemeint«, sagte er. Und mit einer Kopfbewegung hinunter zum Spielfeld fügte er hinzu: »Diese Schlappschwänze da unten würden ja auch gar keine Blutgrätsche mehr hinkriegen, wenn man sie ihnen aufmalen würde.«

Etwas anspruchsvoller hatte mich mein Freund Hermann im Verlauf meiner theoretischen Vorbereitungen auf diesen Paradigmenwechsel im englischen Fußball hingewiesen. Ursprünglich, so hatte er mir erklärt, hätte man sich Fußball wie einen Blutsport nach Art römischer Gladiatorenspiele vorstellen müssen. Holzen war Pflicht, wer elegant und mit Hirn spielte, dem mangelte es an Mut und Muskeln. Anders gesagt: Das waren sowieso Ausländer.

»Leiden war immer ein fester Bestandteil, musst du wissen. Für die Spieler sowieso, aber auch für die Zuschauer. Wahrscheinlich ist das wieder so ein protestantischer Zug. Wenn du schon Vergnügen an etwas hast, dann verdirb es dir wenigstens, indem du es so schmerzhaft und unangenehm wie möglich machst«, hatte er philosophiert. »Dazu gehört, dass Fußball eigentlich ein Wintersport ist. Wenn eiskalter Regen das Spielfeld in ein schlammiges Schlachtfeld wie das von Verdun verwandelt hat, erst dann sind die besten Voraussetzungen geboten. Im Sommer, wenn es warm ist und die Sonne scheint, legt man eine Pause ein.«

»Zwei Weltkriehiege und ein Weltcup, zwei Weltkriehiege und ein Weltcup«, krähte plötzlich Frettchengesicht in mein Ohr. Ich war so von dem Tumult ringsum absorbiert, dass ich den zweiten Arsenal-Treffer und den Beginn der zweiten Halbzeit gar nicht mitbekommen hatte. Frettchen ließ seinen Frust nun an mir, dem Deutschen aus, indem er mich daran erinnerte, dass England uns dreimal besiegt hatte: zweimal auf richtigen Schlachtfeldern, einmal auf der Wallstatt von Wembley.

Ich verzichtete darauf, die Debatte um das dritte Tor erneut anzufachen. Angesichts der Tatsache, dass ich von mehreren Zehntausend Engländern umgeben war, erschien mir das weise.

Für mein Leben gern wäre ich jetzt gegangen und nach Hause gefahren. Ich hatte gesehen, was ich sehen wollte: Zweiundzwanzig Männer, die einem Ball hinterherjagen, und 30 000 andere Männer, die ihnen dabei zusehen. Das Spiel selbst schien gelaufen zu sein: Die Gastgeber lagen um zwei Tore zurück und machten nicht den Eindruck, als ob sich das Glück noch zu ihren Gunsten wenden würde. Doch Len und seine Kumpel beschworen mich zu bleiben. »Jetzt drehen wir erst voll auf«, sagten sie. »Du wirst schon sehen.«

Sie behielten recht: Am Ende stand es unentschieden zwei zu zwei, und allem Anschein nach waren die Hammer-Fans damit zufriedener als mit einem Sieg.

»Aber klar doch«, brüstete sich Len. »Gewinnen kann jeder. Aber wenn man schon am Boden liegt und sich dann doch noch einmal aufrappelt und die Sache dreht – das können nur Engländer. Underdog, du verstehst?«

Ja, ich verstand. Das Bild des unterlegenen Hundes bei einem Kampf ist fest in die britische – und inzwischen auch in die amerikanische – nationale Psyche eingebrannt. Andere Völker – Deutsche, sagen wir mal, Russen oder neuerdings Chinesen – sind brutale Schlagedraufs, die blindwütig wie Berserker in die Schlacht stürmen und auf alles wahllos eindreschen, was sich ihnen in den Weg stellt. Briten aber stecken ein, stellen sich tot, warten ab und schlagen dann erfolgreich zurück.

Entsprechend triumphierend schickten die West-Ham-Anhänger nun Arsenal mit grölenden Sprechchören heim in den Norden der Hauptstadt: »Wooooooo-aaah, geht ins Pub, trinkt zehn Bier, dröhnt euch voll zu, geht nach Hause, verprügelt eure Frauen, ihr dreckigen Bastarde aus dem Norden.«

»Nicht nett«, wagte ich zu sagen.

»Nicht nett«, höhnte Len. »Soll ich dir mal sagen, was wirklich nicht nett ist? Nicht nett sind diese schwulen Dünnveilchen von Arsenal.«

Er blieb stehen, holte tief Atem und grölte los:

»Gunners, Gunners, steckt euch doch den Föhn in den Arsch.«

Spontan brandete ringsum Beifall auf. Mehrere Männer kamen auf ihn zu und schlugen ihm aufmunternd auf die Schulter. Wahrscheinlich hielten sie es mit dem ehemaligen britischen Hofpoeten Andrew Motion. Er hatte sich – im Auftrag der Queen – Gedanken über englische Fußball-Kampfrufe und -gesänge gemacht. Sein Ergebnis: »Hier wird ein reiches Reservoir an Volkspoesie angezapft.«

ELF

Rita und Edward leben zwei Türen von uns entfernt. Obwohl Rita wesentlich älter ist als Edward, sind die beiden ein glückliches Paar, was daran liegt, dass Edward ein schwarzer Zwergschnauzer ist. Rita hat ihn nach einem verflossenen zweibeinigen Freund und Liebhaber benannt, weshalb enorme Erwartungen auf dem kleinen Kerl lasten.

Gerüchten in der Nachbarschaft zufolge hatte Rita alle ihre Hunde (übrigens immer Zwergschnauzer) nach ehemaligen Liebhabern benannt. Edwards Vorgänger freilich hörte auf den Namen Bondi, was in der Nachbarschaft vorübergehend bestürzte Spekulationen über vermeintliche sexuelle Vorlieben Ritas für Fesselspielchen auslöste.

Die einzigen Lebewesen, die Rita außer ihrem Edward schätzt, sind Katja und ich. Das liegt in erster Linie daran, dass Edward nicht imstande ist, das Kleingedruckte in Formularen zu lesen, Bestellungen bei Versandhäusern aufzugeben oder die Mülltonne aus der Garage in die Einfahrt zu wuchten. Für unsere Hilfe revanchiert Rita sich mit selbstgeformten Töpferwaren, die sich durch absolute Unbrauchbarkeit auszeichnen. Zu den Prunkstücken, die wir für den Fall überraschender Besuche unserer Nachbarin nicht entsorgt, sondern an exponierter Stelle im Haus platziert haben, zählt eine Vase mit kleinen Löchern in Herzform und etwas, das Rita als Obstschale beschrieb und am ehesten einem von Salvador Dalí geschmolzenen Teller mit hochgebogenen Rändern und großzügig bemessenen Zwischenräumen gleicht.

Rita ist das, was man eine Seele von einem Menschen nennt. Allerdings scheint sie die meiste Zeit auf einem eigenen Planeten zu leben, zu dem Kontaktaufnahmen nur sporadisch möglich sind. In ihrer Kindheit, so erzählt sie manchmal, hätten ihr Ärzte häufig »elektrische Drähte in den Kopf gesteckt«. Seitdem ist sie ein wenig schrullig.

Es dauerte zwei Jahre, bevor sie mit unseren Gesichtern unsere Namen verbinden konnte, und manchmal erkennt sie uns noch heute selbst dann nicht, wenn wir direkt vor ihr stehen. Das erklärt sie mit ihrem schlechten Augenlicht, eine Schwäche, die sie hervorhebt, indem sie Sonnenbrillen trägt, die von Stevie Wonder geborgt sein könnten. Von ihrem derzeitigen Freund, der wirklich blind ist, wollte sie sich unlängst einen weißen Stock ausleihen, um die Täuschung perfekt zu machen. Anlass zur Sorge um ihr Augenlicht besteht freilich nicht: Wenn sie will, erspäht Rita einen erwachsenen Menschen auch noch bei schummrigstem Dämmerlicht über größere Entfernungen hinweg.

Dank ihrer Zerstreutheit und Geistesabwesenheit wirken Gespräche mit Rita auch oft wie Dialoge aus einer Monty-Python-Folge.

»Haben Sie unlängst wieder ein Buch geschrieben?«, fragte sie mich unlängst ganz unvermittelt. Ich hatte gar nicht gewusst, dass sie wusste, womit ich meinen

Lebensunterhalt verdiene, aber Rita ist immer für eine Überraschung gut.

»Äh, nein. Im Moment schreibe ich nicht.«

»Also, Sie sind nicht wie dieser Franzose. Na, Sie wissen schon. Er hat es mit dem Zeh geschrieben.«

»Was?«

»Das Buch. Das Buch.«

»Mit dem Zeh? Mit einem oder mit dem Zehn-Zehen-System?«

Die Ironie perlte spurlos an ihr ab.

»Ja, es ist ein sehr langes, ein fast schon in die Länge gezogenes Buch. Sehr französisch eben, Sie wissen schon. Meine Schwester hat gesagt, dass das nichts für mich wäre, weil es so deprimierend ist.«

Bis ins Mark erschrocken war ich, als ich sie eines Abends – ich rollte gerade die Mülltonne auf die Straße – mit einer blanken Axt in der Hand vor unserem Gartentor herumschleichen sah. Meine Panik wuchs, als ich bemerkte, dass sie sich bei meinem Anblick hastig in einer dunklen Ecke verstecken wollte. Doch als sie mich erkannte, schien sie sehr erleichtert.

»Gott sei Dank, Sie sind es«, seufzte sie. »Einen Moment lang befürchtete ich schon, dass er es sei«, fügte sie mit einer ruckartigen Kopfbewegung in Richtung Nachbarhaus hinzu, wo Hani, der ägyptische Gebrauchtwagenhändler, lebt. »Aber wenn Sie schon hier sind, dann können Sie vielleicht die Sache für mich erledigen, wenn Sie so gut wären.«

Sie streckte mir das Beil entgegen und nickte mir aufmunternd zu.

»Sie verstehen doch mit so einem Ding umzugehen, nicht wahr?«

Mir lag schon auf der Zunge, ihr zu sagen, dass ich

kein wirklich guter Auftragskiller war, da stellte sich heraus, dass die Axt-Attacke nicht Hani persönlich gelten sollte, sondern lediglich den Wurzeln seiner Leyland-Zypressen, die ihr und drei weiteren Nachbargrundstücken jeden Sonnenstrahl raubten.

»Ich weiß nicht, was ich noch machen soll«, erklärte Rita die Lage. »Sie müssen weg, seit Jahren geht das schon. Einmal haben wir alle zusammengelegt, damit er das Abholzen nicht selber zahlen muss. Das Geld hat er genommen, aber er hat die Hecke nur stutzen lassen. Und Sie wissen ja, wie schnell Zypressen wachsen.«

Das wusste ich zwar nicht, aber es konnte nicht schaden, mitfühlend zu nicken. Schließlich hielt Rita immer noch das Beil in den Händen.

Eigentlich hätte ich ja nicht überrascht sein dürfen. In den meisten Lebenslagen mögen Briten ausgesucht höflich, wohltemperiert und reserviert auftreten, aber bei ihren Gärten verstehen sie keinen Spaß.

»Gärtnern ist die einzige Tätigkeit, die sie professionell angehen, ohne sich dafür zu schämen«, hatte mir mein erfahrener Freund Hermann einmal anvertraut. Denn üblicherweise gelten Expertise und Können als unfeiner, fast schon germanischer Charakterzug. Dass zwei plus zwei vier ergibt, würde ein echter Brite nie zu wissen vorgeben, sondern bestenfalls stark vermuten. Auch ein britischer Nobelpreisträger würde sich verlegen hüstelnd als Dilettant auf seinem Gebiet vorstellen.

Nur bei Hecken, Beeten, Komposthaufen, Grassamen oder Rosenstöcken geht den Briten das Herz auf wie eine Primel bei strahlendem Sonnenschein, und hier stellen sie ihr Können nicht unter den Scheffel.

»Anderswo mag der Ruf eines Kuckucks den Beginn des Frühlings verkünden«, hatte Hermann versonnen erklärt. »Hier ist es das hüstelnde Stottern der Rasenmäher, die nach dem langen Winter wieder angeworfen werden wollen. Und weißt du, dass eine Kosmetikfirma an einem Parfum arbeitet, das die Essenz eines englischen Gartens einfangen soll?«

»Interessant«, sagte ich. »Vermutlich mit den Kopfnoten von Kompost, Rasenmäherbenzin und ranzigem Grillfett.«

Hermann hatte mich vorwurfsvoll angesehen.

»Wo denkst du hin, ein Garten an der Küste soll es sein – mit Anklängen von salziger Seeluft, feuchter Erde, frisch gemähtem Gras und Karotten.«

»Karotten? Warum ausgerechnet Karotten?«

»Weil Weintrauben nicht riechen und Kartoffeln zu vulgär wären, vermute ich mal.«

Von dem Geld, das die Briten jedes Jahr in Gartencentern lassen, könnte die Royal Navy mehrere Flugzeugträger und Atom-U-Boote anschaffen und hätte immer noch genügend übrig, um jedem Matrosen eine Begonie an die Koje zu stellen.

»In England gehört es sich einfach, dass jedermann einen Garten besitzt«, hatte schon der amerikanische Romancier und leidenschaftliche Nichtgärtner Henry Miller mit einer Mischung aus Respekt und Verwunderung konstatiert. »Das muss einfach so sein, und das fühlt man auch sofort.« Und die für die Olympischen Spiele verantwortliche britische Ministerin hatte geschwärmt, dass »nichts so beruhigend britisch« sei wie Gartenarbeit. »Wenn Gärtnern eine olympische Disziplin wäre, dann würden wir grünfingrigen Briten Gold, Silber und Bronze gewinnen.«

In der Liste britischer Hobbys rangiert Gärtnern konstant auf dem ersten oder zweiten Platz. Nur das Beobachten von Fußballspielen und von Vögeln (Birdwatching) kann damit konkurrieren. Gärten sind Fitnesscenter, Therapie und die kleine Flucht aus dem Alltag – kompakt gebündelt auf ein paar Quadratmetern und umgeben von windschiefen Lattenzäunen.

Gartensendungen wie »Ground Force«, wo sich ein Team von Grünfingern in Latzhosen so genussvoll in Torf und Erde wälzt wie ein Trüffelschwein im Morast, bescheren der BBC traumhafte Einschaltquoten und katapultieren die Popularität der erdverbundenen Moderatoren in die Rockstar-Atmosphäre.

Noch berühmter sind die Experten der Ratgebersendung *Gardener's Question Time* auf BBC Radio Four. Sie gibt es schon so lange, wie die Königin auf dem Thron sitzt, was viele Engländer nicht für Zufall halten, sondern für göttliche Fügung. Das Programm hält Tipps und Trost für alle Lebensumstände bereit: von Tomatenpflanzen auf dem Fensterbrett (geht nicht, weil zu dunkel) über den Spargelanbau (die Stängel mögen zwar dünn sein, aber sie brauchen viel Platz) bis zum Bau von Gewächshäusern für tropische Pflanzen (teuer, aber eine Investition für kommende Generationen).

Britanniens Garten-Obsession rührt daher, dass die meisten Menschen hier anders als auf dem europäischen Kontinent mit seinen Mietskasernen und Wohnblocks über ein kleines Stückchen Scholle vor und hinter ihrem Reihenhaus verfügen. Dazu kommt ein gemäßigtes Klima: Bodenfrost ist auch in strengen Wintern eher die Ausnahme, und dem zuverlässigen Golfstrom ist es zu verdanken, dass an den unwahrscheinlichsten Ecken der Inseln Palmen oder Bananen sprießen.

»Bei Gärten werden wir ganz unbritisch leidenschaftlich«, hatte mir Felicity einmal anvertraut. »Für eine besonders gelungene Dahlie würden wir sogar einen Mord begehen.«

Weitere Recherchen belegten, dass Felicity recht hatte. Italiener morden aus Eifersucht, Deutsche, wenn man ihnen die Vorfahrt nimmt, und Amerikaner, weil sie eine Waffe zur Hand haben. Briten aber sehen gewissermaßen im Grünen rot.

Zuerst aber wird die Pflanze gemeuchelt – mit Scheren, Pflöcken und Teppichmessern rücken sie Blumen und Früchten ungeliebter Nachbarn und Konkurrenten zu Leibe, die gute Aussichten haben, bei einem Gartenwettbewerb einen Preis zu gewinnen.

Gewalt gegen das unschuldige Grünzeug wird dabei mehr missbilligt als Gewalt gegen Gärtner. »Egal wie sehr man einen Mann auch hassen mag«, hatte Felicity bekräftigt, »das ist keine Entschuldigung, es an seinen Dahlien auszulassen.«

Rita hätte also einen größeren Fauxpas begangen, wenn sie ihre Axt an die Wurzeln der Leyland-Hecke gelegt hätte, anstatt dem Besitzer den Schädel einzuschlagen. Andere Länder, andere Konventionen, da kann man nichts machen.

Die britische Garten-Obsession bedeutet aber nicht unbedingt, dass die Engländer sehr naturverbunden sind. Eher das Gegenteil ist der Fall, schließlich ist es diesem Volk gelungen, der Natur mit Heckenscheren, Harken und Handrechen derart zu Leibe zu rücken, dass sich jedes noch so kleine wilde Biotop in einen lieblichen Park verwandelt hat. Über weite Strecken sieht England außerhalb der großen Städte nicht anders aus als ein gut angelegter Stadtpark. Nicht umsonst war es ein Brite, der in den Rang eines säkularen Heiligen erhobene Lancelot »Capability« Brown, der vor zweihundert Jahren den sogenannten englischen Garten erfand, bei dem die Grenzen zwischen drinnen und draußen zerfließen: Der Garten imitiert eine natürliche Landschaft, die zuvor wie ein Garten zurechtgestutzt wurde. Die Grenze zwischen Garten und sogenannter Wildnis überwand Capability Brown mit einem optischen Trick: Anstelle eines Zaunes baute er einen abgesenkten Graben, in dem die Trennmauer verläuft, die aber aus der Distanz nicht erkennbar ist. »Er übersprang den Zaun und sah, dass die ganze Natur nur ein Garten war«, begeisterte sich der vor Dankbarkeit überschäumende Dichter Horace Walpole.

Mit einer Mischung aus schlecht verhohlenem Neid und mitleidloser Verachtung inspizieren die Briten seit dieser Zeit gegenseitig ihre Gärten, wobei vor allem die Vorgärten zu kritischer Betrachtung einladen. Wer sich hier für die praktische Lösung entscheidet, die Fläche vor der Haustür zu teeren und das Auto dort zu parken, wird von den Nachbarn geschnitten wie ein Leprakranker. Wer bei der Arbeit im Vorgarten bessere Kleidung trägt als bei der Maloche hinter dem Haus, der outet sich als Angehöriger der Mittelklasse. Diese will nämlich auch beim Jäten modisch einen guten Eindruck machen. Und gesehen wird man nur vor, nicht hinter dem Haus.

Wer keinen grünen Daumen hat, gilt irgendwie nicht als britisch. Ausländer werden das nie begreifen, ebenso wenig wie den geradezu deutsch anmutenden verbissenen Ernst, mit dem Briten die Fruchtfolgen von Gemüse oder die beste Zeit für das Zurückschneiden von Heckenrosen diskutieren. Prinz Philip, der Gemahl der Königin, wollte ganz besonders cool und lässig sein, als er einem Herrn auf einer Gartenshow beiläufig zu dessen »Prachtkaktus« gratulierte. »Das ist kein Kaktus, Königliche Hoheit«, setzte ihm der Gärtner leicht eingeschnappt auseinander. »Das ist eine Agave, genau genommen eine Agave cundinamaracensis, also streng genommen ein Spargel. Eine Agave ist übrigens nach Königin Victoria benannt, sie hat besonders fleischige Arme. Die Agave, nicht die Queen.«

Der Prinz war nicht amüsiert und fauchte zurück, dass er nicht um ein botanisches Proseminar gebeten habe. In anderen Fällen hätten sich die Briten hinter den Prinzen und gegen den neunmalklugen Besserwisser von einem Gärtner gestellt. Doch diesmal schüttelten sie den Kopf über den Königinnengatten. Nun ja, so tuschelte man zwischen Aussaat und Jäten, einmal ein Deutscher, immer ein Deutscher.

Mein eigenes Verhältnis zu Gärten ist noch distanzierter als das von Prinz Philip. Ich teile das Universum in zwei Teile: die Zivilisation, wo ich mit einigen wenigen Annehmlichkeiten wie Zentralheizung, Supermärkten und Kinos lebe, und die Natur, die mir das Fernsehen in prächtigen Dokumentarfilmen ins Haus bringt, ohne dass ich einen Fuß vor die Tür setzen muss.

Meine Frau hat da ein etwas engeres, ja man möchte fast meinen entspannteres Verhältnis zu Gärten. Sie wuchs in der Sowjetunion auf, wo die elterliche Datscha ein fester Bestandteil ihrer Kindheit war. Dort verbrachte sie verzauberte Kindheitstage, doch die rosige Erinnerung verblasste rasch, als sie mit zunehmendem Alter zur Gartenarbeit herangezogen wurde. Denn in der Sowjetunion verbrachten auch Buchhalter und Gießereiarbeiter den größten Teil ihrer Freizeit als Nebenerwerbslandwirte auf ihrer Parzelle. Von irgendwoher mussten die eingelegten Äpfel und das Zwetschgenkompott ja kommen, mit denen man sich den bitteren sozialistischen Winter versüßte. Für einen Teenager aber verwandelte sich die Datsche dadurch leicht in ein spätkolonialistisches Gegenstück zur Fronarbeit auf einer karibischen Zuckerplantage.

Trotz dieser Erlebnisse hat Katja sich eine grundsätzlich positive Einstellung zur Gartenkultur erhalten. Unseren Garten in Kingston hat sie mit einer ähnlichen Mischung aus Herzblut und Berechnung adoptiert wie Madonna ihre Kinder aus Malawi. Sie nähert sich unserem Stückchen Land ebenso widersprüchlich wie die meisten Gärtner: mit fischweibartigen Flüchen auf der einen und versonnen-philosophischen Betrachtungen auf der anderen Seite, zuweilen unterbrochen von hochfliegenden Plänen, wie jenem, eine eigene Rosensorte zu züchten.

Rosen müssen es schon sein, denn Nutzpflanzen kommen Katja nicht in den Garten. Kein Wunder bei ihrer Datschenvergangenheit. Wer jahrelang im Wettlauf gegen die Herbstschauer mit dem Einbringen der Apfel-, Kartoffel- und Beerenernte verbracht hat, besorgt sich Obst und Gemüse für den Rest seines Lebens lieber im Geschäft.

Ein echter Gartenenthusiast dagegen scheint Mäuer zu sein, wie er mir kürzlich mitgeteilt hat, als er mich wegen irgendeiner Belanglosigkeit anrief.

»Azaleen, die sind meine große Schwäche. Waren es eigentlich schon immer, wahrscheinlich weil mir das griechische Wort so gut gefallen hat. Rhododendron, das rollt so toll von der Zunge, finden Sie nicht? Sie wissen ja sicherlich, dass Azaleen eine Form von Rhododendren sind?«

Das wusste ich zwar nicht, aber dieses Telefongespräch schien weder der richtige Zeitpunkt noch der rechte Ort zu sein, um ihn darauf aufmerksam zu machen.

»Wenn ich zum Interview nach London komme, würde ich auch gerne die Königliche Hortikulturelle Gesellschaft besuchen. Die haben die größte Azaleen-Samenbank der Welt. Und vielleicht kann ich bei dieser Gelegenheit meine eigene kleine Samenbank ein wenig aufstocken.«

Auch dies war mir noch nicht bekannt gewesen, aber auch diesmal zog ich es vor, durch Schweigen Wissen vorzutäuschen. Auch eine Bemerkung zu Mäuers kleiner Samenbank konnte ich mir gerade noch verkneifen.

»Sie könnten eigentlich gleich einen Termin mit den Gartenleuten ausmachen, wenn Sie das Interview mit dem Premierminister festgezurrt haben«, fuhr Mäuer fort.

Das verdammte Interview. Ganz vergessen hatte ich es nicht, der Gedanke daran war ständig präsent wie ein leise wummernder Zahnschmerz – nicht unangenehm genug, um etwas dagegen zu unternehmen, aber doch schon zu lästig, um ihn ganz ignorieren zu können.

In letzter Zeit hatte Mäuer immer dringlicher auf seinen Termin gepocht, nachdem er im Rahmen seiner

Welttour bereits mehrere Länder besucht und dort seine Gespräche geführt hatte.

»Ich hab ja eigentlich gedacht, dass ich meinen Termin in der Downing Street schneller bekomme als den am Quai d'Orsay«, hatte Mäuer am Telefon gemault. »Bei meinen alten, persönlichen Beziehungen zu dem Land. Good old England, nicht wahr?«

Dieses Gespräch war der Grund, weshalb ich mich nun, wenige Tage nach der unheimlichen Begegnung mit Rita, zusammen mit einer Gruppe älterer Britinnen und Briten im Schlamm hockend wiederfand. Wir starrten angelegentlich auf einen dürren Rosenstrunk, der seine starren Zweige hilfesuchend ausstreckte, als ob er eine Käthe-Kollwitz-Zeichnung imitieren wollte. Wegen der Royal Horticultural Society, die Mäuer erwähnt hatte, war ich nach Wisley Gardens gekommen, Hauptquartier, Kaderschmiede und Volkshochschule aller Blumen- und Pflanzenfreunde. Es konnte nicht schaden, sich kundig zu machen, was Mäuer mit den Azaleen-Samenbänken gemeint hatte.

Doch irgendwie war ich in einen anderen Kurs geraten: »Rosen stutzen ohne Tränen« mit Bob. Dessen lehmbeschmierte Gummistiefel ragten nun neben dem Rosenstrunk in mein Blickfeld. »Ich bin Bob«, hatte er sich vorgestellt, »das ist einfach zu merken – wie Bob der Baumeister, nur dass ich ein Blumenmeister bin.« Nur er selbst lachte über seinen Scherz, einige der höflicheren Briten in der Gruppe rangen sich ein gequältes Lächeln ab.

Mit dem kleinen rundlichen Baumeister-Bob hatte der Blumenmann freilich keine Ähnlichkeit. Hoch aufgeschossen und dürr war er, dazu wucherte ein Bartgestrüpp in seinem Gesicht, in dem sich ein Rotkehlchen ein Nest hätte bauen können und dem ein Zurechtstutzen mit einer Heckenschere auch nicht geschadet hätte.

Die matte Reaktion auf seinen kleinen Scherz konnte Bob offensichtlich nichts anhaben. »Der erste Gartenfreund war niemand anders als Gott selber«, verkündete er nun mit einem wissenden Augenzwinkern. »Er liebte Gärten, aber er scheute die Gartenarbeit – er war halt auch nur ein Mensch.«

»Jetzt mach mal endlich hin mit den Rosen«, hörte ich einen älteren Mann in Barbour-Jacke verstimmt knirschen. Seine erdverkrusteten Fingernägel wiesen ihn als einen Mann aus, der seinen Garten ernst nahm und keine Zeit für dünne Witzchen hatte.

»Na, und dafür schuf er sich Adam, als ersten Gärtner, der den Garten Eden in Schuss halten sollte. Und als Gott sah, dass Adam rundum glücklich und zufrieden war, da hatte er eine neue Idee, für die er eine Rippe seines Gärtners brauchte. Na ja«, grinste Bob, »der Rest ist Geschichte, wie man so sagt. Mit Glück und Zufriedenheit war es von Stund an für den armen Adam vorbei.«

Noch während er redete, war er dem Rosenstrauch beherzt mit der Schere zu Leibe gerückt und hatte ihn auf ein minimalistisches Maß zurechtgestutzt. Schnipp, schnapp – und im Nu türmte sich ein Häufchen abgeschnittener Zweige auf dem Boden. »Sie können da ruhig in die Vollen gehen und drauflosschneiden«, machte er seinen Zuhörern Mut. »Wächst alles wieder nach. Rosen sind schließlich auch nur Pflanzen. Ich kenne Leute, die schneiden sie mit der Kettensäge.«

»Und was ist mit Blattläusen, mit Mehltau, mit Pilzen?«, ließ sich der Herr in der Barbour-Jacke vernehmen. »Wir wissen doch alle, was für Mimosen Rosen sind. Die fangen sich doch jede Krankheit ein.«

Ein zustimmendes Murmeln und Nicken ging durch die Runde.

»Blattläuse sollten Sie zwischen den Fingern zerquetschen, sobald sie eine sehen.« Bob machte ein Gesicht wie ein CIA-Agent beim Verhör eines Terrorverdächtigen. »Bis Sie im Gartenschuppen ein paar Chemikalien zusammenmixen, haben die sich schon vermehrt. Die kommen nämlich schon schwanger zur Welt.«

Ich hatte genug gesehen und gelernt und beschloss daher, die nächste Vorlesung zur Aufzucht von Rhabarber zu schwänzen. Außerdem wartete Katja auf mich, die unmittelbar nach unserer Ankunft das reichsortierte Garten-Center angesteuert hatte. Einen Rückschluss auf die Popularität dieses Supermarktes der Samen und Knospen erlaubte der ausufernde Parkplatz, der es spielend mit dem eines Fußballstadions aufnehmen konnte.

Katjas Verhältnis zu unserem Garten ist einem jahreszeitlichen Rhythmus unterworfen. Im Frühjahr regt sich in ihr ein nicht zu unterdrückender Trieb, möglichst mehrere Gartenzentren in der näheren und weiteren Umgebung anzusteuern, um Setzlinge, Mulch, Hängepflanzen und Grassamen zu kaufen. Nicht zu vergessen einen jeweils neuen Satz blinkender Gartengeräte und neuer Arbeitshandschuhe. Meist ergreift sie dabei ein durch keinerlei Erfahrungswerte gedeckter hochfliegender gärtnerischer Ehrgeiz. Einmal erstand sie eine traurige Bananenstaude, nur weil sie – wie sie fand – erstaunlich günstig war. Ich wusste nicht, welcher Lebensabschnitt sie mit den gängigen Preisen für Bananenstauden vertraut gemacht hatte – in der Sowjetunion hielt sich der Bananenanbau schließlich in Grenzen –, und ich erhielt auch keine Auskunft von ihr.

Der Sommer ist geprägt von einem heldenhaften, letztlich aber hoffnungslosen Kampf gegen Fruchtfliegen, Schnecken, Larven, Vögel und Blattläuse, die sich verschworen haben, ausschließlich den Pflanzenbestand in unserem Garten zu dezimieren, während sie einen großen Bogen um alle Nachbargärten machen. Katja ist überzeugt, dass sogar Londons Stadtfüchse in unserem Garten zu Vegetariern mutieren, weil ihnen unser grüner Klee besser mundet als der Inhalt einer noch so gutsortierten Mülltonne. Besonders gut mundeten ihnen offensichtlich Bananenblätter.

Die zunehmende Frustration schwillt bei ausgiebigen sommerlichen Regenfällen weiter an, weil eine erholsame Nutzung des Gartens etwa zum Grillen oder zum Sonnenbaden dadurch unmöglich wird. All dies mündet im Herbst mit seinen Bergen verfaulenden Laubs in den sich alljährlich wiederholenden und mit plakativen Flüchen unterlegten Schwur, nie wieder ein Blatt anzurühren. Der Herbst ist zudem die Jahreszeit, in der Katja besonders schlecht auf die Königin zu sprechen ist. »Es sind die Blätter von ihren blöden Bäumen im Park, die nur zu uns in den Garten hereinwehen«, zetert sie jedes Mal. »Es wäre nicht schlecht, wenn sich die alte Dame vielleicht einmal bequemen würde, bei uns ein wenig das Laub zusammenzurechen. Notfalls kann sie ja auch ihre Enkel vorbeischicken. Julia würde sich freuen.«

Im Winter leckt Katja ihre Wunden, während der Garten ausschließlich Chico überlassen bleibt. Doch im Frühling beginnen sich wieder jene Triebe zu regen, die den ganzen Prozess erneut in Bewegung setzen.

»Wenn ein Garten gut aussieht, dann liegt das an der Jahreszeit«, hatte ich sie einmal in einer besonders depressiven Stunde zu trösten versucht. »Und wenn er nicht gut aussieht, dann ist immer der Gärtner schuld.« Aber das hatte sie auch nicht sonderlich getröstet.

In der Ferne sah ich, wie Katja mir zuwinkte. Als ich bei ihr ankam, deutete sie aufgeregt auf einige Pflanzenkübel, die zu ihren Füßen aufgereiht waren.

»Sieh nur, was ich gefunden habe. Wir wollten doch immer einen Sichtschutz am Zaun, damit uns der Ägypter nicht in den Garten schaut.«

Skeptisch betrachtete ich die knöchelhohen Pflanzen.

»Nicht viel Sichtschutz, wenn du mich fragst. Da kann ja ein Dackel drübergucken.«

»Ha, das habe ich auch zuerst gedacht. Aber der Verkäufer hat mir versichert, dass du dem Zeug beim Wachsen buchstäblich zusehen kannst. In vier Wochen sind die zwei Meter hoch. The sky is the limit, hat er gesagt. Wenn du die Hecke nicht manchmal stutzt, kriegst du Probleme mit der Flugsicherung.«

Ich beugte mich hinab, um das Etikett zu lesen.

»X Cupressocyparis leylandii«, murmelte ich. »Die Leyland-Zypresse.«

Ich konnte ein hämisches Grinsen nicht unterdrücken.

»Lass uns ein paar Töpfe mehr nehmen«, sagte ich zu Katja. »Unser Nachbar wird sich zwar nicht freuen. Aber Rita und ihre Nachbarn werden uns dankbar sein, wenn wir es dem guten Hani mit gleicher Münze heimzahlen.«

ZWÖLF

Für Katja ist es die größte anzunehmende Katastrophe: Julia will nicht mitspielen, und das ist wörtlich zu verstehen. Endlich hat uns das Fernsehen einen Termin mitgeteilt, an dem sie zu uns kommen und bei uns drehen wollen. Und nun hat unsere Tochter mitgeteilt, dass sie noch nicht mal als Leiche einen Part in »Cash in the Attic« übernehmen würde.

Sie hatte sich ein paar alte Sendungen auf der Website des Programms angesehen und dabei zweierlei festgestellt: Erstens lag das Durchschnittsalter der Teilnehmer, die ihren Trödel versteigern lassen wollten, bei sechzig plus. Und zweitens benahmen sich diese Greise noch merkwürdiger, als sie das in den Augen unserer Tochter ohnehin schon tun, wenn keine Kamera präsent ist. Zu näheren Angaben fehlten Julia offenbar die Worte. Sie bildete aus Daumen und Zeigefinger einen rechten Winkel und führte die Hand an die Stirn. »Loser«, übersetzte Katja, als ich die Bedeutung der Geste nicht sofort schnallte.

Katja versuchte teils mit Engelszungen und teils mit endzeitlichen Beschwörungen, Julia doch noch umzustimmen. Insgeheim schien sie mir sowieso eine versteckte Agenda zu verfolgen, die weit über unsere antiken Stücke hinausging. In Wirklichkeit versuchte

Katja, ihrer Tochter auf dem Umweg über »Cash in the Attic« den Durchbruch zur Star-Karriere zu verschaffen. Ein Blick auf Julias lange blonde Haare, in ihre blauen Augen, auf ihre langen Beine, und die Talentsucher zwischen London und Los Angeles würden uns die Tür einrennen.

Und wenn es mit Julia nicht klappen sollte, dann könnte man wenigstens für Chico den Weg ins Showgeschäft ebnen.

»Wir sollten ihn singen lassen«, hatte Katja während einer der endlos langen Diskussionen vorgeschlagen, die wir in den letzten Wochen und Monaten über die Sendung geführt hatten. »Ich bin sicher, dass kein Hund auf der Welt so schön singt wie Chico.«

Singen ist vielleicht geprahlt. Bei bestimmten Reizwörtern fängt Chico an, in den höchsten Tönen zu heulen, derweil er den Kopf in die Höhe reckt wie ein Wolf bei Vollmond. Lange Zeit funktionierte das nur, wenn man ihm das Wort Jamaika zurief, doch Katja hat das Vokabular auf Barbados und Tobago ausgedehnt. Auf nichtkaribische Inselnamen reagiert er seltsamerweise nicht. Und auch Katjas jüngste Versuche, ihm Miauen beizubringen, haben noch keine Fortschritte gezeigt.

Nun aber hatte Julia die Hoffnungen ihrer Mutter zerstört. (Chico hatte sich noch nicht abschließend dazu geäußert, ob er zu einem Auftritt vor einem größeren Publikum bereit sein würde.) Katja war untröstlich, aber es gelang ihr nicht, ihre Tochter umzustimmen. Die kündigte an, den Drehtag bei ihrer besten Freundin zu verbringen. Sie ist Japanerin, und die Art, in der Julia ihre Mitteilung machte, klang, als ob sie am liebsten nach Tokio entschwinden würde, um möglichst viel Distanz zwischen sich und ihre filmenden Eltern zu legen.

»Und, was werdet ihr schon groß tun«, versuchte es Katja ein letztes Mal. »Musikvideos gucken und auf Facebook mit irgendwelchen Leuten schwatzen.«

»Da täuschst du dich aber gewaltig.« Julia triumphierte richtig. »Wir gucken uns Websites mit Berufsberatung an. Wir finden, dass es höchste Zeit ist, dass wir uns ernsthaft Gedanken über die Zukunft machen.«

Katja und ich blickten uns an und stellten fest, dass uns beiden die Kinnlade heruntergefallen war. Solche Töne waren ganz ungewohnt. Denn unserer Tochter ist die Frage, was sie einmal werden will, immer schon suspekt gewesen. Wieso sollte sie etwas werden? Sie war doch schon etwas – nämlich ein aufgewecktes Mädchen, ausgestattet mit einem Satz Eltern, die – wenn schon nicht perfekt – so doch im Großen und Ganzen erträglich und wenigstens in den ersten zwölf Jahren ihres Lebens halbwegs vorzeigbar gewesen waren.

Das Einzige, was ihr lange Zeit fehlte, war ein Haustier gewesen, wobei sie sich schon früh für einen Hund entschieden hatte. Aber deswegen hatte sie keine schlaflosen Nächte, wusste sie doch ganz genau, dass es nur eine Frage der Zeit war, bis sie Vater und Mutter davon überzeugt hätte, dass ein Hund die Lebensqualität der ganzen Familie entscheidend verbessern würde.

Julia war sechs Jahre alt, als wir in die Vereinigten Staaten umzogen. Deshalb wurde sie dort auch eingeschult, was eine Art von Eignungstest voraussetzte, mit dem vor allem ihre Englischkenntnisse überprüft werden sollten. Sie saß einem freundlichen Prüfer gegenüber und schlug sich wacker: Zählen von eins bis zehn, wie heißen diese Farben auf Englisch, welches ist dein Lieblingstier. Auf die Frage nach Amerikas erstem Präsidenten antwortete sie freilich: Atatürk. Die fünf Jahre Türkei, wo sie zuvor gelebt hatte, waren eben nicht spurlos an ihr vorübergegangen.

Wirklich ratlos blickte sie erst zu mir herüber, als sie nach ihrem Berufswunsch gefragt wurde. Von amerikanischen Kindern erwartet man, dass sie darauf eine Antwort haben, noch bevor sie sprechen können. Und eigentlich ist auch nur eine Antwort richtig: Präsident, vielleicht ergänzt um einen Superlativ: der erste schwarze Präsident, die erste weibliche Präsidentin, der erste Transgender-Präsident, der erste Adipositas-Präsident. Einen ersten nichtamerikanischen Präsidenten freilich sieht die US-Verfassung nicht vor, und vielleicht zog es Julia aus diesem Grunde vor, die Frage unbeantwortet zu lassen.

Das war vor beinahe zehn Jahren gewesen. Amerika hat inzwischen seinen ersten schwarzen Präsidenten, und wir haben einen Hund. Nur die Frage nach Julias Berufswunsch ist noch immer offen.

»Ich könnte Internet-Millionärin werden«, ließ sie sich eines Tages abschätzig zu einer konkreten Aussage herab. »Einen Laptop habe ich ja schon.«

»Das wird aber nicht reichen«, wendete ich ein. Eltern müssen immer Spielverderber sein. »Erst einmal brauchst du eine zündende Idee.«

»Na und, ist das keine gute Idee«, gab sie schnippisch zurück.

Ich blickte sie fragend an.

»Welche Idee?«

»Na, die, Internet-Millionärin zu werden.«

Auch andere Pläne kamen über den Zustand vager, an Spinnweben erinnernde Gedanken nicht hinaus und schienen mir häufig von dem jeweiligen Fernsehfilm geprägt, den sie zuletzt gesehen hatte. Nur so war es zu erklären, dass sie eines Freitags zu einer Karriere als Fotomodell entschlossen war, am Montag darauf aber unbedingt kranken Tieren helfen wollte.

Ein einziges Mal zeigte sie ein gewisses Interesse für den Beruf ihres Vaters und erkundigte sich, wie der sein Geld als Journalist verdiente.

»So wie ich das sehe, sitzt du den ganzen Tag vor dem Computer oder liest Zeitung, wenn du nicht verreist«, fasste sie ihre Beobachtungen zusammen. »Und dafür wirst du bezahlt. Eigentlich nicht schlecht. Muss man dazu auch etwas gelernt haben?«

Sie klang fast schon wie Mäuer, wenn er die Abrechnungen für die Auslandskorrespondenten abzeichnen musste.

»Whatever«, hauchte sie, als sie meine Gegenargumente angehört hatte. Ich war mir nicht sicher, ob sie auch wirklich zugehört hatte. Aber das tut Mäuer ja auch nicht, wenn man ihm die Herausforderungen des Korrespondentenlebens auseinandersetzt. Sie zuckte nur die Achseln.

»Hauptsache, die Schule ist irgendwann vorbei«, sagte sie schnippisch. »Die Schule ist abscheulich.«

»Das muss sie ja auch sein«, sagte ich. »Schließlich bereitet sie dich aufs Leben vor.«

Katja war keine große Hilfe, weil sie sich ausschließlich auf das vermeintliche schauspielerische Talent ihrer Tochter kaprizierte.

»Das ist aber ein Hungerleiderdasein«, gab ich zu bedenken. »Findest du nicht, dass es gut wäre, wenn unser eigen Fleisch und Blut uns im Alter ab und zu mal zu einer warmen Mahlzeit in ein Restaurant einladen könnte?«

»Ich weiß gar nicht, wovon du redest. Denk doch nur mal dran, wie viel Julia Roberts oder Nicole Kidman verdienen. Und sei nicht immer so negativ. Unsere Tochter ist nicht halb so schlecht, wie du immer tust.«

»Ja, das weiß ich. Und ich weiß auch, von wem sie die bessere Hälfte hat.«

Ich selbst glaube ja inzwischen zu wissen, auf welchen Job sich Julia insgeheim vorbereitet: Sie plant eine Karriere als hauptberufliche Tochter. Aus ihrer Sicht wäre das sinnvoll: regelmäßiges Gehalt bei freier Kost und Logis. Dazu mindestens zweimal im Jahr, zu Weihnachten und zum Geburtstag, garantierte Boni. Außerdem bezahlten Urlaub. Und als Gegenleistung müsste sie vielleicht mal den Müll rausbringen. Der einzige Nachteil an diesem Beruf ist nur, dass die Firma irgendwann einmal dichtmachen wird, aus rein biologischen Gründen.

»Das Problem ist doch, dass du dich nicht genügend engagierst. Oder, wie sagt ihr doch auf Deutsch? Einbringst, ja, dass du dich nicht genug einbringst.«

Katjas Fähigkeit, mitten in einer Konversation das Thema zu wechseln, erinnert an die abrupten Richtungswechsel eines gejagten Hasen. Vermutlich liegt das an dem Unterschied von männlichen und weiblichen Gehirnen. Das Männerhirn ist eine Art von Aktenschrank mit einer Unzahl von Schubladen, in denen jedes denkbare Thema fein säuberlich abgelegt ist: eine Lade für den Job, eine für die Ehefrau, eine für Actionfilme, eine für ungesundes Essen, und so weiter. Wenn ein Mann ein Thema bereden will, dann zieht er die entsprechende Schublade auf, holt heraus, was sich darin befindet, spricht darüber und legt es anschließend wieder zurück. Er hält absolute Ordnung in seinem Aktenschrank; nie würde er etwas aus der Auto-Lade in die Party-Ecke legen, was unter anderem das hartnäckig haarsträubende Fahrverhalten vieler Männer erklärt.

Das Frauenhirn hingegen ist ein einziges großes Knäuel Stahlwolle. Alles ist miteinander verbunden, alles hängt mit allem zusammen, und Impulse rasen in Hypergeschwindigkeit die ganze Länge des Fadens entlang, wobei sie an den unerwartetsten Stellen Verbindungen knüpfen. Ich kann mich an mehrere Konversationen mit Katja erinnern, die – um nur ein Beispiel zu nennen – beim Schicksal von obdachlosen Erdbebenopfern begannen und bei meiner Unfähigkeit endeten, die Messer in der Spülmaschine mit der Klinge nach unten einzusortieren. Für Katja waren die Übergänge zwanglos und inhärent logisch.

Gespräche mit Julia, sei es über eine Berufswahl oder überhaupt ein Thema, sind seit einiger Zeit ohnehin schwierig geworden. Wenn sie aus der Schule nach Hause kommt, wirft sie erst die Tasche und dann ein mürrisches Hallo in den Flur. Anschließend inspiziert sie missmutig den Kühlschrank und zieht sich in ihr Zimmer zurück, in dem Nanosekunden später Lady Gaga zu singen beginnt. So wie ein Gnu in der afrikanischen Savanne nur zur Nahrungsaufnahme an den Fluss trabt, so taucht auch sie nur zur Fütterungszeit am Esstisch auf.

Da ich von Berufs wegen darauf trainiert bin, meine Umwelt genau zu beobachten, stellte ich rasch fest, dass der Weg zur Aufmerksamkeit meiner Tochter über elektronische Kommunikationsmittel führte. Julia ist total vernetzt und verkabelt. Morgens nach dem Aufstehen gilt ihr erster Griff dem Laptop, wo sie sich vergewissert, dass sie auch keine Nachricht einer Freundin verpasst hat, die über Nacht eingegangen sein könnte. Den Einwand ihrer Eltern, dass auch ihre Freundinnen nachts vermutlich schliefen, konnte sie allerdings mit dem Hinweis auf ihre Bekannten in Amerika entkräften.

Nach dem Laptop greift sie sich das Handy, um die ersten SMS des Tages abzuschicken. Irgendwie schafft sie es, gleichzeitig auf dem iPod ihre Songliste zu aktualisieren und dabei auch noch Cornflakes in sich hineinzulöffeln. Als Katja einmal besorgt eine Studie erwähnte, nach der Kinder zwischen acht und achtzehn Jahren praktisch jede wache Minute mit und vor einem elektronischen Gerät verbringen, hatte Julia nur hohnlachend geschnaubt.

»Anfänger. Profis händeln mehr als ein Gerät gleichzeitig. Ohne Telefon und Facebook bist du wie bei Big Brother – von der Außenwelt total abgeschnitten.«

Zunächst hatte ich Julia E-Mails geschickt, wenn ich Kontakt herstellen wollte, und ich war mir ziemlich klug vorgekommen. Doch die Mails blieben unbeantwortet. Als ich Julia zur Rede stellte, sah sie mich mit jenem fassungslosen Blick an, den Teenager für ihre wunderlichen Eltern reserviert haben.

»E-Mail ist doch sooooo 20. Jahrhundert«, stöhnte sie. »Noch nie was von Facebook gehört?«

Da ich lernfähig bin, eröffnete ich einen Facebook Account. Das hat Leute in mein Leben zurückgespült, von denen ich schon gar nicht mehr gewusst hatte, dass sie irgendwann einmal Teil dieses Lebens gewesen waren. Julia hingegen hat mir unter Androhung schlimmster Strafen verboten, auf ihrer Seite zu schreiben.

»Das wäre die ekligste Sache, die du mir antun könntest«, hatte sie mit gewohntem sprachlichem Understatement erklärt. »Ich muss meinen Freundinnen schließlich jeden Tag unter die Augen treten.«

Unter all diesen Umständen war es ebenso erstaunlich wie erhebend, als sie mir eines Tages mitteilte, dass sie Anwältin werden wollte. Da unsere Familie keinerlei Verbindung zum Rechtswesen aufweist, hegte ich zunächst den Verdacht, dass ihr Berufswunsch weniger vom Streben nach Recht und Fairness geprägt war als von Äußerlichkeiten. Ich hatte recht.

»Eigentlich ist das doch wie bei einem Drama«, führte Julia geduldig aus. »Du stehst vor dem Publikum und ziehst eine Schau ab. Außerdem kannst du dich schick verkleiden.«

Julia meinte das angelsächsische Rechtswesen, das tatsächlich mehr theatralische Elemente besitzt als das kontinentaleuropäische Gegenstück. In Europa genügt es, wenn sich Staatsanwalt und Verteidiger in unverständlicher Rechtssprache mit dem Kollegen Richter austauschen. Laien – der Angeklagte etwa oder Zeugen – gehören zwar irgendwie dazu, sind aber bis zu einem gewissen Grad fakultativ. In Großbritannien hingegen stehen sie im Mittelpunkt: Hier müssen Verteidigung und Anklage mit Gestik und großen Worten eine Jury aus zwölf Normalsterblichen von Schuld oder Unschuld des Angeklagten überzeugen. Um die Wahrheitsfindung geht es dabei weniger, vielmehr um Sieg oder Niederlage in einem Rechtsstreit – mit der Betonung auf dem Streit und nicht auf dem Recht.

Rechnet man dazu, dass sich britische Rechtsvertreter mit altmodischen Klamotten und Perücken herausputzen, dann verwundert es nicht mehr, dass Hollywood nie einen Film in einem deutschen Schwurgericht gedreht hat.

»Ein britisches Gericht ist wie eine Talentshow im Fernsehen«, hatte mir mein Freund Hermann einmal respektlos erklärt. »In beiden Fällen entscheidet eine Gruppe von Ignoranten, die keine Ahnung hat – sei es von guter Musik oder von den Feinheiten des Rechts. Und am Ende entscheiden sie dann aus dem Bauch heraus: Gefällt mir seine Nase, finde ich ihren Busen toll.«

Ganz anders war das Urteil von Felicity Smythe-Stockington ausgefallen, die mit einem Lordrichter verheiratet gewesen war. »Mein Mann hat immer gesagt: Das britische Rechtswesen ist das beste der ganzen Welt. Und wer das anzweifelt, ist entweder schwul, eine Frau oder geisteskrank.« Ich hatte geschluckt.

»Oder Ausländer«, hatte sie dann nach einem prüfenden Blick auf mich noch hinzugefügt.

Dennoch: Als Berufsziel war Jura nicht zu verachten. Wenn Julia es richtig anstellte, dann würde sie nicht nur sich selbst ordentlich ernähren können, sondern es fiele womöglich auch ein wenig für ihre alten Eltern ab. Nein, es war ein vernünftiger Gedanke. Als ich so alt war wie sie, wollte ich Förster werden oder Archäologe.

Ich beschloss daher, mit Nigel, einem unserer Nachbarn, zu reden, den ich bis dahin immer nur freundlich über das Autodach hinweg gegrüßt hatte. Dass er Anwalt war, erfuhr ich zufällig, als ich ihn einmal morgens in wehender schwarzer Robe aus dem Haus eilen sah. Zunächst hatte ich an eine Halloween-Kostümierung gedacht und mich gewundert. Denn Nigel gilt in der weiteren Nachbarschaft als großer Halloween-Muffel, der an diesem Tag niemandem die Tür öffnet. Er stellt zwar eine Schüssel mit Süßigkeiten raus; gleichzeitig überwacht er aber die kleinen Geister und Gespenster, die sich bedienen, mit einer versteckten Kamera.

Nigel ist stolz auf seinen Nachnamen: Hostage heißt die Familie, zu Deutsch Geisel. Der gehe auf altirische Königreiche zurück, wo es Usus war, Angehörige rivalisierender Familien als Geiseln zu halten. Seine Familie, so Nigel, habe ihren Unterhalt als Berufsgeisel verdient. Nigels Physiognomie mit seinem breiten Mund und den hervorquellenden Augen freilich verleitet mich eher zu der Annahme, dass einer seiner Vorfahren jener märchenhafte Froschkönig gewesen sein musste, bei dem die Transformation vom Lurch zum Menschen nicht hundertprozentig gelungen war.

»Anwalt ist doch ein gutbezahlter Beruf«, stellte ich beiläufig fest, als ich ihm vom Berufswunsch meiner Tochter berichtet hatte. »Nur mal so als Hausnummer: Was berechnest du denn für, sagen wir, drei normale Fragen?«

»Als Sonderangebot kann ich dir das schon für tausend Pfund machen.«

»Tausend Pfund! Das ist aber reichlich teuer, findest du nicht?«

»Kommt drauf an, wie du es siehst. Und, was ist jetzt deine dritte Frage?«

Ich erbleichte und griff instinktiv an meine Gesäßtasche, wo mein Portemonnaie verstaut ist. Nigel lachte und klopfte mir beruhigend auf die Schulter.

»Keine Bange. War nur ein Witz. Du kennst ja den Wahlspruch meiner Zunft: Ein Mann gilt so lange als unschuldig, bis er für bankrott befunden wurde.«

Er lachte selbstgefällig in sich hinein.

»Im Ernst. Wir können nicht klagen. Erst unlängst hat unsere Kanzlei für einen Mandanten eine außergerichtliche Einigung herausschlagen können. Der hat eine Menge Geld an Gerichtskosten und an Schadenersatz für die andere Partei gespart. Da blieb ihm was übrig für unsere Dienste: 400 000 Pfund – fürs Tippen, für Briefmarken, Fotokopien, unsere Arbeitsstunden, du weißt schon.«

Nigel redete sich langsam warm, und ich konnte nur hoffen, dass er mir für die Unterredung nicht den üblichen Stundensatz berechnete.

Selbst Chico fiel mir in den Rücken. Normalerweise ist auf ihn insofern Verlass, als ich mich unter Hinweis auf den an der Leine zerrenden Hund aus unliebsamen Konversationen befreien konnte. Nun aber hatte er es sich zu unseren Füßen bequem gemacht und schien aufmerksam zu lauschen.

»Es ist ja nicht so, dass wir keine Ausgaben hätten«, nahm Nigel den Faden wieder auf. »Allein für das Outfit müssen wir ein paar Tausender hinblättern, und so eine Perücke hält auch nicht ein ganzes Berufsleben lang.«

Das mit den Perücken hatte mich schon immer interessiert. Warum nur stülpten sich britische Anwälte und Richter noch immer gelockte und bezopfte Haarteile aus Rosshaar aufs Haupt? An ihrem Design hat sich nichts geändert, seit sie ein gewisser Humphrey Ravenscroft im Jahre 1822 zum ersten Mal verkaufte. Das war zirka dreißig Jahre nachdem der Rest der damaligen Männerwelt den unmodern gewordenen Perücken abgeschworen hatte. Thomas Jefferson, Amerikas dritten Präsidenten, erinnerten Englands Richter unter ihren Kopfbedeckungen an »Ratten, die durch Stränge von Werg blinzeln«.

Schwarze Roben andererseits werden zwar auch in anderen Ländern von Richtern und Anwälten getragen, aber ich kann mir nicht vorstellen, dass ihr Schnitt auf die Zeit von König Edward III. zurückgeht, der 1377 starb. Und nur die englischen Überwürfe besitzen einen absolut nutzlosen Kapuzenansatz, der über die linke Schulter geworfen wird. Er wurde als Zeichen der Trauer für König Karl II. im Jahr 1660 angenäht. Da er der Monarch gewesen war, der die fatzkenhafte Perückenmode aus dem Pariser Exil ins puritanische England gebracht hatte, versteht man die Trauer, die sein Dahinscheiden bei der perückentragenden Zunft bis heute auslöst.

Ich konnte mir allerdings nicht vorstellen, dass ein dickes Haarteil Denkprozesse förderte, schon gar nicht an heißen Sommertagen, und ich teilte Nigel meine Überlegungen mit.

»Wer redet denn von Denkprozessen«, protestierte er. »Wir reden doch über dieselbe Sache: Justiz. Nein, es ist viel elementarer: Perücken dienen unserem persönlichen Schutz.«

Ich muss wohl recht dämlich dreingeblickt haben, denn Nigel sah mir tief in die Augen und sprach betont langsam.

»Kriminelle können sehr nachtragend sein, wenn etwas nicht so läuft vor Gericht, wie sie sich das vorgestellt haben. Je weniger sie uns später auf der Straße identifizieren können, desto besser.«

»Du sagst also, ihr tragt eine Perücke, weil sie euch vermummt?«

»Vermummt, ja. Schönes Wort. Vermummt.«

»Das nimmt euch doch niemand ab. Warum setzt ihr nicht gleich eine Maske auf? Oder besser noch: Verbindet dem Angeklagten die Augen. Vielleicht hat Justitia eine Binde übrig.«

»Interessant, dass du das sagst. Die Öffentlichkeit hat offenbar wirklich kein Verständnis für unsere Lage. In Umfragen sagen die Leute, dass sie Perücken für anachronistisch, antiquiert und einschüchternd halten. Aber was ist so falsch an ein bisschen Einschüchterung? In Zivilprozessen müssen wir inzwischen sowieso mit unserer eigenen Haarpracht auftreten.«

Nigel fuhr sich, um seine Worte zu unterstreichen, über den Kopf. Zum ersten Mal fiel mir auf, dass er nicht mehr viel eigene Haare besaß. Vielleicht war das der Grund, weshalb er seine Rosshaarperücke so hartnäckig verteidigte.

»Und unlängst hat das Justizministerium Entwürfe für die neuen Roben der obersten Richter herumgeschickt. Unmöglich. Die sehen aus wie eine Kreuzung aus Star Trek und SS, mit einem Schuss von erzbischöflichem Ordinariat.«

Quasireligiösen Anstrich aber hatte die Rechtsprofession in England schon immer. Ihre berufsständische Vertretung – wenn man denn schon einen derart schlichten, an Krankenkasse und Finanzamt erinnernden deutschen Begriff verwenden will – befindet sich im sogenannten Inneren und Mittleren Tempelbezirk im Zentrum von London. Da hatte einst der geheimnisumwobene Templerorden seinen Sitz, und als er vernichtet wurde, zogen die Anwälte dort ein. »Vor

Gericht und auf See«, so weiß es schließlich schon der englische Volksmund, »bist du in Gottes Hand.«

An eine religiöse Geheimsprache erinnert auch die Prosa, deren sich Rechtsvertreter in ihren Schriftstücken befleißigen. Wenn etwa ein Anwalt ausdrücken möchte, dass auf ein bestimmtes Beweisstück kein Verlass ist, dann schreibt er: »Keine Fehler, keine Auslassung oder Ungenauigkeit in dem Beweisstück schafft ein vollstreckbares Recht für einen irgendwie gearteten Rechtsbehelf, einschließlich – aber nicht ausschließlich – des Rechts auf Anfechtung der Rechtswirksamkeit oder Vollstreckbarkeit dieser Übereinkunft.«

Zumindest in dieser Hinsicht müsste Julia nicht viel dazulernen. Ihre Englischaufsätze lesen sich ähnlich kompakt.

So erhellend das Gespräch mit Nigel auch war, es konnte nicht den persönlichen Augenschein ersetzen. Deshalb entschieden wir uns, zwecks Feldstudien das Krongericht von Kingston zu besuchen.

Das Gericht ist ein lichtes, modernes Gebäude, das fast ein wenig skandinavisch wirkt mit seinen hellen Kieferpaneelen, den hohen Fenstern und der schmucklosen Aluminiumverkleidung. Wahrscheinlich lag es daran, dass die Anwälte in ihren altmodischen Kostümen noch anachronistischer wirkten.

Und noch etwas fiel uns auf, als wir sie beobachteten: ihre Körpersprache. Männer, die von Berufs wegen lange Kleider tragen – der Papst, Osama bin Laden oder Wüstenkönigin Priscilla –, entwickeln mit der Zeit eine unverwechselbare Art zu gehen. Da sie gezwungen sind, bei jedem Schritt gleichsam einen schweren Vorhang zur Seite zu kicken, schreiten sie auch dann breitbeinig aus, wenn sie ausnahmsweise Hosen tragen.

In den Fluren des Gerichtsgebäudes stellten Julia und ich ein ähnliches Phänomen bei den Anwälten in ihren wehenden Roben fest. Die Umhänge reichten mitunter bis zum Boden, waren aber vorne nicht geschlossen, sondern klafften weit auseinander. Ihre Träger fegten daher die Korridore entlang wie eine Bande selbstbewusster Exhibitionisten, die nichts zu verbergen und nichts zu befürchten hat.

Im ersten Verfahren, zu dem wir uns auf die Zuschauerbank schlichen, hatte der Staatsanwalt die Robe so weit hochgezurrt, dass er sie um die Schultern schlingen konnte wie einen Schal. Von weitem sah er aus wie Sophia Loren als italienische Mamma. Sein Haarteil wirkte etwas ausgefranst, und die beiden Zöpfchen erinnerten an zwei zauselige Rattenschwänze. Der Verteidiger hingegen hatte seinen Zopf breit gekämmt wie einen aufgeplusterten Biberschwanz, was mit seinem würdigen Auftreten und der affektierten Aussprache harmonierte.

Mit wachsender Beklemmung hörte ich, dass eine Vergewaltigung verhandelt wurde. Der Staatsanwalt schmückte den Fall derart genüsslich aus, dass mir das Blut bis unter die Haarwurzeln schoss. Von Samen auf dem G-String sprach er, von Feuchtigkeit zwischen den Beinen und von einer Kondompackung, »die der Angeklagte mit heroischer Anstrengung mit den Zähnen aufgerissen« habe, weil er nur eine Hand frei gehabt habe. Der Richter bemühte sich, unbeteiligt dreinzublicken, wie es sein Amt verlangte, aber so recht wollte ihm das nicht gelingen. ›Der Kerl ist schuldig wie die Hölle‹, sagten seine Blicke. ›Aber so wie die kleine Schlampe aussieht, nun, ich weiß nicht, ob ich mich hätte beherrschen können.‹

Ich schluckte, schließlich hatte ich eine minderjährige Tochter dabei. Einen derart expliziten Film hätte sie in ihrem Alter nicht sehen dürfen. Vorsichtig schielte ich zu ihr hinüber. Julia verzog keine Miene. Dennoch schlug ich vor, den Verhandlungssaal zu wechseln.

»Wir sollten uns verschiedene Beispiele ansehen«, meinte ich, »damit du einen besseren Eindruck gewinnst.«

»Oh, ich finde das schon ziemlich eindrucksvoll«, erwiderte sie mit unbewegtem Gesicht.

Dennoch drängte ich zum Aufbruch. Gemessen an ihrer üblichen Aufmerksamkeitsspanne, die irgendwo auf halbem Wege zwischen einem Goldfisch und einer Taufliege angesiedelt ist, hatte sie recht lange ausgehalten.

»Na, was denkst du?«, fragte ich sie, als wir bei Starbucks über zwei Frappuccinos saßen.

»Die Klamotten sind zwar nicht so krass, wie ich sie mir vorgestellt habe«, meinte sie nachdenklich. »Aber du kriegst einige heiße Geschichten zu hören.«

»Na also, das wäre doch ein mögliches Studium, Jura, nicht wahr«, regte ich hoffnungsvoll an.

»Studium? Ne, das braucht man nicht.«

Ich sah sie fragend an.

»Ich habe mich informiert. Es gibt auch noch Friedensrichter, und die müssen gar nichts können. Zoe macht das, und wenn die das kann …«

Zoe war die Stiefmutter einer Schulkameradin, über die nur hinter vorgehaltener Hand gesprochen wurde. Ihre Vergangenheit, so munkelte man, sei ziemlich bunt gewesen.

»Was meinst du damit: wenn die das kann?«, fragte ich.

»Weißt du das nicht? Die hat mal als Stripperin angefangen, und dazu brauchst du kein Studium. Noch nicht mal Abitur. Und jetzt ist sie Richterin, einfach so. Ist doch cool, oder?«

Es wäre nicht schlecht, doch noch mal mit Katja über die Berufsvorstellungen unserer Tochter zu sprechen. Friedensrichter würde ich noch weniger empfehlen als Stripperin. Denn das ist in England eine ehrenamtliche Tätigkeit. Ich glaube, sie kriegen nur die Busfahrt zum Gericht erstattet.

DREIZEHN

Wenn er nicht regelmäßig im Unterhaus aufgetreten wäre oder mit ausländischen Staats- und Regierungschefs abgebildet worden wäre, hätte ich fast den Eindruck bekommen, dass sich der Premierminister in Luft aufgelöst hatte. Das schien zumindest für sein Büro und seinen Pressesprecher zu gelten. Beide Amtsstellen hatten jeden Kontakt zu mir eingestellt. Meine Anrufe prallten auf Tonbandansagen, meine E-Mails verschwanden im schwarzen Loch des Internets.

Ich hatte es ja eigentlich nicht anders erwartet. Die Downing Street verhielt sich nur wie jede andere britische Instanz, die vorschnell und vollmundig ein Versprechen gegeben hatte, von dem sie keine Sekunde lang geglaubt hatte, es je einlösen zu müssen. Und da auch dem einfallsreichsten Pressesprecher früher oder später phantasievolle Ausreden ausgehen, besannen sie sich auf den alten Beatles-Track vom gelben U-Boot und gingen auf Tauchstation. Die Taktik funktionierte meist prächtig. Mir wäre streng genommen keine andere Möglichkeit der Kontaktaufnahme geblieben, als mich mit einem selbstgemalten Transparent mit der Aufschrift »Prime Minister, please call me« vor die Downing Street No. 10 zu stellen. Aber das erschien mir dann doch übertrieben.

Leider war es aber nicht so, dass mir das Desinteresse des Regierungschefs gleichgültig sein konnte. Denn das Interesse meines Chefs war umgekehrt proportional ungebrochen groß. Mäuer hatte seine Interview-Rundreise mehr oder minder erfolgreich fortgesetzt. Die inhaltliche Ausbeute seiner Gespräche war zwar meist ebenso bescheiden wie das Kaliber der interviewten Persönlichkeiten. Aber Mäuer vermochte es immer so darzustellen, als ob es nicht die heutigen Mächtigen wären, die auf ihn und seine Fragen gewartet hatten, sondern die Machthaber von morgen. Andere hätten abschätzig die Schultern gezuckt über ein Gespräch mit dem Bürgermeister von Wichita. Für Mäuer war der ein US-Präsident im Wartestand.

Weitaus lesenswerter, wenn man sie denn gedruckt hätte, wären freilich die Erlebnisse gewesen, die Mäuer am Rande seiner Termine widerfuhren. Der China-Korrespondent beispielsweise hatte voll unverhehlter Schadenfreude Mäuers Aufenthalt in der Provinz Fujian verbreitet. Unser Chef hatte den dortigen Chef der kommunistischen Partei interviewt, den ein teurer »Intelligence Report«, den er als Chefredakteur abonniert hatte, als kommenden Mann der kommenden Weltmacht China erwähnt hatte.

Da man in der chinesischen Provinz, so berichtete der Kollege in seiner Rundmail ausführlich, die altmodische Gastfreundschaft noch ernst nehme, habe man dem Ehrengast Mäuer gleich in der ersten Nacht ein Callgirl ins Hotelbett gelegt. Selbstverständlich nimmt man in Fujian nicht nur die Pflichten der Gastfreundschaft ernst, man weiß auch das Potential von Film- oder Fotoaufnahmen zu schätzen. Denn wer wusste schon, ob Mäuer nicht in einem chinesischen

Intelligence Report als kommender Mann einer kommenden Mediengroßmacht gehandelt wurde, von dem man dann gerne die eine oder andere Videoaufzeichnung in einer kompromittierenden Situation gehabt hätte.

Nun gibt es den alten und durchaus weisen Spruch, wonach ein Gentleman genießt und schweigt. Noch niemand hat Mäuer verdächtigt, ein Gentleman zu sein. Er blieb sich denn auch treu und zeterte am nächsten Morgen beim Frühstück lauthals gegen die unsittliche Verführung, mit der man ihn vom rechten Weg hatte abbringen wollen. Er habe das Mädchen selbstverständlich wie ein Erzengel mit Flammenschwert von der Bettkante gestoßen und des Raumes verwiesen.

»Und was meinen Sie, ist dann passiert?«, hatte er schließlich gestammelt.

»Sie sind friedlich eingeschlafen«, hatte der Kollege gemutmaßt.

»Nein, drei Minuten später klopft es an der Tür – und ein junger Mann in engen Jeans lehnt am Türrahmen.«

Unser China-Korrespondent murmelte etwas von perfekter asiatischer Gastfreundschaft und der Gefahr, dass die Zurückweisung der jungen Dame durch Mäuer zu einem Gesichtsverlust des zuständigen Geheimdienstagenten führen musste, weil sich seine Informationen offenbar als unrichtig erwiesen hatten.

»Ich hoffe, dass Sie dann wenigstens den jungen Mann behalten haben«, meinte der Kollege. »Denn sonst hätten sie die Gastgeber wirklich beleidigt.« Scherzhaft hängte er noch an: »Und dann hätte man Ihnen wahrscheinlich eine Ziege geschickt.«

Mäuer freilich ist nicht bekannt für seinen Humor. Angeblich wird demnächst der Korrespondentenposten in Peking frei.

Ich wagte nicht, mir auszumalen, in welche Peinlichkeiten Mäuer sich selbst und vor allem mich bei einem Besuch in London stürzen würde. Doch wenn ich es vermeiden wollte, dass schon bald auch der Posten in London neu besetzt würde, dann musste ich ihm seinen Wunsch nach einem Interview möglichst erfüllen, und da ich in der Downing Street sozusagen auf Grund gelaufen war wie ein Öltanker in einem Fjord, war es an der Zeit, Profis zu Hilfe zu rufen, deren Aufgabe es ist, unverschuldet in Not geratenen deutschen Landsleuten mit Rat und Tat zur Seite zu stehen: die deutsche Botschaft.

Sie ist sehr mondän in einem marmorweißen Prachtgebäude am Belgrave Square untergebracht, an dessen Fassade eine deutsche und eine europäische Fahne wehen. Viele Länder haben ihre Botschaft im schicken Stadtteil Belgravia. Er liegt nahe beim Buckingham-Palast, und deshalb wurden dort einst die Häuser für hohe königliche Staatsbeamte gebaut, damit sie es nicht weit ins Amt hatten. Streng genommen sind es auch nur Reihenhäuser wie überall sonst im Land, nur dass sie eben mehrere Nummern größer als üblich ausgefallen sind.

Ältere Fernsehzuschauer werden sich noch an die Serie *Das Haus am Eaton Place* erinnern, die das Leben der fiktiven Familie Bellamy und ihrer Domestiken zu Beginn des 20. Jahrhunderts schilderte. Genauso sieht das Haus aus, in dem heute jene Leute arbeiten, die Deutschland in Großbritannien repräsentieren. Damals waren oben im Dachgeschoss die Kinder und die Gouvernanten untergebracht; heute befindet sich dort die Wohnung des Botschafters. Und während im Souterrain einst das niedrige Personal gleich neben der Küche hauste, haben dort heute Aktenschränke eine Bleibe gefunden.

Meine persönlichen Erfahrungen mit deutschen Auslandsvertretungen waren stets eher gemischt. Einer der ersten Diplomaten, die ich kennenlernte, entpuppte sich als falscher Diplomat. Er war vielmehr für den Pullacher Geheimdienst tätig und wollte mich als freien Mitarbeiter anheuern. Da er selbst mit Schnauzbart und grauem Haarkranz nicht an James Bond erinnerte und auch das versprochene Honorar – rare Ersatzteile für meinen Suzuki – wenig Glamour versprach, lehnte ich ab.

Für Diplomaten gilt übrigens dasselbe wie für Auslandskorrespondenten: Sie schwanken ständig zwischen zwei Extremen. Entweder laufen sie Gefahr, zu sehr im Gastland mit all seinen Bräuchen aufzugehen, oder sie bemühen sich allzu sorgsam, sich von jeglichem fremdländischem Einfluss fernzuhalten. Einem Vertreter letzterer Gattung war ich in der sudanesischen Hauptstadt Khartum begegnet. Er bewegte sich ausschließlich in seinem klimatisierten Mercedes-Jeep zwischen der Botschaft, seiner Villa, dem Außenministerium und dem Flughafen. Die Fenster hatte er fest geschlossen, und aus dem Kassettenrecorder schallte Richard Wagner hinreichend laut, um jedes sudanesische Geräusch zu übertönen. Der Diplomat war stolz darauf, nie einen Fuß auf eine sudanesische Straße gesetzt zu haben. Er ernährte sich von deutschen Eintöpfen aus Konserven, von langlebiger deutscher Hartwurst, deutschem Vollkornbrot und diversen Tüten von Doktor Oetker. Dazu trank er deutsches Dosenbier. All das wurde dreimal im Jahr von einem Spezialversand aus Deutschland nach Khartum eingeflogen. Als ich ihn einmal fragte, warum er sich für den Sudan gemeldet habe, wo er doch ganz offensichtlich kein Interesse für dieses Land aufbringe, blickte er mich verständnislos an. »Wer hat denn gesagt, dass mich dieses Dreckloch interessiert. Ich will nach Paris, und das kriege ich nur, wenn ich vorher auf einem Härteposten wie diesem war.«

Auf den Londoner Kollegen dieses Herrn schien das Gegenteil zuzutreffen. Er fremdelte überhaupt nicht, im Gegenteil: Die Britishness hatte fast schon zu stark auf ihn abgefärbt. Hemden, Schuhe und Socken kaufte er bei den edlen altmodischen Herrenausstattern in der Jermyn Street. Sein Rasierwasser kam vom Hoflieferanten Penhaligons, die Marmelade von Fortnum and Masons. Insgeheim bedauerte er es wohl, dass ein Gentleman in der Londoner City heutzutage keine Melone mehr trug. Gepasst hätte sie zu ihm. Er hatte die Figur eines Pfeifenputzers, was ihn – in Kombination mit seinem ständig erstaunten Blick – aussehen ließ wie einen Stock mit Augäpfeln.

»Gute Idee«, strahlte er, als ich ihn über unsere Interviewpläne informierte. »Das unterstützen wir sehr gerne. Wir wünschen Ihnen Erfolg. Wie weit sind Sie denn mit den Planungen?«

Als ich ihn von meinen bescheidenen Fortschritten unterrichtete, verdunkelte sich seine Miene.

»Oh, ich verstehe. Das ist ja merkwürdig. Wirklich merkwürdig. Ihr Blatt ist ja nicht irgendeine Feld-, Wald- und Wiesenzeitung. Na ja, ich schätze mal, Downing Street ist zurzeit mit Wichtigerem beschäftigt. Aber ich sehe, was sich machen lässt. Wäre ja gelacht, nicht wahr?«

Das war das Letzte, was ich je von der deutschen Botschaft gehört hatte. Seitdem war die Verbindung zum Belgrave Square ebenso abrupt abgebrochen wie die zur Downing Street. Ein Raumschiff, das von einem schwarzen Loch verschluckt wurde, hätte nicht mehr incommunicado sein können.

Freilich war es auch denkbar, dass man sich nicht übertrieben stark für mich ins Zeug legen wollte. Ich fürchte, dass ich mich ein klein wenig unbeliebt gemacht habe, als ich bei einem Empfang laut Überlegungen darüber anstellte, welchen Zweck diplomatische Vertretungen in unserer Zeit überhaupt noch hätten. Ich meine: Früher hat man als Kanzler oder Ministerpräsident seinen außerordentlichen und bevollmächtigten Botschafter außerordentlich bevollmächtigt, in der jeweils anderen Hauptstadt vorstellig zu werden. Heute aber greifen beide Führer gleich selber zum Telefon, und das tun auch alle Minister, Staatssekretäre, Haupt- und Unterabteilungsleiter und womöglich auch die jeweiligen Chefs der Fahrbereitschaft oder die Kantinenköche.

Natürlich besitzt ein Telefon nicht denselben Glanz wie ein Palais in bester Lage, und gerade Großbritannien ist begehrt bei Diplomaten, weil es eines der wenigen Länder ist, wo der Botschafter eine leibhaftige Königin von Angesicht zu Angesicht und gleichsam unter vier Augen trifft. Deshalb findet man in den Wohnzimmern ehemaliger Botschafter, die einmal am Hofe von St. James akkreditiert waren – wie das korrekt heißt –, irgendwo prominent aufgestellt ein Foto. Es zeigt im Profil die Königin, die interessanterweise immer links steht, wie sie dem jeweiligen Diplomaten die Hand schüttelt. Der derart geehrte Botschafter hat sich in Schale geworfen mit Frack und allem, was er an Orden kurzfristig auftreiben konnte. Auf den Bildern hat er eine Haltung eingenommen, die ziemlich schmerzhaft aussieht und eigentlich nach einem Orthopäden verlangt: den Rumpf tief nach unten gebeugt, während Kopf und Augen sich entgegengesetzt nach oben verdrehen, um einen Blick auf die Monarchin erhaschen zu können.

Hat der Botschafter der Queen erst einmal sein Beglaubigungsschreiben in die Hand gedrückt, kann er sich auf die wenigen wirklich wichtigen Dinge seines Amtes konzentrieren. Dazu gehört – einmal abgesehen von der Eröffnung des Weihnachtsbasars in der deutschen Schule – in erster Linie die Ausrichtung der Feier zum Tag der Deutschen Einheit. Das ist der einzige Tag im Jahr, an dem sich die Türen der Botschaft für praktisch jeden Inhaber eines deutschen Passes öffnen, auf dass er sich an reichlich Bratwürsten, Butterbrezen und Bier vom Fass labe. Mit ein wenig Glück gibt es als Dreingabe den Bundeslandwirtschaftsminister oder den Ministerpräsidenten von Schleswig-Holstein zu sehen, die zur Feier des Tages eingeflogen wurden, um der Veranstaltung ein wenig vom Glamour der Berliner Republik zu verleihen. Die Party zum Einheitstag bietet außerdem die Möglichkeit zu erfahren, wie viele Deutsche in Großbritannien, speziell in London und in unserer nächsten Nachbarschaft leben. Manager von Bosch und BMW, Lehrerinnen und Lehrer der deutschen Schule in Ham, abkommandierte Bundeswehroffiziere und natürlich Journalisten – man kennt einander, zwinkert einander verschwörerisch zu, tauscht Horrorgeschichten über britische Bürokraten und Handwerker aus. Also genauso, wie Briten, die in Berlin leben und sich zur Feier des Geburtstages ihrer Königin in ihrer Botschaft in der Wilhelmstraße treffen, einander verschwörerisch zuzwinkern und Horrorgeschichten über deutsche Bürokraten und Handwerker austauschen.

Man kann übrigens mit einem einfachen Test feststellen, wer schon lange – zu lange? – als Deutscher unter Briten gelebt und wer sich seine germanischen Eigenheiten bewahrt hat. Ziemlich schnell verinnerlicht man als Fremder die britische Angewohnheit, sich ständig zu entschuldigen. Man rempelt mir einen Ellbogen in die Magengrube? Sorry, dass ich im Weg stand. Man fährt mir von hinten ins Auto? Sorry, dass ich nicht schneller war. Letztlich bedeutet das kleine Wörtchen »sorry« nichts. Es ist mehr ein Reflex, so wie man zwinkert, wenn ein Fremdkörper ins Auge gerät.

Dennoch geht das automatische Sorry rasch in Fleisch und Blut über. Als mir auf einem Botschaftsempfang eine Frau derart beherzt auf den Fußrist trat, dass mir Sterne vor den Augen funkelten, stammelte ich dennoch ein atemloses »Sorry«. Sie wandte kurz den Blick vom kalten Buffet und versicherte mir: »Siss iss ohlrait.« Dann griff sie wieder zu. Sie war noch nicht lange im Lande. Oder besonders resistent.

Angeblich sollen mehr als 80 000 Deutsche im Vereinigten Königreich leben. Das sind nicht so viele wie Franzosen oder Polen, aber es würde sich wahrscheinlich lohnen, bei der nächsten Bundestagswahl in einem Wahlkreis Greater London um Stimmen zu werben.

Außer am Tag der Deutschen Einheit rotten sich Deutsche auf dem bereits erwähnten Weihnachtsmarkt, bei Länderspielen gegen die englische Mannschaft oder an Wahlabenden zusammen. In allen Fällen herrscht das größte Gedrängel an den Buffets und am Zapfhahn mit dem guten Paulaner Bier. Als ob man den Auslandsteutonen jahrelang die Genüsse der Heimat vorenthalten hätte, so sehr schlagen sie sich um Leberkäse und Lebkuchen.

Katja nennt sie übrigens hartnäckig Leberkuchen. Es heiße ja auch Leberkäse und Leberwurst. Meinen Einwand, dass Lebkuchen keine Leber enthielten, lässt sie nicht gelten. »Im Leberkäse ist auch keine Leber drin«, sagt sie.

Ob Leb- oder Leberkuchen: Dies und noch viel mehr ist mittlerweile in London nicht nur auf Veranstaltungen der deutschen Community erhältlich. Noch in den siebziger Jahren war das Vereinigte Königreich eine kulinarisch-gastronomische Wüste. Ganz besonders traf das auf deutsche Nahrungsmittel zu, die man in sehr begrenzter Auswahl in einer Luxusboutique namens »German Food Centre« kaufen konnte. Sie lag im noblen Shopping-Viertel Knightsbridge schräg gegenüber von Burberry und Harrods, was eine Vorstellung davon gibt, auf welchem Niveau der Durchschnittsbrite damals Pumpernickel und Teewurst ansiedelte.

Heute sind nicht nur Land und Leute grundsätzlich aufgeschlossener für Nahrung aus fremden Kulturkreisen geworden; heute sind Kartoffelklöße und Sauerkraut aus der Dose auch für den englischen Mittelstand erschwinglich geworden. Man muss sich dafür auch nicht mehr in die Londoner Innenstadt begeben. Gleich zwei deutsche Supermärkte versorgen die Exilgemeinschaft mit fast allem, was das Herz begehrt –

vom Aufschnitt über frische Brötchen und diverse Vollkornbrote bis zu Kohlrouladen.

Das Traditionsgeschäft trägt den eher altbackenen Namen »Backhaus«, der junge Konkurrent läuft unter dem windschnittigeren Titel »Hansel and Pretzel«. Fish and Fritz, was ja durchaus eine denkbare Alternative gewesen wäre, war leider schon anderweitig vergeben.

Der Lieferwagen des Backhauses gehört im Londoner Südwesten zum Stadtbild, und weil man wegen seiner schwarzen Farbe und der getönten Scheiben fatale Parallelen zu einem Leichenbestatter ziehen könnte, hat man – in lila Lettern – den beruhigenden Spruch darauf gesprüht: »We are not the undertaker, we are the German baker.« Beruhigend zu wissen, dass sich deutscher Humor auch nach langen Auslandsjahren Verbesserungsversuchen erfolgreich zu widersetzen versteht.

Beide Läden sind krisensicher, zumal sie sich über die Befriedigung leiblicher Bedürfnisse hinaus auch darum bemühen, heimwehkranken Deutschen ein Gefühl von Zuhause zu vermitteln. Im Backhaus beispielsweise arbeitete jahrelang eine Verkäuferin, die allem Anschein nach nur deshalb engagiert worden war, um entscheidende Merkmale der berühmten Servicekultur im deutschen Einzelhandel nachzustellen: muffig, unfreundlich und kratzbürstig. Gar nicht schlecht, diese Idee, denn im Unterbewusstsein sehnen sich viele Deutsche nach Jahren unter all den aufgesetzt höflichen Briten masochistisch nach treudeutsch direkter Grobheit. Deutsche verstecken schlechte Laune nicht hinter einem sonnigen Grinsen. Gesundheitsbewusst, wie sie nun einmal sind, wissen sie, dass das nur zu

Magengeschwüren führt. Was man kriegt, ist, was man sieht.

Einkäufe im Backhaus trieben daher vor allem jenen Deutschen Tränen der Nostalgie in die Augen, die schon sehr lange unter Briten gelebt hatten. Dazu trug sicherlich bei, dass die Verkäuferin eine Figur besaß, die man als wagnerianisch bezeichnen könnte. Ihren rechten Bizeps zierte eine Tätowierung mit chinesischen Schriftzeichen. Sie waren gut zu erkennen, weil die junge Frau bei jeder Temperatur eine ärmellose Kittelschürze trug, wie sie zuletzt Ende der fünfziger Jahre in Deutschland modern gewesen war. Sie schien ständig in Eile zu sein, als ob sie den Laden schließen wollte.

»Und. Sonst noch was«, blaffte sie ungeduldig Kunden an, die eine Sekunde lang beim Blick in die Vitrine gezaudert hatten.

»Äh, hundert Gramm Bierschinken, bitte.«

»Und. Ist das alles.«

»Jetzt schneiden Sie doch erst mal den Bierschinken auf, ich will Sie doch nicht hetzen.«

»Was heißt hier hetzen. Wir haben schließlich nicht den ganzen Tag.«

An dieser Stelle folgte im Allgemeinen eine weit ausholende Armbewegung, die den ganzen Laden umfasste und auf Horden ungeduldiger Kunden hinweisen sollte – auch wenn der Laden leer war.

»Interessante Tätowierung haben Sie da. Was heißt das eigentlich?«

»Mein Name. Auf Chinesisch. Und. Sonst noch was?«

Die beiden deutschen Supermärkte liegen im Südwesten Londons, wo die meisten Deutschen vornehmlich in den Stadtteilen Ham, Richmond und Kingston leben. Der germanische Volksmund spottet denn auch über Deutsch-Südwest, als handle es sich um eine wilhelminische Kolonie. Mitunter kommt das der Realität sehr nahe. Vor allem an Wochenenden, an denen deutsche Menschen genetisch dazu gedrängt werden, Kuchen zum Nachmittagskaffee zu kaufen und vorher im Park entweder Sport zu treiben oder mit der Familie spazieren zu gehen, scheinen sich die wenigen verbliebenen britischen Eingeborenen der Gegend verschüchtert in ihren Häusern zu verkriechen.

Der Grund für diese Konzentration von Deutschtum ist banal: Hier liegt die Deutsche Schule – im Schatten eines schicken Poloclubs und in weitläufiger Nachbarschaft zu Bianca Jagger. Bis zur Scheidung lebte auch Ehemann Mick im selben Haus. Es gilt jedoch als unwahrscheinlich, dass er wegen der deutschen Schule hierhergezogen war. Immerhin könnte Bianca, wenn sie beim Blick von ihrer Terrasse den Hals ein wenig verrenkt, den deutschen Biergarten am Themseufer erspähen, der der deutschen Exilgemeinde das Heimweh vertreiben soll.

Deutsche in anderen Teilen Londons, vor allem im Norden, sind von derartigen Höhen deutschen Kulturgutes weitgehend ausgeschlossen. Die Entfernungen, aber mehr noch die Unberechenbarkeit Londoner Nahverkehrsmittel, verbieten es, für drei Mohnsemmeln und ein Weißbier am Fluss eine ganztägige Expedition in den tiefen Süden zu unternehmen. Zum Ausgleich unternimmt das Backhaus mit seinem Leichenwagen regelmäßig Versorgungsfahrten nach Camden, Islington und Highbury, als gelte es, ein von Indianern eingeschlossenes Fort der US-Kavallerie mit Nachschub zu versorgen.

Diese Vorstöße in den Norden werden allerdings seltener. Denn selbstbewusst und unübersehbar haben sich deutsche Discount-Supermärkte wie Aldi und Lidl inzwischen auf dem britischen Markt etabliert. Sie setzen einen Trend fort, der sich schon seit Jahren weltweit beobachten lässt: den unaufhaltsamen Vormarsch der *cuisine allemande*, oder anders gesagt: deutscher Hausmannskost.

Echte und eingebildete Feinschmecker mögen zwar in zungenschnalzende Verzückung geraten, wenn sie von den Feinheiten französischer, belgischer oder italienischer Küche schwärmen. Aber insgeheim versenken auch sie ihr Gebiss lustvoll in eine fettspritzende deutsche Knackwurst. Und wenn man es *Choucroute* nennt, wird sogar Sauerkraut salonfähig.

Ich habe mein Leben in den verschiedensten Ländern verbracht und dabei aus erster Hand gleichsam auskosten können, wie hartnäckig sich deutsche Kost bis in die entlegensten Ecken des Globus verbreitet hat. Ägypten war in den frühen achtziger Jahren eine germano-kulinarische Wüste, die nur durch gelegentliche Mitbringsel von Freunden aus Deutschland kurzzeitig begrünt wurde. Wer risikofreudig war, konnte immerhin Schweineschnitzel und Mortadella essen. Die christlich-koptische Metzgerei Morcos hatte derlei Leckereien im Angebot. Dass es im muslimischen Ägypten keine Trichinenbeschau gab, verlieh dem Genuss eines Schinkenbrotes einen ähnlichen Kick wie der Verzehr eines potentiell tödlichen Fugu-Fisches in einem Spezialitätenrestaurant in Tokio.

Am besten war es in den Vereinigten Staaten. Die Amerikaner haben ein fast schon erotisches Verhältnis zu deutscher Kost, was allein schon daran zu erkennen ist, dass sie die Bockwurst und die Bulette in den Rang von Nationalgerichten erhoben haben – wenn auch unter den Amerikanern leichter eingängigen Namen Hot Dog und Hamburger. Jede mittelgroße Stadt, die auf sich hält, veranstaltet ihr eigenes Oktoberfest, und das Hofbräuhaus in Las Vegas hebt sich allein schon deshalb wohltuend von der Konkurrenz ab, als dort weniger betrunkene Amerikaner schunkeln als im Münchner Original. Besonders stolz sind die Wirte, dass sie alle Zutaten ihrer alpenländischen Speisekarte lokal aus kalifornischer oder texanischer Produktion beziehen können. Aus dem Alpenland werden nur der Brezenteig, die Blasmusik und betrunkene bayerische Gäste eingeflogen.

Der gastronomische Paradigmenwechsel auf den Britischen Inseln freilich hat sich mit landestypischem Understatement ganz ohne Blechbläser und Tschingderassabum vollzogen. Aldi und Lidl waren plötzlich da, als ob sie schon immer in der High Street neben Boots, Tescos oder WH Smith gestanden hätten.

Ihr Reiz für den britischen Konsumenten liegt in erster Linie an den oft so unschlagbar niedrigen Preisen, dass sogar Angehörige der Mittel- und Oberklasse ihren angestammten Supermärkten untreu werden. Für unsere Betrachtung wesentlich ist indes, dass sie unter das Sortiment vertrauter britischer Produkte immer mehr deutsche Lebensmittel mischen und damit gleichsam schleichend unter das britische Volk bringen.

Die zivilisatorische Leistung der beiden Supermarktketten kann daher gar nicht hoch genug eingeschätzt werden und ist eigentlich nur mit jener kulturellen Umwälzung vergleichbar, die einst die Römer auf den windgepeitschten Inseln der angelsächsischen Barbaren durchsetzten.

Dank Lidl hat, um nur ein besonders prägnantes Beispiel zu nennen, der Durchschnittsbrite heute Zugang zu Bismarckheringen in Sahnesauce, auch wenn man auf der Verpackung den Namen des eisernen Kanzlers weglässt, weil dies möglicherweise zu Missverständnissen führen könnte. Sogar Len, der allen fremdländischen Genüssen skeptisch gegenübersteht und sich am liebsten von einer »gute alten englischen Lasagne« ernährt, hatte sich unlängst solche Heringe mit nach Hause gebracht. Zum Glück erzählte er mir rechtzeitig von dem Kauf, so dass ich ihn von seinem ursprünglichen Plan abbringen konnte, alles gut durchzukochen, wie es erprobter englischer Kochkunst entspricht.

Ich hatte ihm geduldig auseinandergesetzt, dass das Einzige, was er kochen müsse, die Kartoffeln seien, die man dazu reiche. Und nein, es handle sich nicht um eine deutsche Variante von Sashimi.

Mitunter fühlt man sich als Deutscher auf der Insel wie einer jener römischen Legionäre, die vor 2000 Jahren versucht hatten, den Urbriten die kulturellen Vorzüge Roms und insbesondere der feinen römischen Küche schmackhaft zu machen. Vergeblich. Davon hängengeblieben ist nämlich nichts – außer vielleicht die abgewandelte Form einer Paste namens Garum, die den Römern Maggi, Ketchup und Knorrwürfel in einem war. Mit gewöhnungsbedürftig ist diese Paste vermutlich nur unzureichend beschrieben. Selbst treue Fürsprecher des klassischen Altertums vermögen die Vorliebe der Römer für Garum nicht nachzuvollziehen und neigen dazu, dessen Existenz noch schamhafter zu verschweigen als die Exzesse der Sklaverei und des Circus maximus.

Garum wurde aus verwesenden Fischeingeweiden hergestellt und stank entsprechend bestialisch. Auch das fertige Produkt hatte noch einen ordentlichen Hautgout, was die Römer freilich nicht davon abhielt, ihr Garum mit Wasser und mit Wein zu mischen und es in jedes Gericht zu rühren, Süßspeisen eingeschlossen. Wem das merkwürdig vorkommt, den möchte ich nur bitten, seinen eigenen Nachwuchs anzusehen. Seit sie eine Flasche halten kann, kippt Julia Ketchup ähnlich wahllos über alle Gerichte wie die Römer einst ihre Fischpaste.

In Großbritannien hatte Garum offenbar einen derart durchschlagenden Erfolg, dass es sich in einer flüssigen Variante bis in unsere Zeit erhalten hat. Diese nennt sich einprägsam braune Soße. Ihre Zusammensetzung ist ein Geheimnis, was vermutlich ein verdeckter Segen ist. Sie wird wahllos über alle Speisen gegossen, deren Eigengeschmack man abtöten will. Pastenförmig hat sich Garum unter dem Markennamen Marmite erhalten. Aus verwesten Fischen wird es nicht hergestellt, sondern aus Hefeextrakten ungewisser Herkunft, was letzten Endes aber keinen großen Unterschied macht.

Marmite streicht man auf Toast, wobei man darüber diskutieren kann, was den primären Brechreiz auslöst: die Farbe, die Konsistenz, der Geruch oder – wenn man sich denn überwindet – der Geschmack der Paste. Nach einem Selbstversuch kann ich mitteilen, dass Marmite schmeckt, als hätte man den mehrjährigen Bodensatz der Biomülltonne mit erheblichen Mengen Salz versetzt.

Einmal abgesehen von meiner Theorie über die römische Herkunft ist Marmite englischer als die Queen. Das ist nicht weiter schwierig, schließlich stammt ihre Familie ja ursprünglich aus Deutschland. Auf alle Fälle gehört der Brotaufstrich zu jenen Dingen, die man nur genießen kann, wenn man Brite ist oder in diesem Land sozialisiert wurde. Es fällt damit in dieselbe Kategorie wie Baked Beans, Bovril, Horlicks und Makrelen zum Frühstück.

Baked Beans sind ein gallertartiger Auswurf, der dem Vernehmen nach Bohnen enthalten soll, ebenfalls auf Toastscheiben aufgetragen wird und Grundnahrungsmittel von Generationen von Hochschulstudenten und Junggesellen beiderlei Geschlechts ist. Bovril wird umschrieben als »Rindfleischtee«, was die Sache anschaulich darstellt. Horlicks enthält im Wesentlichen Malz, wird heißer Milch beigemischt und gilt als wirksame Einschlafhilfe. Ein ganzer Gebirgszug in der Antarktis ist nach ihm benannt – zum Dank dafür, dass zahllose britische Polarforscher auch im Packeis selig schliefen wie die Engelchen – dank Horlicks. Makrelen zum Frühstück bedürfen keiner weiteren Erklärung.

Felicity würde übrigens, anders als Len, nie fremdländische Genüsse ausprobieren. Sie ernährt sich weitgehend von den obengenannten Grundnahrungsmitteln, zum Teil in abenteuerlichen Kombinationen, indem sie beispielsweise Marmite auf ihre Frühstücksmakrelen schmiert. Im In- und Ausland gefeierte Celebrity-Köche wie Gordon Ramsey oder Jamie Oliver sind ihr suspekt.

In meinem Fall hat sie die Hoffnung nicht ganz aufgegeben, mich in kulinarischer Hinsicht doch noch zur Britishness zu bekehren – und sei es auf gewagten Umwegen. Als ich sie unlängst traf, bemerkte sie, dass ich hinkte. Ich hatte mir eine Entzündung im Fuß zugezogen, die im Englischen unter der Bezeichnung »Policeman's Foot« läuft, weil Polizisten wegen ihrer Streifengänge in schlechtem Schuhwerk angeblich besonders anfällig dafür sind.

Männer haben ja grundsätzlich zwei Arten, mit einer Krankheit umzugehen. Entweder suhlen wir uns in unserem Leid, verkriechen uns im Bett, tyrannisieren die gesamte Familie, heischen Mitleid und haben ganz allgemein schlechte Laune. Wir lesen noch mal unser Testament durch und legen der Ehefrau für alle Fälle die Nummer eines Priesters bereit. Spätestens nach einer Woche ist dann die Erkältung, die dieses Drama ausgelöst hat, ganz von alleine besser geworden.

Im anderen Extrem ignorieren wir mit zusammengepressten Lippen den Schmerz und alle Symptome. Wir verweigern uns dem Zuspruch unserer Frauen, die uns zum Arzt schicken wollen. Wir hohnlachen der Krankheit und flüchten uns in Galgenhumor. Wir sind dann jedes Mal erstaunt, dass sich weder Ebola noch komplizierte Knochenbrüche auf diese Weise kurieren lassen.

Felicity freilich schien meinen Polizistenfuß ernster zu nehmen als ich.

»Damit ist nicht zu spaßen«, hatte sie mich ermahnt. »Wenn Sie nichts tun, humpeln Sie Ihr Leben lang, und die Leute würden verstohlen gucken, ob sie bei Ihnen einen Pferdefuß entdecken, bei Ihrem Akzent. Reiben Sie den Fuß gründlich ein. Mit Marmite. Sie werden sehen, das wirkt Wunder. Und vielleicht können Sie sich ja dann überwinden, Marmite auch auf Toast zu probieren.«

VIERZEHN

Ich fühlte mich in meine Kindheit zurückversetzt, und Katja ging es wohl genauso. Sie war ungeheuer wütend.

»Wenn der Kerl nicht bald ein Ende findet, lauf ich auf der Stelle davon«, tobte sie. »Dann soll er filmen, was er will. Ich komme mir vor wie im Urlaub mit meinen Eltern am Schwarzen Meer und mit Vater und seiner blöden Schmalfilmkamera: Geht dorthin, bleibt stehen, kommt her zu mir. Kannst du dir überhaupt vorstellen, wie oft er uns die Treppe in Odessa hat runterlaufen lassen? Ich kann von Glück sagen, dass er meine Mutter nicht gezwungen hat, mich im Kinderwagen die Stufen hinunterzuschubsen.«

Ich konnte Katjas Aufregung gut verstehen. Schließlich hatte auch mein Vater mit der Schmalfilmkamera den Rest der Familie in den Ferien zur Weißglut getrieben. Nach Odessa fuhren wir zwar nie, dafür nach Österreich. Daher kenne ich jeden Riss und jede Fuge in der Freitreppe, die in Schloss Schönbrunn zur Gloriette hinaufführt.

Diesmal war es allerdings kein Amateur, der unseren Zorn auslöste, sondern ein Profi mit einer Fernsehkamera, der uns mitten in London mit detaillierten Regieanweisungen hin und her dirigierte.

»Schlendern Sie doch jetzt hier an der Brüstung entlang, wenn Sie so gut wären«, rief er uns zu. »Da vorne bei der Telefonzelle bleiben Sie stehen und blicken kurz in den Fluss. Und dann wenden Sie sich nach rechts zu Big Ben. Und wenn Sie dabei Überraschung mimen könnten, das wäre super.«

»Wir haben Big Ben schon gesehen«, grantelte ich. »Ich weiß nicht, ob wir da Überraschung vortäuschen können. Wir leben schließlich schon ein paar Jahre hier.«

»Jeder ist überrascht, wenn er Big Ben zum ersten Mal sieht«, ließ sich nun der Produzent hören, der hinter dem Kameramann ein Clipboard konsultierte. »Das ist so wie mit den Pyramiden oder dem Tadsch Mahal. Jeder kennt sie von Bildern, aber im Original sehen sie dann viel umwerfender aus.«

Wir hatten ihm schon mehrmals versichert, dass uns die wesentlichen Sehenswürdigkeiten Londons nicht fremd waren. Aber wie viele Fernsehproduzenten war er von einem einmal gefassten Entschluss nicht abzubringen. Er hatte sich in den Kopf gesetzt, Katja und mich wie zwei ahnungslose Touristen in der Londoner Innenstadt auszusetzen und beim Bestaunen von Big Ben, Buckingham-Palast und Trafalgar Square zu filmen.

»Sie sind doch Fremde, und alle Fremden wollen sich London ansehen, ist doch klar«, hatte er gesagt.

Der Ausflug war fester Bestandteil und krönender Abschluss der Sendung *Cash in the Attic*. Das ganze Unternehmen, unseren semiantiken Trödel in einer Fernsehsendung schätzen und versteigern zu lassen, war aus unserer Sicht ohnehin ein grandioses Fiasko gewesen, zumindest, was den Erlös aus der Auktion betraf. Katjas ursprüngliche Höhenflüge, dass wir uns nach dem Verkauf ihrer anatolischen Tontöpfe vielleicht eine Ferienwohnung in Florida oder ein kleineres Anwesen in der Nachbarschaft von Prinz Williams Freundin Kate Middleton in Chelsea würden leisten können, waren schon nach einer ersten Schätzung durch den TV-Antiquitätenexperten abgestürzt. Der hatte nur erstaunt die Augenbrauen hochgezogen, als er uns zu Beginn der Dreharbeiten gefragt hatte, wofür wir denn das erhoffte Geld ausgeben wollten, und Katja ihm antwortete. Meine nicht maßgebliche Meinung, dass das doch niemanden etwas angehe, verfing bei ihm nicht.

»Die Zuschauer wollen sehen, was Sie mit dem Geld anfangen, das Sie gewonnen haben«, hatte sich der Producer eingemischt. »Damit appellieren wir an die Gefühle des Publikums.«

»Oder an die niederen Instinkte«, warf ich ein. »Neid oder Schadenfreude, je nachdem, wie viel am Ende übrig bleibt.«

In anderen Sendungen hatten sich Teilnehmer von dem Erlös der Versteigerung einen Urlaub gegönnt, zwei Mountainbikes oder – was ich eher pervers fand – ein paar neue Antiquitäten. In unserem Fall war die Summe Schritt für Schritt immer weiter zusammengeschnurrt, so dass dem Produzenten am Ende nur die Idee geblieben war, diese beiden exotischen Ausländer ihren unverhofften Gewinn bei einem Ausflug in die Londoner Innenstadt auf den Kopf hauen zu lassen – Luftlinie zwanzig Kilometer von Kingston entfernt, sieben Stationen mit der Vorortbahn.

»Ja, so ist das Leben in London«, höhnte ich nun in die Kamera, nachdem wir brav ungläubiges Staunen und kindliche Freude beim Anblick Big Bens geheuchelt hatten. »Nur hier ist es so teuer, dass man den halben Hausrat unter den Hammer bringen muss, bevor man sich zwei Tickets ins Zentrum leisten kann.«

»Glaub nur nicht, dass die diese Bemerkung drinlassen«, tuschelte mir Katja zu.

Am liebsten wäre meine Frau schon während der Dreharbeiten aus dem Projekt wieder ausgestiegen. Das lag sicher auch daran, dass sie tagelang das ganze Haus auf Hochglanz gebracht hatte, nur um mit ansehen zu müssen, wie es einem achtköpfigen TV-Team gelang, all ihre Bemühungen in wenigen Minuten wieder zunichtezumachen. Außerdem stellte sich heraus, dass der polnische Handwerkertrupp, der sich anheischig gemacht hatte, das Loch in der Wohnzimmerdecke zu flicken, ausgerechnet nur am selben Tag wie das TV-Team Zeit für uns hatte.

»Schwierig, sehr, sehr schwierig«, hatte Janusz gemurmelt und mit seinem mörtelbestaubten Zeigefinger die Icons auf seinem iPhone hin- und hergeschoben. »Wir sind bizzy, sehr, sehr bizzy, aber ich frage Karol. Karol ist Chef. Karol wird wissen. Minute bitte.«

Das iPhone wanderte ans Ohr, und es folgte ein Schwall Polnisch, aus dem ich deutlich die Wörter »data«, »nowy« und »idiota« herauszuhören glaubte. Polnisch und Russisch sind verwandte Sprachen, und deshalb fiel es mir nicht schwer, mir zusammenzureimen, was er gesagt hatte.

Am anderen Ende der Leitung war denn auch ein schallendes Lachen zu vernehmen – Karol schien ein positiver, lebensbejahender Mann zu sein –, und Janusz setzte ein Schmunzeln auf, das man nur als diabolisch bezeichnen konnte.

»Karol sagt, kein Problem. Wir haben anderen Termin. In drei Monaten. Ist okay?«

Das war natürlich nicht okay, zumal der Wetterbericht Regen vorhergesagt hatte. Janusz trug uns gnädig in seinen elektronischen Terminkalender ein.

Für polnische Handwerker hatten wir uns auf Anraten britischer Nachbarn entschieden, die uns mit drastischen Geschichten davor warnten, ihre Landsleute zu engagieren. Besonders abschreckend der Fall, in dem ein Tor für eine Garageneinfahrt gebaut werden sollte: Erst als der Zement trocken war, kam der Hausbesitzer zurück und entdeckte, dass der Bautrupp einen Mittelpfosten in die Einfahrt gerammt hatte.

Unvergessen auch der Tag, an dem es in unserem Hof nach Gas gerochen hatte. Als die Gaswerker sich zu dem lecken Rohr vorgegraben hatten, stellten sie erschreckt die Arbeit ein, nachdem sie neben der undichten Stelle einen Kurzschluss in der Stromleitung festgestellt hatten. Die zu Hilfe gerufenen Elektriker warfen allerdings genauso schnell das Handtuch. Bei ihren Grabungen waren sie auf ein leckes Wasserrohr gleich neben dem Stromkabel gestoßen.

Polen schienen uns daher die verhältnismäßig sicherere Lösung zu sein. Und während britische Handwerker mit verbeulten schmutzig weißen Ford Transits unterwegs waren, warb Karols Unternehmen mit brandneuen Mercedes-Lastern und dem Slogan »Deutsche Gründlichkeit, polnische Freundlichkeit«. Dass er dafür britische Preise verlangte, erfuhren seine Kunden erst, wenn es schon zu spät war.

So kam es, dass sich an besagtem Tag vier polnische Handwerker und acht britische Fernsehschaffende in unserem Haus gegenseitig auf die Füße traten. Erst als sich alle Beteiligten darauf verständigt hatten, das Wohnzimmer zur Sperrzone für die Kameras zu erklären, entspannte sich die Lage. Kritisch wurde es nur einmal, als der Produzent einem Arbeiter die Wasserwaage wegnahm, in der irrigen Annahme, es handle sich dabei um ein antikes nautisches Instrument, das wir zur Auktion bestimmt hatten. Rundum glücklich und zufrieden war nur Chico, der beim kleinsten Anzeichen von Chaos aufblüht und sich dann im Allgemeinen erfolgreich bemüht, diesen Zustand nach Kräften zu fördern. Das fällt ihm nicht schwer; normalerweise genügt es, dass er sich mit intuitiver Sicherheit an jenen Orten niederlässt, an denen er das größte Störpotential entwickelt.

Die Fernsehleute hatten noch vor den Handwerkern bereits um sechs Uhr morgens vor der Tür gestanden, um die Logistik ihres Drehs vorzubereiten, die aus Tüten und Kartons voller Lebensmittel bestand: Sandwiches, Knabbergebäck, Salate, Obst, ein Pfund Tee, Milch, Zucker und Unmengen an Getränken.

Katja war zutiefst gekränkt ob dieser offenkundigen Zweifel an ihrer Gastfreundschaft.

»Wir hätten auch etwas zu essen im Haus gehabt«, bemerkte sie spitz.

»Das dachten wir uns schon, Darling«, beruhigte sie der Vormann der Küchenbrigade. »Aber Fern und Joshua essen lieber, was sie kennen.«

Fern und Joshua waren als Stars der Sendung als Letzte eingetroffen. Fern, als Moderatorin das Gesicht der Sendung, war nicht ganz jung, nicht ganz schlank und vor allem nicht ganz bei der Sache. Nur wenn sie vor der Kamera gefragt war, verstaute sie ihr Handy in der Handtasche; den Rest der Zeit verbrachte sie mit ernsten Telefonaten. Wie wir später herausfanden, war sie damit beschäftigt, ihr Mobiliar zu verkaufen, um sich die Gerichtsvollzieher vom Leibe zu halten. Offensichtlich hatte sie sich mit dem Kauf von antikem Schmuck ein wenig übernommen, der sich später als gar nicht so antik erwies.

Joshua war trotz seines jugendlichen Alters der Experte, und mit seinen roten Apfelbäckchen, dem wuscheligen Blondhaar und den treuen blauen Augen hatte er sich in die Herzen der älteren weiblichen BBC-Zuschauer charmiert. Auf seiner Website rühmte er sich, bereits im Alter von fünf Jahren seine erste Antiquität erworben zu haben: ein altes Pacman-Spiel, das er im Tausch gegen ein Jedi-Schwert erwarb, das selbst mit einer neuen DD-Batterie nicht mehr leuchtete. Später verscherbelte er Teile des elterlichen Hausrats, wobei er darauf achtete, dass er alte Fernsehapparate, Videorekorder und Telefonapparate mit Wählscheibe nie als Sperrmüll, sondern als Antiquitäten deklarierte.

Von unseren orientalischen und russischen Erinnerungsstücken freilich verstand Joshua nichts, wozu er sich allerdings gleich von vornherein mit entwaffnendem Lächeln bekannt hatte. Eigentlich wäre das ein Problem gewesen, denn *Cash in the Attic* ist nach dem betrügerischen Muster aufgebaut, dass Joshua, Fern und die Hausbesitzer gemeinsam das Haus durchstreifen und in den unwahrscheinlichsten Ecken rein zufällig unerwartete Schätze entdecken. Dass diese Schätze vorher ausgewählt, begutachtet, fotografiert und geschätzt wurden, erfährt der Zuschauer nicht.

Laut Drehbuch tappt Joshua ins Zimmer, hebt triumphierend einen gefundenen Gegenstand in die Höhe und erläutert den ungläubig und beeindruckt staunenden Besitzern die kulturhistorischen Hintergründe des Fundes. Doch da Joshua anatolische Töpfereien ebenso fremd waren wie russische Samoware, mussten wir vom üblichen Script abweichen. Wir improvisierten, was so aussah, dass ich versuchte, ihm so weit wie möglich zu erklären, welche Schätze er da in Händen hielt.

»Dies«, so schärfte ich ihm beispielsweise ein, »ist eine anatolische Kupferkanne, in der im Osmanischen Reich Kaffee serviert wurde.«

»Sehen Sie mal, was ich im Schlafzimmer in Ihrem Nachtkästchen gefunden habe«, verkündete Joshua dann vor laufender Kamera. »Einen alatonischen Teekessel. Aber in Oman wurde daraus auch Kaffee getrunken.«

Katja konnte Joshua vom ersten Augenblick an nicht leiden.

»Der ist so ein furchtbarer Pilzscheißer«, zischte sie mir in einer Drehpause zu.

»Ein was?«, fragte ich erstaunt. Idiomatische Ausdrücke mögen das belebende Gewürz einer jeden Sprache sein, aber sie sind oft die letzten Bestandteile einer Fremdsprache, die man beherrscht.

»Pilzscheißer«, beharrte Katja ungeduldig. »Das sagt man doch so. Oder ist es ein kluger Pilz?«

»Ein Glückspilz? Du meinst, der Typ ist ein Glückspilz«, riet ich.

»Nein, Scheißer!«

»Wie bitte? Ich muss doch …«

Katja verdrehte die Augen angesichts meiner Begriffsstutzigkeit.

»Na, eben einer, der alles besser weiß. So ein Scheißer. Klugscheißer, ja, das ist er. Ein Klugscheißer. Richtig?«

Dass Joshua wirklich nur klug daherredete und wenig von seinem Metier verstand, wurde uns spätestens klar, als unsere guten Stücke unter den Hammer kamen. Katja war noch nie auf einer Auktion gewesen, und ich hatte bisher nur aus beruflichen Gründen an Versteigerungen teilgenommen, etwa als das Nobelauktionshaus Christie's für eine zweistellige Millionensumme den berühmten Wittelsbach-Diamanten versteigerte.

Ich war daher felsenfest davon überzeugt, dass man sich Auktionshäusern am besten im Maybach, mit einem Maßanzug und mit einem millionenschweren Scheckbuch nähert. Daher war ich beim Anblick des Auktionshauses, das die BBC für unseren Tand ausgewählt hatte, leicht geschockt. Das Gebäude war eine mittelgroße Scheune direkt neben der Autobahn, und die Bieter erinnerten in ihren abgewetzten Jeans und löchrigen Shetland-Pullovern eher an Besucher einer Viehauktion. Nicht viel ansprechender waren die Posten, die in der Scheune für die Versteigerung zusammengetragen worden waren.

»Bist du sicher, dass das kein Sperrmülldepot ist?«, fragte ich Katja, nachdem wir uns fassungslos umgesehen hatten.

»Absolut sicher. Da drüben steht Joshua.«

Je weiter die Auktion vorangeschritten war, desto weniger hatte sich Katja filmen lassen und stattdessen mich vorgeschickt. Ich könne mich besser verstellen, hatte sie behauptet und noch nicht einmal den Versuch gemacht, das wie ein Kompliment klingen zu lassen. Aber auch mir war es zunehmend schwer gefallen, eine süßsaure Miene aufzusetzen, als ich mit ansah, wie unsere Töpfe und Kannen entweder überhaupt keine Bieter fanden oder als superbillige Schnäppchen weggingen.

Niemand konnte uns also einen Vorwurf machen, dass wir bei unserem Ausflug nach London nicht besonders enthusiastisch waren. Wir hätten die ganze Episode am liebsten vergessen und stillschweigend unter den Teppich gekehrt. Am allerwenigsten hatten wir Lust, noch länger ein fröhliches Paar zu spielen, das so tun sollte, als hätte es einen Haupttreffer im Lotto gelandet.

»Wenn du mich fragst, ich habe die Nase voll«, verkündete Katja, nachdem wir zum siebten Mal auf die Westminster-Brücke gelaufen waren und Überraschung heuchelnd zum Riesenrad des London Eye hinübergestarrt hatten. »Ich werde mir diese Sendung sowieso nicht ansehen. Tschüs und bye-bye.«

Sprach's, drehte sich auf dem Absatz um und ließ Kameramann und Produzenten stehen. Nach einem kurzen Schreckmoment hastete ich ihr nach.

FÜNFZEHN

Es war unser Hochzeitstag, und zur Feier des Tages hatte ich auf eben jenem Riesenrad, das wir auf unserem unfreiwilligen Ausflug mit der BBC nur aus der Ferne betrachtet hatten, eine Gondel mit Champagner-Bewirtung gemietet. Das war mir als reizvolle Überraschung und als nette kleine Entschädigung für das TV-Desaster erschienen. Gerade an Hochzeitstagen wird ja von Ehemännern erwartet, dass sie ihre Gattinnen mit etwas Romantik verwöhnen. Ich habe nie verstanden, weshalb das nicht auch umgekehrt gilt, schließlich gilt ein Hochzeitstag für zwei Personen, und auch Männer haben eine romantische Ader. Wir würden uns sehr freuen über, sagen wir mal, eine Fahrt in einem Formel-1-Rennwagen oder über eine Karte für ein Pokalendspiel.

Es ist nicht übertrieben, das Londoner Riesenrad als modernes Weltwunder zu bezeichnen. Denn es grenzt in der Tat an ein Wunder, wie jemand den Londoner Stadtvätern die Idee verkaufen konnte, eine gigantomanische Jahrmarktsattraktion mitten ins Zentrum einer geschichtsträchtigen Millionenmetropole zu setzen – in bester Lage am Themse-Ufer, schräg gegenüber von Unterhaus und Big Ben, den berühmtesten Wahrzeichen des Landes.

Noch mehr wundert man sich, dass es dieses stählerne Kirmesgefährt geschafft hat, selbst zu einem noch bekannteren Wahrzeichen zu werden als Big Ben. Der Eiffelturm brauchte da seinerzeit sehr viel länger, um von den Parisern akzeptiert zu werden. Im Gegensatz zum Eiffelturm, von dem es nur eine einzige Kopie im nordenglischen Arbeiterseebad Blackpool gibt, hat das London Eye zahlreiche Nachahmer gefunden – im Königreich wie im Rest der Welt. Inzwischen kann man sogar in Belfast von einem Riesenrad auf die Stadt herabsehen.

Julia fand meine Überraschung zum Hochzeitstag weniger prickelnd, hatte sie doch irgendwo gelesen, dass das London Eye sich mit einer Durchschnittsgeschwindigkeit von kümmerlichen 26 Zentimetern pro Sekunde bewegte. Das lag deutlich unter ihrer Wahrnehmungsschwelle und übertrifft nur geringfügig das Tempo, das Katja bei Spaziergängen erreicht.

Ehrlicherweise sei gesagt, dass auch ich eher den Champagner prickelnd fand, der kredenzt werden sollte. Außerdem passte die Tageszeit, die blaue Stunde zwischen Dämmerung und Dunkelheit, zu der wir die Gondel besteigen wollten, gut in mein Konzept von einem romantischen Hochzeitstag. Und zum Dritten schätzte ich die Exklusivität unserer Unternehmung: Wir teilten uns die Kabine nur mit zwei anderen Paaren und nicht mit einer Horde von Schulkindern oder Pauschaltouristen.

Katja hatte die Idee jedenfalls ausnehmend gut gefallen. Das sei ja wirklich mal romantisch, hatte sie gesagt und mich dabei halb verwundert, halb skeptisch betrachtet. Sie schien sich zu fragen, ob ein Mann wirklich von sich aus romantische Veranlagungen entwickeln konnte oder ob dahinter nicht die Einflüsterung einer anderen Frau steckte. Sie klopft Geschenke ohnehin sorgfältig ab. Wenn ein Mann seiner Frau ohne besonderen Grund etwas schenkt, dann muss es einen Grund dafür geben, lautet eine ihrer Lebensweisheiten. Hätte sie in Troja gelebt, die Sache mit dem Pferd wäre den Griechen nicht gelungen.

Was ihr besonders an der Fahrt gefiel und mir erst bewusst wurde, als sich die Tür der Gondel mit einem satten Schmatzen schloss: Sie konnte die nächsten dreißig Minuten ungestört mit mir reden, ohne dass ich eine Ausflucht finden konnte.

Es ist doch so: Wenn sie mehrere Jahre zusammengelebt haben, entwickeln Ehepaare die Fähigkeit zu nonverbaler Kommunikation. Man mag es Osmose nennen oder Telepathie, ich jedenfalls spüre auch ohne viele Worte, was Katja mir sagen will, noch bevor sie den Mund öffnet. Aus wissenschaftlich bislang nicht erforschten Gründen ist diese Fähigkeit bei Männern sehr viel stärker ausgeprägt als bei Frauen, die doch eigentlich als sehr viel einfühlsamer gelten.

Doch Frauen reden mehr. Sie reden, weil ein innerer Zwang sie dazu treibt. Männer hingegen reden nur, wenn ein äußerer Anlass sie dazu zwingt, also wenn sie, um ein Beispiel zu nennen, keine frischen Socken finden.

»Ach, wie ist das schön«, seufzte Katja, nachdem sich die Gondel in Bewegung gesetzt und sie an ihrem Champagner genippt hatte.

»Ja, wunderbar«, erwiderte ich und starrte angestrengt hinaus ins Dämmerlicht, in dem die Themse sich glitzernd Richtung Waterloo-Brücke und St.-

Pauls-Kathedrale bewegte und sich zwischen den funkelnden Bürotürmen der City verlor.

»Fällt dir eigentlich gar nichts an mir auf?«, wollte sie nun wissen.

Fragen dieser Art machen einen Mann nervös. Man weiß, wie wichtig es ist, die richtige Antwort zu geben. Es wäre peinlich, wenn man sagen würde: »Du hast dir die Haare gefärbt«, während sie sich ein neues Kleid gekauft hat.

»Oh, doch, doch«, log ich. »Du trägst ein neues Kleid.«

Katja sah mich verächtlich an.

»Männer. Die Haare habe ich mir gefärbt. Gefällt dir denn die neue Farbe?«

Ehrlich gesagt: Ich war mir nicht sicher. War sie nicht immer schon blond gewesen? Warum müssen Frauen so viel Wert auf Äußerlichkeiten legen? Wo bleiben die inneren Werte? Dennoch beschloss ich, auf Nummer sicher zu gehen. Ehrlichkeit und Romantik sind und bleiben nun mal inkompatibel.

»Wunderschön, viel besser«, meinte ich.

»Ach, die alte Farbe hat dir wohl nicht gefallen. Warum hast du nie etwas gesagt?«

Ich zuckte mit den Achseln und schwieg. Rechts unten kamen die Gleisanlagen des Bahnhofs Waterloo ins Blickfeld. Unser Bahnhof, von dem aus unser Zug nach Kingston abfuhr.

»Wusstest du schon, dass Euan sich einen neuen Range Rover gekauft hat?«, fragte ich, als das Schweigen zu drückend wurde.

»Musst du ausgerechnet jetzt an unsere Nachbarn und ans Geld denken?«, rügte mich Katja. »Du bist überhaupt nicht romantisch.«

Ich nickte, räusperte mich und schwieg, wobei ich mir Mühe gab, romantisch verklärt hinaus ins Halbdunkel zu schauen.

»Genieße den Augenblick«, ermahnte mich Katja. »Das Leben geht so schnell vorbei.«

»Es ist weniger das Tempo des Lebens, das mir Sorgen macht«, erwiderte ich. »Es ist mehr der abrupte Stopp am Ende.«

Vor einer neuerlichen Rüge rettete mich eine junge Brünette in der Uniform der Betreiber des London Eye, die unsere Gläser füllte. Auf der gegenüberliegenden Seite der Gondel standen die beiden anderen Paare und starrten hinüber zum Parlamentsgebäude, an dem soeben die Außenbeleuchtung angegangen war. Soweit ich das erkennen konnte, hatten sie noch kein Wort miteinander gewechselt, seit wir eingestiegen waren, und das Rad hatte mittlerweile beinahe die Hälfte seiner Umdrehung geschafft.

»Dass wir uns gefunden haben, war Schicksal, findest du nicht?«, meinte Katja ganz versonnen.

Katja glaubt fest an das Schicksal. Und an Sternzeichen. Und an Reinkarnation. Für sie geschieht nichts zufällig, alles ist vorbestimmt – in den Sternen oder anderswo. Wo andere Menschen seelische Zuflucht in einer zerfledderten Familienbibel finden, verliert sich Katja in einem zerlesenen Buch über die Geheimnisse der Seelenwanderung, aus dem sie Zuspruch und vor allem konkrete Informationen bezieht. Gefunden hat sie das Buch – schicksalhaft – vor vielen Jahren neben dem Puschkin-Denkmal in Moskau, wo es jemand weggeworfen hatte.

Nun muss sie nur das Geburtsdatum und den Geburtsort einer bestimmten Person kennen, und schon kann sie nachschlagen, wann und wo dieser Mensch früher gelebt hat. Sie selbst war Indianerhäuptling in der Gegend des heutigen Quebec, so um das Jahr 1634. Das Buch kann außergewöhnlich präzise sein. Ich hingegen war ein Fischweib in Sibirien.

Meine Gedanken wurden von der Brünetten unterbrochen, die wieder vor uns stand.

»Entschuldigen Sie, kann ich Ihre Gläser haben?«

Wir hatten nicht bemerkt, dass sich unsere Fahrt dem Ende zuneigte.

Draußen wartete schon Julia auf uns, die zur Feier dieses Tages – und aus keinem anderen Grund – mit uns ins Theater gehen wollte.

»Na, hattet ihr Fun in eurer …«, sie legte eine Kunstpause ein, »… in eurer Rentnerschleuder?«

Ich beschloss, den Köder nicht zu schlucken. Das Geheimnis im Umgang mit Teenagern ähnelt jenem im Umgang mit Ehepartnern: Schweigen ist Gold.

»Ja, hatten wir. Alles in allem ist das Ding sogar recht cool.«

»Oh, Papa, du kannst nicht cool sagen, in deinem Alter.«

»Alt? Ich alt? Nach welchem Maßstab bin ich alt?«

»Nach dem Maßstab des Geburtsdatums beispielsweise? Anyway, können wir, bevor das Theater anfängt, noch kurz bei Topshop vorbeischauen?«

Die Wörter »kurz« und »Bekleidungsfachgeschäft« schließen einander bei Julia erfahrungsgemäß aus, und bis zum Beginn der Vorstellung war es nicht mehr so lange. Aber im Interesse des familiären Friedens gab ich nach – eine Geste, für die mich Gott belohnen sollte.

Der Laden war wie üblich voll, aber ein etwa vierjähriges Mädchen hatte sich Julia ausgeguckt und starrte sie hingerissen an.

»Ist sie nicht süß?«, flötete Julia voller Rührung und lächelte die Kleine an. Die aber deutete mit dem Finger auf Julia, drehte sich zu ihrer Mutter um und fragte mit glockenhellem Stimmchen: »Was hat die alte Lady gerade gesagt?«

»Wahrscheinlich irgendwas von einer Rentnerschleuder«, grinste ich.

SECHZEHN

Katja hatte sich zum Hochzeitstag ein Musical gewünscht, und ich hatte Karten für *Mamma Mia* besorgt, das seit einigen Wochen im West End für Furore sorgte. Ich hatte die Tickets wider besseres Wissen gekauft, schließlich hatte mich Euan eindringlich gewarnt. Er war von seiner Frau in *Mamma Mia* geschleppt worden, obwohl er, wie er sich ausdrückte, »schrie und um mich schlug wie ein Seemann, der von somalischen Piraten entführt wird«. Auf die Frage, wie es denn gewesen sei, hatte er nur das Gesicht verzogen wie Hannibal Lecter, den man von den Vorzügen eines Pilzrisottos gegenüber gebackenem Hirn zu überzeugen versucht. »Ist halt was für die Mädchen«, hatte er dann gesagt. »So süß, ich sage dir, ich musste mir anschließend die ganze Bourne-Trilogie reinziehen und einen Bruce Willis. Du weißt schon: So wie man sich nach sauren Gurken verzehrt, wenn man zu viel Nougat genascht hat.«

Meine Vorfreude hielt sich demnach in Grenzen. Aber Hochzeitstag ist Hochzeitstag, das Unternehmen lief ohnehin unter dem Stichwort »romantischer Abend«, und das Londoner Westend mit seinen Lichtern strahlt selbst dann noch eine gewisse Romantik aus, wenn es regnet.

London mag zwar eine der größten und unübersichtlichsten Städte der Welt sein, aber im Prinzip ist sie klar gegliedert: Im Westen liegt das West End, im Osten das East End, und jahrzehntelang galt für die beiden Teile dasselbe, was der britische Empire-Dichter Rudyard Kipling von der östlichen und der westlichen Kultur behauptete: »Und nie werden die beiden einander treffen.«

Im East End waren der Hafen, die Docks, die Lagerhallen und die Schwerindustrie. Kultur traf man dort nie an; der letzte Regisseur und Autor, der in dieser Gegend Theater gespielt hatte, war ein gewisser William Shakespeare gewesen.

Im East End lebte der Pöbel. Sie hießen Cockneys und wurden erst später von Hollywood, der britischen Propaganda im Zweiten Weltkrieg und einer seit Jahrzehnten laufenden Fernsehserie unter dem programmatischen Titel »East Enders« zu einer Rasse edler, aber einfacher Menschen mit Mut und Mutterwitz verklärt. Die deutsche Luftwaffe (bis 1945) und mehrere britische Labour-Regierungen (seit 1945) bemühten sich mit verschiedenen Methoden und gleichbleibendem Misserfolg um eine grundlegende Sanierung der Gegend. Erst gegen Ende des letzten Jahrhunderts zog mit dem Finanzzentrum das neue Geld und damit auch – im weitesten Sinne – kulturelles Leben nach Osten. Sichtbarstes Symbol war eine Art von Riesenraumschiff mit stacheligen Antennen auf dem Dach – der sogenannte Millenium Dome, der alles anziehen sollte, vom Popkonzert bis zur internationalen Konferenz. Doch der Erfolg stellte sich erst mit der Privatisierung ein. Seitdem heißt die Kulturschüssel O_2-Arena. Damit kann auch der East Ender etwas anfangen, denn so heißt sein bevorzugter Handy-Anbieter.

Was der Broadway für New York, das ist das West End für London. Theaterpaläste wie in Mailand, München oder Moskau sucht man in London jedoch vergebens. Oft erkennt man nur an der schreienden Neonreklame, dass sich eine Bühne hinter der alltäglichen Ziegelfassade verbirgt. Den Eingang zum Criterion Theatre am Piccadilly Circus hat schon mancher Tourist mit der Treppe in den U-Bahn-Schacht verwechselt. Selbst das berühmte Opernhaus von Covent Garden besitzt weder Säulen noch Balustraden, ja es hat nicht einmal eine Fassade, so sehr ist es zwischen all die anderen Gebäude hineingeklemmt. »Der Inhalt ist besser als die Verpackung«, hatte mir Hermann diesen Umstand erklärt und dabei bedeutungsvoll mit dem Zeigefinger auf seinen Nasenflügel getippt.

Leider erstreckte sich diese Bescheidenheit auch auf die Innenausstattung. Die Tapeten waren nicht nur verblasst, sondern stellenweise bis auf die blanke Mauer durchgescheuert. Der Kronleuchter hatte, wie man selbst vom Parkett aus erkennen konnte, eine ganze Menge Kristallteile abgeworfen und sah aus wie ein abgeernteter Apfelbaum. Und im Teppichboden hatten sich Essensreste und Getränkeflecken von Generationen britischer Theaterbesucher festgetreten.

Denn Briten lieben ihre Theater, und sie fühlen sich in ihren Wänden wie zu Hause. Bedauerlicherweise bedeutet das, dass sie sich auch benehmen wie zu Hause, und dazu gehört, dass sie sich selten eine Show ansehen, ohne sich vorher hinreichend mit Proviant eingedeckt zu haben. Kekse, Kartoffelchips und Kaltgetränke darf man mitunter auch in deutsche Kulturtempel mitnehmen. In England aber wetteifert der Geruch von Fertiggerichten mit dem klassischen Bühnenmief von Holzdielen, Schminke und verstaubten Polsterbezügen. Wer direkt aus dem Büro ins Konzert eilt, kann sich doch Mozart, Molière oder Mamma Mia nicht auf leeren Magen zumuten, so die gängige Entschuldigung.

Katja und Julia fanden diese Einstellung gegenüber dem Kulturgenuss stets attraktiv. Am meisten war Katja von einer Loge in der Royal Albert Hall beeindruckt. Dort war ein kaltes Buffet inklusive Sekt und Softdrink-Automat aufgebaut worden. Das Einzige, was fehlte, waren Kühlschrank und Mikrowelle. »Und eine Hängematte«, wie Katja seufzend festgestellt hatte.

Dass sich die Zuschauer derart gehenlassen, liegt auch daran, dass englische Theater nicht einschüchternd wirken. Von weihevollem Kulturdünkel keine Spur. Hier geht man ins Theater, weil man unterhalten werden will – nicht mehr und nicht weniger. Ein kneifender Smoking oder ein Abendkleid stören dabei ebenso wie tiefsinnige Debatten über die Wenn und Aber bestimmter Inszenierungen.

Londons Bühnen sind im Schnitt um die hundert Jahre alt, und ebenso lange ist es her, dass zum letzten Mal irgendwelche Reparaturen oder Renovierungen durchgeführt wurden.

Englische Theater kennen keine Sommerpause. Wenn sie einmal ein erfolgreiches Stück produziert haben, dann spielen sie es so lange, bis auch der letzte Einwohner des Vereinigten Königreiches es gesehen hat. Ganz zu schweigen von all den Touristen. Agatha Christies Kriminalkomödie »Die Mausefalle« läuft ununterbrochen seit 1952 und hat bereits ein Theater verschlissen. Erst als es wirklich einsturzgefährdet war, zog die Produktion über Nacht in ein Haus gleich nebenan um.

Mamma Mia schien gute Chancen zu haben, diesen Rekord zu übertreffen. Bis auf den letzten Platz war das Haus ausgebucht, wie jeden Abend seit der Premiere und wie jeden Abend bis weit ins nächste Jahr hinein.

Vor uns hatte eine Riege von sechs gackernden Damen verschiedenen Alters Platz genommen. Sie trugen Haarreifen auf dem Kopf, an deren spiralförmigen Antennen rosa Herzen wippten. Allem Anschein nach handelte es sich um eine sogenannte Hen Party, einen Ausflug heiterer und angeheiterter Hühner. Die Hen Party ist das Gegenstück zur Stag Party, dem Fest brünstiger Hirsche, womit ein Polterabend ausgelassener Junggesellen und Strohwitwer gemeint ist.

Die Hennen stimmten lauthals den Refrain von »Dancing Queen« an und hielten nur inne, um tiefe Schlucke aus Dosen mit Bacardi Breezer zu nehmen.

»Glaubst du, wir haben genug Nachschub für die Pause bestellt, Brenda?«, erkundigte sich die Älteste, die offensichtlich die Anführerin war.

Brenda hickste und nippte nachdenklich an ihrer Dose. Dann hob sie triumphierend eine prall gefüllte Supermarkttüte in die Höhe. »Keine Bange, das wird reichen bis zum Schluss.«

Briten trinken gerne, sie trinken viel, und sie brauchen kaum einen Vorwand, um Alkohol zu bestellen. Ein Abend im Theater ohne berauschende Getränke können sie sich genauso wenig vorstellen wie einen Polterabend mit Kamillentee, und deshalb ist das Sortiment an der Theater-Bar vielen im Grunde genommen wichtiger als die Besetzungsliste.

Ihre Mäntel hatten die Frauen zu den Plastiktüten unter die Sitze gestopft, wie es sich in einem britischen Theater gehört. Es gibt zwar Garderoben, aber dort gibt niemand etwas ab. Denn wer will schon nach dem Ende der Vorstellung seinen Zug versäumen, nur weil er auf seinen Mantel warten muss. Außerdem lässt sich auf diese Weise ein wackelnder Theatersitz hervorragend stabilisieren.

Eigentlich scheinen Briten Mäntel ohnehin nur zu diesem Zweck zu besitzen. Sie verwahren sie in Theatergarderoben, holen sie vor Beginn der Vorstellung dort ab und stopfen sie unter den Sitz. Nach dem Schlussapplaus lassen sie sie dort, wo sie von Platzanweisern eingesammelt und wieder in die Garderobe gehängt werden.

Beweisen kann ich diese Theorie zwar nicht, aber empirisch betrachtet spricht alles für sie. Denn auf den Straßen trifft man Briten so gut wie nie mit einem Mantel an. Hochnäsige deutsche Kulturschaffende haben im 19. Jahrhundert England herablassend ein »Land ohne Musik« genannt, weil es angeblich keine eigenen Komponisten hervorgebracht hätte. (Das stimmt nicht, Genies wie Georg Friedrich Händel oder Felix Mendelssohn-Bartholdy werden seit jeher jenseits des Kanals als britische Komponisten ausgegeben.)

Dabei wäre es viel zutreffender, Britannien das »Land ohne Mäntel« zu nennen. Minustemperaturen beugt der Brite vor, indem er sich einen Schal um den Hemdkragen schlingt und einen Pulli unter dem Sakko überstreift. Eine Ausnahme ist der Trenchcoat, dessen noblere Varianten allerdings auch nicht so sehr getragen als vielmehr dekorativ auf der Rückbank des Range Rovers ausgebreitet werden.

»Wir werden manteltechnisch gar nicht sozialisiert«, hatte mir Euan einmal erklärt, als er sich im Nadelstreifen-Zweireiher und leichten Halbschuhen bei Schneegestöber auf den Weg zum Bahnhof machte. »Das fängt schon in der Schule an: Du musst Uniform tragen, aber Uniformmäntel gibt es nicht. Und später beim Militär trägt auch keiner etwas über der Uniform. Das sähe doch lächerlich aus, oder nicht?«

Katja, in deren russischer Heimat Soldaten traditionell in dicke Wintermäntel von den Ausmaßen eines Vier-Personen-Zeltes eingehüllt werden, hat ihre eigene Meinung zu mantellosen Schuluniformen. In Russland werden Kinder spätestens ab Ende August in mehrere Lagen warmer Textilien eingemummt, deren äußerste im Allgemeinen aus einem Mantel besteht. Als Julia zum ersten Mal mit vorschriftsmäßigem Schulblazer, schlichtem blauem Rock und weißen Kniestrümpfen das Haus verließ, brach ihrer Mutter das Herz. Sie empfand das so, als ob sie ihre Tochter im Bikini in die winterliche Tundra hinausgejagt hätte.

Auch die sechs Mädchen in der Reihe vor uns würden, da war ich mir ganz sicher, nach Ende der Vorstellung mantellos nach Hause gehen. Wie sonst sollten sie ihre üppigen Dekolletés und bis weit in den Oberschenkelbereich freigelegten Beine zur Schau stellen?

Inzwischen hatte sich der Vorhang geöffnet und die Vorstellung begonnen, ein Umstand, der sich in unserer unmittelbaren Umgebung noch nicht herumgesprochen hatte. Hinter uns nahm ein Typ ein Handygespräch entgegen. »Ruf mich später an«, plärrte er, »hier ist es so laut, ich verstehe mein eigenes Wort nicht. Ja, ja, ich bin im Theater, keine Ruhe hat man hier.«

Nach und nach freilich beruhigte sich das Publikum. Dass die Gesangsdarbietungen auf der Bühne ab und zu von lauten Rufen wie »fabelhaft« oder »Mann, siehst du geil aus« unterbrochen wurden, schienen die Schauspieler gewöhnt zu sein. Ohnehin waren die meisten Zuschauer dazu übergegangen, in die Gesangsnummern einzustimmen, als ob sie sich in einer Karaoke-Bar befänden.

Leider gehörte meine Frau Katja auch zu denen, die sich selig zu den Klängen von »Thank you for the music« hin und her wiegten und sich einem gefährlichen Rauschzustand zu nähern schienen. Julia war allem Anschein nach nüchterner. Sie wusste nicht, ob sie amüsiert, pikiert oder degoutiert sein sollte inmitten all dieser Protogreise, die sich aufführten wie Dreijährige beim Kindergeburtstag mit Ronald McDonald.

Großbritannien ist ein Land, in dem die Liebe zum Theater besonders gut gedeiht. Seit Shakespeare werden hier Drama, Komödie, Tragödie oder Farce gepflegt. Schon Kinder werden an die Bühnenkunst herangeführt, und zwar nicht nur mit Krippenspielen im Kindergarten, sondern mit eigenen Produktionen im Theater, die sowohl auf unschuldige kleine wie auf abgebrühte erwachsene Zuschauer zugeschnitten sind: die sogenannten Christmas Pantomimes, die in der Vorweihnachtszeit selbst von den besten Häusern aufgeführt werden. Als unser erstes britisches Weihnachtsfest nach dem Umzug nach London bevorstand, erinnerte ich mich an diese Tradition.

»Das müsst ihr sehen«, hatte ich Katja und Julia bestürmt. »Das wird euch gefallen.«

»Was, Pantomime?« Katja verzog das Gesicht. »Wo

ein Taubstummer mit weißer Farbe im Gesicht Grimassen zieht? Gähn.«

»Aber woher denn«, widersprach ich. »Weihnachtspantomime ist das Gegenteil. Gar nicht leise, sondern laut. Und lustig. Das ganze Publikum spielt mit. Es ist ein wenig wie Kasperletheater.«

»Kasperletheater?«

Julia zog die Augenbrauen steil in die Höhe. Mit Schrecken fiel mir ein, dass sie den Kasper und die Grete schon als Kleinkind nicht gemocht hatte.

»Nein, keine Puppen. Es sind Märchen wie Aladin oder Peter Pan oder Cinderella, aber in einer komischen Form. Und die männliche Hauptrolle wird von einer Frau gespielt. Und dann gibt es eine komische weibliche Rolle. Die spielt natürlich ein Mann.«

Ich konnte sehen, dass mir Frau und Tochter nicht zu folgen vermochten.

»Was ist das? Eine Transvestitenschau?«, fragte Katja empört.

»Nein, nein, alles ganz sauber. Dass sich Macker wie Mädchen kleiden, ist eine britische Tradition. Also, genau gesagt, eine englische Tradition. Denn die Schotten ziehen sich ja an wie Frauen, wenn sie den starken Mann markieren wollen, du verstehst?«

»Und das zeigen die Kindern?«

Ich verzweifelte schier. Doch dann kam mir der rettende Gedanke.

»Das ist wie *Shrek* oder *Toy Story* oder *Madagaskar* – wie ein Film, der alle Generationen anspricht: Kleinkinder wegen der Märchenfiguren, Erwachsene wegen der manchmal doppeldeutigen Dialoge.«

Ich erwähnte wohlweislich nicht, dass die Dialoge in der Christmas Panto immer doppeldeutig, ja manchmal ziemlich eindeutig sind. Insgeheim hofft man, dass die Kinder entweder von zu Hause aus bereits abgehärtet sind oder dass sie nicht verstehen, wovon geredet wird.

Trotz der anfänglichen Zweifel wurde die Pantomime bei Katja und Julia zu einem uneingeschränkten Erfolg und entwickelte sich zu einer vorweihnachtlichen Familientradition. Inzwischen wissen wir, dass der Pantomime-Aladin nicht im Nahen Osten, sondern in Peking spielt und dass der junge Mann bei seiner alleinerziehenden nymphomanen Mutter, der Witwe Twankey, lebt. Sie wird, selbstverständlich, von einem Mann verkörpert.

Seit einigen Jahren reißen sich vor allem amerikanische B-Schauspieler darum, in Pantomimen aufzutreten. Einerseits zahlen britische Bühnen gut, andererseits würde man ihnen nirgendwo in den Vereinigten Staaten das gleiche Maß an schlüpfriger Doppeldeutigkeit durchgehen lassen wie im Vereinigten Königreich. Die US-Mimen verstehen zwar auch nicht genau, worum es geht, aber das tut ihrem Spaß an der Sache keinen Abbruch. »Hör zu, es ist eine Pantomime«, hatte ein Agent Henry Winkler am Telefon erklärt, der in der Fernsehserie *Happy Days* Arthur »The Fonz« Fonzarelli gespielt hatte. »Du weißt nicht, was das ist, und es ist unmöglich, das zu erklären. Du spielst Käpt'n Hook in Peter Pan.«

Ähnlich ahnungslos dürfte die Baywatch-Bombe Pamela Anderson gewesen sein, als das Wimbledon Theatre sie einlud, in der Weihnachtsfarce »Aladin« den Flaschengeist zu geben. Regie und Management hatten dabei sicherlich weniger an die schauspielerischen Fähigkeiten der Blondine gedacht als vielmehr an den Kartenvorverkauf. Der schlug in der Tat alle Rekorde, und wir ergatterten nur deshalb Tickets, weil wir Abonnenten des Hauses sind. Karten für Vorstellungen ohne sie gingen nur schleppend weg.

»Warum willst du ausgerechnet in eine Aufführung mit Pamela Anderson?«, hatte mich Katja misstrauisch gefragt.

»Damit Julia einen echten Weltstar mal live auf der Bühne erlebt.« Ich war über mich selbst erstaunt, wie schnell mir diese Ausrede eingefallen war.

Selten hatte ich so viele Familienväter in einer Christmas Panto gesehen. Ja, sogar alleinstehende Männer schienen den Weg nach Wimbledon gefunden zu haben. Sie mussten sich allerdings fünfzig Minuten lang gedulden bis zum ersten Auftritt von Pamela, den sie mit schrillen Pfiffen und Gejohle quittierten. Bis es so weit war und Pamela, eingezwängt in einen hautengen roten Badeanzug, auf einem silbernen Surfbrett vom Schnürboden herabschwebte, rutschten die Herren ungeduldig auf ihren Sitzen hin und her wie eine Bande Zehnjähriger, die man in eine Hamlet-Aufführung geprügelt hat.

Ich fühlte mich an einen Abend vor vielen Jahren im Goethe-Institut in Kairo erinnert, wo irgendein Fassbinder-Film mit Hanna Schygulla gezeigt wurde. Der Zuschauerraum war bis auf den letzten Platz mit dunkelhäutigen unrasierten Männern in Dischdaschas, der nachthemdartigen Nationalkleidung Ägyptens, gefüllt. Deutschkenntnisse, ja überhaupt irgendwelche näheren Beziehungen zu Deutschland waren ihnen nicht anzumerken. Irgendwann, es war schon gegen Ende des Films, entblößte Hanna Schygulla ihren Busen. Das männliche ägyptische Publikum tobte vor

Begeisterung – und verließ anschließend geschlossen den Raum.

In Wimbledon verließ niemand das Theater, schließlich wollte man sich an Pamela sattsehen. »Ach, wie gerne hätte ich doch Aladin«, hauchte sie mit Schmolllippen, während sie auf zwanzig Zentimeter hohen Glitzerstilettos über die Bühne stakte. Die Männer im Saal heulten vor Vergnügen auf: Aladin hörte sich an wie »a lad in« – Pamela hätte also gerne einen Knaben irgendwo in ihre Anatomie eingeführt.

Katja hatte von dem Wortspiel nichts mitbekommen. Besorgt blickte ich zu Julia hinüber. Sie liebt Wortspiele, und ihr Scharfsinn, mit dem sie Doppeldeutiges durchschaut, hat mich schon mehr als einmal überrascht. Aber sie lachte erst, als Aladin mit Blick auf einen Teller mit Würstchen gefragt wurde, was denn die »faltigen kleinen Dinger auf Stöcken« seien. »Rentner«, antwortete er, und Julia reckte beide Daumen in die Höhe. Voll krass.

Pamela hatte mittlerweile zu tanzen begonnen, was nicht nur wegen ihres Schuhwerks riskant war, sondern auch wegen des engen Einteilers. Bei einer raschen Drehung des Torsos drohte sie denn auch mit ihrer Oberweite den dünnen Lycra-Stoff zu sprengen.

»O Mann, Pamela«, stöhnte es von irgendwoher. »Wie wär's, wenn ich dir drei Wünsche erfüllen dürfte.«

Der Mittvierziger neben mir, der immer röter anlief und zunehmend kurzatmiger wurde, schien auf einen Herzstillstand zuzusteuern.

»Come on, Pamela, komm her und reib meine Lampe«, kreischte er schließlich, nachdem er wieder Atem geschöpft hatte. Dass seine Frau und sein kleiner Sohn neben ihm saßen, hatte er augenscheinlich völlig vergessen, als der Kleine ihn ungeduldig anstupste:

»Aber Papa, du hast doch gar keine Lampe«, piepste er.

»Recht hast du, Nigel«, mischte sich die Mutter ein. »Hat er schon lange nicht mehr. Und reiben würde auch nichts bringen.«

Eine Frau mit Pamela Andersons Körperbau eignet sich wenig für eine Hosenrolle, aber Briten hätten kein Problem, sie sich als Mann vorzustellen. Denn Cross-Dressing, bei dem man in Kleider des anderen Geschlechts schlüpft, ist eine bizarre, wenn auch spezifisch britische Beschäftigung. Selbst Len hatte mir einmal nebenbei gestanden, dass er »natürlich« die Kleider seiner älteren Schwester ausprobiert habe.

»Und auch ihren Lippenstift«, hatte er ebenso selbstverständlich hinzugefügt und mich gefragt: »Du etwa nicht? Du hast doch auch eine Schwester?«

»Die ist fünf Jahre jünger«, hatte ich abgewehrt. »Ihre Klamotten hätten mir nicht gepasst. Und bevor sie Lippenstift verwendete, hatte ich schon meinen eigenen.« Das war zwar frei erfunden, aber Len hatte mich mit neugewonnener Hochachtung angesehen.

Besonders deutlich wird die Vorliebe für Cross-Dressing, die im Rest der Welt eher Betretenheit auslöst, bei Kostümpartys. Sie haben nichts mit Karneval zu tun, den es in England nicht gibt, sondern können das ganze Jahr und von allen Gesellschaftsklassen gefeiert werden. »Lächerlich auszusehen und sich nicht ernst zu nehmen ist schließlich die Grundessenz des Englischseins«, hatte A. A. Gill, einer der scharfsinnigsten Beobachter seiner Landsleute, einmal geschrieben.

Wo Freddie Mercury verkleidet als sexy Hausfrau

am Bügelbrett stand, wo der Antarktisforscher Ernest Shackleton die dunklen Polarnächte verkürzte, indem er einen Expeditionskameraden im Röckchen vortanzen ließ, da können Hunderttausende britischer Geschlechtsgenossen nicht nachstehen. Und so stöckeln sie denn auf viel zu hohen Absätzen, hineingepfercht in einen Bleistiftrock und mit Luftballons, Grapefruits oder Tennisbällen unter der Bluse, auf Bürofeste und Nachbarschaftspartys. Man kann von Glück sagen, dass Prinz Harry einst zu einem Kostümfest nur als Nazi verkleidet erschien und nicht als halbnackte Dominatrix.

Einen derartigen Zustand fortschreitender Nacktheit hatten mittlerweile die sechs Damen in der Reihe vor uns erreicht. Es war warm im Theater, die Songs von Abba hatten ihnen zusätzlich eingeheizt, und überhaupt, die Nacht war jung und voller Versprechen, nun, da sich das Ensemble zum Schlussapplaus verbeugte.

Katja war aufgesprungen und klatschte sich die Hände wund, Julia drängte zum Ausgang, und ich brauchte dringend eine Doppeldosis von Metallica, um die süßen Ohrwürmer zu neutralisieren.

Lustlos schaltete ich mein Handy wieder ein. Langsam baute sich der Bildschirm auf. Kein Anruf, gottlob, aber eine SMS. Normalerweise erhalte ich Textbotschaften nur von meiner Tochter. Sie sind in knapper Befehlsform gehalten und informieren mich, wann und wo sie abgeholt zu werden wünscht. Aber sie hatte den ganzen Abend neben mir gesessen, und selbst ein technikbesessener Teen wie sie hätte mich wahrscheinlich eher in die Rippen geboxt, als mir zu texten. Wer also sollte mir um diese Zeit eine Nachricht aufs

Handy schicken? Mäuer etwa? Ich rief die Nachricht auf. Number10.gov.uk lautete der Absender. Nummer zehn, Downing Street. Der Premierminister.

Hastig rief ich den Text auf und scrollte zuerst zum Ende. Okay, es war nicht der Premierminister selber, der unterschrieben hatte, sondern Ken Brown, sein Pressemensch. Wahrscheinlich war es nur eine der üblichen elektronischen Postwurfsendungen, mit denen Politiker seit einiger Zeit Computer, Handys und Tablets verkleben.

Ich wollte schon den Delete-Knopf drücken, als mein Blick auf den Anfang der Nachricht fiel. »Wir freuen uns, Ihnen mitteilen zu können, dass der Termin für Ihr Interview mit dem Premierminister auf Mittwoch, den Soundsovielten festgelegt worden ist. Bitte nehmen Sie umgehend Kontakt auf, um dieses Datum zu bestätigen.«

Nicht zu fassen. Eine Zusage. Mäuer würde glücklich sein. Sollte ich ihn gleich anrufen? Nein, das hatte Zeit, beschloss ich. So wie man guten Freunden mit einer schlechten Nachricht nicht einen schönen Abend verderben soll, so soll man im Umkehrschluss …

»Kommt ihr endlich?« Energisch zerrte Julia an meinem Ärmel. »Oder wollt ihr hier übernachten?«

»Deine Mutter schon«, stöhnte ich. »Aber mit vereinten Kräften kriegen wir sie vielleicht nach Hause.«

SIEBZEHN

Unsere Nachbarschaft besteht aus zweiundzwanzig Häusern, die sich einen relativ steilen Abhang hinaufziehen. Wir leben in der unteren Hälfte, weshalb bei stärkeren Regenfällen unsere Garage häufig zu einem Wasserreservoir wird.

Dank einer gnadenlosen Charmeoffensive ist es uns gelungen, gutnachbarliche, ja in einigen Fällen sogar freundschaftliche Beziehungen zu unseren unmittelbaren Nachbarn herzustellen. Wir winken uns nicht mehr nur stumm lächelnd zu, sondern fügen nun auch ein paar Worte über das Wetter, den Zustand des öffentlichen Nahverkehrs oder die politische Großwetterlage an.

Der obere Teil der Nachbarschaft allerdings ist für uns nach wie vor weitgehend ein fremdes Land, das wir – Moses am Ende seiner vierzigjährigen Wanderung gleich – nur aus der Ferne sehen. In den meisten Fällen wäre das gleichgültig, wenn es da nicht jene attraktive Rothaarige mit grünen Augen und genau der richtigen Anzahl von Sommersprossen an den richtigen Stellen gäbe, die in Nummer 19 wohnt. Ihr hätte ich schon mal gerne mehr als nur zugewinkt, aber leider waren wir noch nicht einmal bis zu diesem Stadium vorgedrungen.

Von Nummer 2, quasi dem Blockwart der Anlage, hatte ich erfahren, dass sie Sinead hieß und teilweise irischer Abstammung war. Und von unserem örtlichen Minicab-Unternehmen wusste ich, dass sie oft ins Ausland flog, weil die Taxizentrale ständig unsere beiden Hausnummern verwechselte. Sie selber hatte einen gediegenen Lexus in der Einfahrt stehen. Das deckte sich mit Berichten, dass sie irgendeine leitende Management-Position bekleidete.

Ich hatte mich also damit abgefunden, dass wir wohl auf Dauer aneinander vorbeidriften würden wie zwei gleichgepolte Elektronen. Ich verschwendete auch keinen Gedanken an Sinead, als ich an diesem sonnigen Morgen vor die Tür trat, um im Park zu joggen. Es war noch so früh, dass ich nicht davon ausging, irgendeiner Menschenseele zu begegnen. Umso erstaunter war ich, als sich mir eine Erscheinung bot, die ich zunächst für eine Halluzination meines unausgeschlafenen Gehirns hielt: eine Frau, die sich in ein weißes Laken gehüllt und einen aus Gräsern und Blumen geflochtenen Kranz ins Haar gedrückt hatte. Das Laken wurde von einer schlichten Kordel zusammengehalten, an den nackten Füßen trug sie Sandalen und um den Hals ein Medaillon mit einem Pentagramm.

Das allein hätte mich nicht stutzig gemacht. Aber die Frau schwenkte einen Birkenzweig wie einen Zauberstab in der Hand, tänzelte von Haustür zu Haustür und sang halblaut in einer monotonen Melodie Beschwörungsformeln. Erst auf den zweiten Blick erkannte ich, dass es sich um Sinead handelte.

»Ach, haben Sie mich erschreckt«, rief sie, als sie mich sah. »Was machen Sie denn um diese Zeit schon auf der Straße?«

»Joggen«, stotterte ich. »Früh, damit ich's hinter mir habe.«

»Der Morgen ist heilig, das ist wahr, vor allem zu dieser Jahreszeit, wo die göttliche Sonne uns nur ungern und für kurze Zeit in den Nächten verlassen will.«

Ich nickte verdattert. Offensichtlich glaubte sie mir eine Erklärung schuldig zu sein.

»Sie wundern sich wahrscheinlich, was ich hier mache.«

Ich machte eine abwehrende Handbewegung, die ausdrücken sollte, dass ich schon ganz andere Dinge erlebt hatte und nichts Menschliches mir fremd war.

»Ich segne unsere Nachbarschaft«, flüsterte Sinead halblaut und hatte den Anstand, zart zu erröten.

»Sind Sie Geistliche?«

Die Ordination von Frauen in der anglikanischen Kirche ist zwar schon lange nicht mehr umstritten, aber meines Wissens trugen auch Pastorinnen eher traditionelle Tracht. Außerdem beschränken sie ihre segensreiche Tätigkeit weitgehend auf Kirchen und andere Sakralbauten.

»Nein, ich bin eine Wicca.«

Ich sah sie verständnislos an.

»Nun, Sie können auch Hexe sagen. Andere nennen uns Heiden, aber wir glauben wirklich an etwas: an die Natur und an ihre Kräfte.«

Ich hatte schon von dieser Bewegung gehört. Je nachdem, wie man zählte, waren sie schon die dritt- oder viertstärkste religiöse Gruppe in Britannien – noch vor den Buddhisten, den Sikhs und den Juden. Und auch stärker als die Jedi-Ritter, deren Status als Religionsgemeinschaft zumindest die letzte Volkszählung im Land anerkannt hatte.

»Ja, und außerdem bin ich noch Distriktsleiterin Südwest der British Pagan Federation«, fügte sie hinzu. Das klang beruhigend, beruhigender jedenfalls als die Hexerei. Sie schien meine Gedanken lesen zu können.

»Wir tragen weder spitze Hüte, noch haben wir Warzen auf der Nase oder reiten auf Besen herum«, sagte sie. »Das überlassen wir Harry Potter und seinen Klassenkameraden.«

»Und die Verkleidung?«

Ich deutete auf ihre weiße Toga.

»Oh, die. Die ist im Grunde genommen ein Kompromiss. Im Idealfall sollten wir unsere Zeremonien skyclad ausüben.«

»Skyclad, also: vom Himmel bedeckt?«

»Richtig. Nur vom Himmel bedeckt. Man kann auch nackt dazu sagen. Aber das ist leider verboten. Erregung öffentlichen Ärgernisses.«

»Mich würden Sie nicht ärgern.«

Mein Blick glitt wohlwollend von ihrem Grasreif im Haar zu den Sandalen.

Sie ignorierte sowohl die Bemerkung wie auch meinen Blick.

»Aber wir verfertigen Zaubersprüche, gerne auch auf Bestellung. Wenn Leute ein Haus verkaufen wollen und der Preis zu niedrig ist, um nur ein Beispiel zu nennen. Oder wenn jemand einen Partner sucht.«

»Geben Sie mir doch mal ein Beispiel für so einen Spruch«, drängte ich sie. »Oder brauchen Sie dazu eine Stoffpuppe und Stecknadeln?«

In meinem Hinterkopf reifte der Gedanke heran, dass man Mäuers Anreise und das Interview vielleicht doch noch in letzter Minute abbiegen konnte, und sei es mit Hilfe einer halb irischen, halb angelsächsischen Hexe.

»Wenn ich Ihnen das verraten würde, müsste ich Sie töten. Unsere Sprüche können ganz schön mächtig sein.«

Ich hoffte, dass das ein schlechter Witz war, zog es aber vor, mich zu verabschieden. Man wusste nie, wozu sie mit ihrem Birkenzweig imstande war.

Irgendwie war es erstaunlich, dass mein erster persönlicher Kontakt mit organisierter Religion im Vereinigten Königreich mit einer heidnischen Hexe zustande kam. Nun bin ich selbst nicht unbedingt das, was man einen religiösen Menschen nennt, und Kirchen besucht unsere Familie in erster Linie aus kunsthistorischen Gründen.

Briten selbst verbergen ihre spirituellen Bedürfnisse tief in ihrer Seele. Sie würden eher über ihr Gehalt, ihre geheimen sexuellen Präferenzen oder ihre politischen Neigungen sprechen. Das Thema Religion scheint sie peinlich zu berühren, so als ob man sie beim Nasenbohren ertappt hätte. Jeder tut es zwar mehr oder weniger oft, und es schadet auch niemandem. Aber man will sich nicht dabei erwischen lassen. Deshalb krümmten sich viele Briten vor Verlegenheit, als ein ehemaliger Premierminister in aller Öffentlichkeit sein besonderes Verhältnis nicht nur zum amerikanischen Präsidenten, sondern auch zu Jesus Christus offenbarte. Als er außerdem gestand, dass er und der Amerikaner mitunter gemeinsam beteten, da wünschten sich viele seiner Landsleute, dass sich der Boden unter ihren Füßen öffnen und sie gnädig verschlingen möge.

Wie gesagt, ich kann diese Haltung gut nachvollziehen. Unsere Familie hat ebenfalls ein distanziertes Verhältnis zur Religion. Es ist zwar Julias bestes Fach in der Schule, aber das beweist nichts. Am besten gefallen ihr ohnehin die meditativen Übungen, mit denen ihr Religionslehrer den Unterricht auflockert. Da könne sie immer ein paar Takte Schlaf nachholen, sagt sie. Da Julia eine katholische Mädchenschule besucht, kann es nichts schaden, dass sie in Religion gute Noten nach Hause bringt.

Noch nicht einmal Katja macht ihr deswegen Vorhaltungen, obwohl sie allen religiösen Übungen, Theorien und Verrichtungen mit allergrößter Skepsis begegnet. Sie ist zwar überzeugt davon, dass die Theorien von Marx und Lenin ihrer Heimat nichts Gutes angedeihen ließen. Aber eine Ausnahme macht sie: Auch sie teilt die Meinung von der Religion als einer Art von Opium für das Volk – und welche Eltern würden ihren Kindern schon wissentlich Rauschgift verabreichen?

Engländer lassen es, zumindest was die anglikanische Staatskirche angeht, ziemlich locker angehen. Es ist eine Religion für Leute, die nicht religiös sind, und zu der sich sogar Agnostiker ohne Scham bekennen können. Diese entspannte Haltung hat auch auf die Atheisten des Landes abgefärbt. In einem Werbefeldzug für ihre Sache deuteten sie zart an, dass Gott »wahrscheinlich« nicht existiere. Schon ein Kontrast zu Nietzsches deutlicherem Diktum »Gott ist tot«.

Mitunter hat man den Eindruck, dass nicht einmal von Pastoren ein fester Glaube an Jesus Christus, an ein Leben nach dem Tod oder an die Existenz von Himmel und Hölle erwartet wird. Eine milde, unaufgeregte und undramatische Menschenfreundlichkeit scheint vollständig auszureichen. Und wenn ein anglikanischer Geistlicher schon mal von Armageddon predigt, dann vermeidet er es, seine Gemeinde mit Schilderungen aus einem Roland-Emmerich-Film zu erschrecken, und schildert das Weltenende eher wie einen besonders unangenehmen heißen Augusttag. Wem es zu viel wird, so der Subtext solcher Predigten, könne ja jederzeit ins Haus gehen, die Vorhänge zuziehen und die Klimaanlage einschalten.

Die Church of England, so hatte mir Felicity-Smythe-Stockington mit offenkundiger Zufriedenheit auseinandergesetzt, sei die perfekte Kirche für all jene Leute, die nicht in die Kirche gehen. Und wenn man sich schon in den Gottesdienst begebe, so tue man das mit derselben Attitüde, mit der man eine Toilette aufsuche: mit einem Minimum an Aufhebens und – wenn es irgendwie geht – ohne Erklärungen abzugeben. Viele Amerikaner lieben Gott mit einer an Besessenheit grenzenden Inbrunst, manche Deutsche sehen in ihm wie einst Martin Luther eine feste Burg, und radikale Muslime sprengen sich in seinem Namen in die Luft. Engländer finden Gott, wenn sie sich anstrengen, ganz nett, actually.

Felicity sah das ganz genau so, was aber nicht weiter überraschte. Sie war generell so heißblütig wie pürierte Karotten aus einem Hipp-Gläschen. Leidenschaft, sei es an der Wahlurne, vor dem Altar oder im Bett, überließ sie zwielichtigen Kontinentaleuropäern. Aber sie war die einzige meiner britischen Bekannten, die irgendwann einmal erwähnt hatte, dass sie eine regelmäßige, wenn auch laue Kirchgängerin sei. Sie war so freundlich gewesen, mich an ihren Pastor zu vermitteln, als ich nach einem Kontakt zur Kirche gesucht hatte.

»Wie sehr er selbst an den ganzen Hokuspokus glaubt, weiß ich zwar auch nicht«, hatte sie zu bedenken gegeben. »Aber er ist ein echter Vikar der Church of England. Seine Predigten sind ein wenig zu dramatisch für meinen Geschmack«, hatte sie nachdenklich hinzugefügt. »Aber dafür sind seine Beerdigungen allererste Sahne.« Bei ihm, so lobte sie, würden die Leute mit einem echten Kirchenlied oder etwas Klassischem in den Ofen geschoben. »Tina Turner oder My Way – das gibt's bei ihm nicht.«

Reverend Sebastian Pendleton von der Pfarrei St. Paul's entpuppte sich als derart überraschend jung, dass er mein Sohn hätte sein können.

Seine Pfirsichwangen waren so seidig und glatt, als ob sie noch nie mit einem Rasierapparat in Berührung gekommen wären. Seine Augen strahlten die unbefangene Unschuld eines Menschen aus, dem noch nie im Leben etwas Schlimmeres als ein verbrannter Toast oder ein aufgeschürftes Knie widerfahren ist. Und selbstverständlich besaß er jene Art von Humor, die in England als unabdingbares Zeichen für Herzensbildung und gute Kinderstube gilt.

»Warum ich Pfarrer geworden bin, wollen Sie wissen«, teilte er mir gleich zu Beginn unseres Gespräches mit. »Nun, wenn man schon für jemanden arbeiten muss, dann ist es nicht schlecht, wenn der Chef einem nicht ständig über die Schulter blickt.« Er hob die Arme zur Decke. »Und meiner ist ziemlich weit weg.«

Als zu leidenschaftlich erschien er mir nicht, und ich konnte nicht recht nachvollziehen, weshalb Felicity seine Predigten als zu aufpeitschend empfand.

»Irgendein Brite hat unseren Glauben einmal mit

Cricket verglichen«, sagte er. »Oder Cricket mit der Religion. Ist auch egal, es kommt aufs Gleiche hinaus. Cricket ist ein Sport, den wir, weil wir nun mal kein spirituelles Volk sind, erfunden haben, damit wir wenigstens ein klein wenig eine Vorstellung von der Ewigkeit bekommen.«

Er lachte. »Sie wissen doch: Bei einem Cricket-Match passiert nicht viel, und es dauert mehrere Tage. Da wünscht man sich manchmal lieber die Hölle. Da ist wahrscheinlich mehr los.«

Sebastian Pendleton mag zwar einer unauffälligen Londoner Vorortgemeinde vorstehen, aber er hat sich landesweit einen Namen gemacht. Er selbst versteht die Aufregung freilich nicht, die er bei diversen Gelegenheiten ausgelöst hat. Verhältnismäßig harmlos war ja noch gewesen, als er gesagt hatte, dass Jesus heutzutage bei Asda einkaufen würde. Als Sohn eines bescheidenen Zimmermanns hätte er sich selbstverständlich den Supermarkt mit den günstigsten Preisen ausgesucht.

Ich konnte mir vorstellen, dass Felicity von dieser Bemerkung ihres Pfarrers nicht sonderlich erbaut war. Sie ist eher eine Marks-and-Spencer-Kundin, wenn nicht sogar eine Waitrose-Frau. Man muss wissen, dass sich die Klassengegensätze im Vereinigten Königreich auch auf Supermärkte erstrecken. Sage mir, wo du einkaufst, und ich sage dir, wer deine Eltern waren und auf welche Schule du gegangen bist.

Ganz oben und gleichsam außer Konkurrenz rangiert der 300 Jahre alte Feinkosthändler Fortnum and Masons in Piccadilly, denn dort deckt sich die Königin mit ihren Grundnahrungsmitteln ein – jedenfalls, soweit sie diese nicht selbst schießt oder von ihrem Sohn

Charles ökologisch korrekt auf dessen Farm ziehen lässt.

Das Nobelkaufhaus Harrods verfügt zwar über einen ähnlich alten Stammbaum wie Fortnum and Masons, aber bessere britische Stände boykottieren den Laden, seit der Ägypter Mohammed Al-Fayed ihn gekauft hat. Seitdem verirren sich meist Touristen oder Neureiche vom Land in die berühmte Lebensmittelabteilung des Geschäftes.

Das Feld der Mainstream-Supermärkte wird von Waitrose angeführt, wo die Kundschaft Burberry und Aquascutum trägt und Wachteleier oder Jahrgangschampagner in den Einkaufskorb legt. Das breite Bürgertum hingegen versorgt sich bei Sainsburys und Tescos, darunter wird es ein wenig schmuddelig. Zu Asda kommt die Kundschaft vorzugsweise im Trainingsanzug und im Fußballtrikot. Noch eine Etage tiefer holen sich grüne Witwen, alleinerziehende Mütter oder Junggesellen bei Iceland Billigst-Tiefkühlkost im Massenpack.

Zwei sozioökonomische Entwicklungen der jüngsten Zeit haben für Veränderungen gesorgt. Zum einen haben Briten rund zwanzig Jahre später als der europäische Kontinent die Vorzüge des wiederverwertbaren Jutebeutels entdeckt. Seit die Wirtschaftskrise das verfügbare Familieneinkommen reduziert hat, sieht man immer häufiger Käufer, die mit Waitrose-Tüten bei Asda shoppen. So wahrt man wenigstens den Schein.

Wie gesagt, bei Asda wäre Pfarrer Pendleton mit Jesus nicht maßgeblich angeeckt. Asda-Manager hatten die unfreiwillige Werbung für ihr Unternehmen zufrieden registriert. »Hier holt sich Jesus Brot und Fische« würde als Slogan allemal »Die gibt der Zahnarzt seiner Familie« schlagen.

Bedenklicher wurde es jedoch, als Pendleton bei gleicher Gelegenheit anregte, dass man – wenn man schon mal im Supermarkt sei – getrost lange Finger machen könnte. Ob Jesus einen Ladendiebstahl begehen würde, ließ er offen. Dass er ihn billigen würde, vorausgesetzt, der Dieb war arm, ließ er indes ganz deutlich anklingen. »Hauptsache, man stiehlt von einem Reichen«, hatte er seine Überlegungen vertieft.

»Heute muss man sich schon um die Gläubigen bemühen«, verteidigte er seine umstrittenen Äußerungen. »Drum bin ich auf die Ideen mit dem Freibier und mit den Handys gekommen.«

»Das müssen Sie mir genauer erklären.«

»Am Vatertag habe ich ein Fass aufgemacht, buchstäblich, vor dem Hochaltar. Es gab Freibier, und ich kann Ihnen sagen: So voll war meine Kirche lange nicht mehr. Dasselbe galt freilich auch für einige Gemeindemitglieder.«

Ich nickte verständnisvoll.

»Ein paar haben sich aufgeregt, das war zu erwarten. Ihre Freundin Felicity war übrigens auch darunter.«

»Freundin würde ich sie nicht nennen«, wehrte ich ab. »Sie ist eher eine Art von Laufbekanntschaft.«

»Wie auch immer, die Kirche fördere den Alkoholismus, hieß es da. Ich habe dann ganz nüchtern darauf hingewiesen, dass auch Jesus kein Kostverächter war. In Kanaan, auf der Hochzeit, hat er da etwa ein paar Kisten Mineralwasser hergezaubert?«

»Hauptsache, er hat den guten Wein nicht irgendwo geklaut«, wandte ich ein.

»Ein ungetrübter Erfolg aber war meine Segnung

der Handys«, wechselte er das Thema. »Da konnten sich alle einbringen. Nokias, Blackberrys, Samsungs. Sogar ein paar Laptops und Notebooks waren dabei. Der Altar sah aus wie eine Auslage im Mediamarkt. Und als sie dann alle ihre Handys hochreckten, da war das schon ergreifend. Handys, habe ich in meinem Segen gesagt, sind Gottes Art, daran zu erinnern, dass auch er mit uns kommuniziert.«

»Ich habe leider noch keine SMS von ihm bekommen«, scherzte ich.

Der Reverend verzog keine Miene.

»Welchen Anbieter haben Sie denn? Vielleicht reicht das Netz nicht so weit.«

Solange es Pastoren mit einem Sinn für Humor gibt, kann es um die anglikanische Kirche nicht ganz schlecht bestellt sein.

Gott mag per Handy schlecht zu erreichen sein; dafür kommt man immer zu König Artus durch. Er hat seine Handynummer auf seiner Visitenkarte gleich neben der E-Mail-Adresse und der Website stehen. Darüber thronen Name und Titel: King Arthur Pendragon, nominelles Oberhaupt und gewählter Häuptling der loyalen Arthurischen Kriegerbande, Stammesfürst des Rates Britischer Druidenorden. König Artus ist ähnlich gekleidet wie meine Nachbarin Sinead, nur dass sein Laken mit roten Passen abgesetzt ist. Anstelle eines Blumenkranzes hat er sich ein verbogenes Metalldiadem auf die verfilzten blonden Haare gedrückt, und wo Sinead sich mit einem Birkenzweig begnügte, da baumelt an seiner Hüfte ein Schwert. »Excalibur«, wie er unnötigerweise, aber mit umso mehr Stolz sagt.

Im Grunde genommen hat König Artus also alles,

was er braucht – mit Ausnahme eines runden Tisches. Der hätte auch gar keinen Platz in dem Wohnwagen, in dem er zusammen mit seiner Königin, der Druidin und Wicca-Zauberin Kazz, Hof hält. Sollten sich alle Ritter seiner Tafelrunde auf einmal bei ihm einfinden, dann würde es eng werden auf der Eckbank im Heck des Wohnwagens.

»Das ist mein Camelot, ich brauche kein Schloss, denn das würde mich nur an ein Stück Erde fesseln, wo ich doch überall in meinem Reich gebraucht werde.«

Eine Zeitlang wurde er in Stonehenge gebraucht, jenem sagenhaften Zirkel gewaltiger Menhire, wo Freunde der druidischen Religion seit Jahrzehnten die Sommersonnenwende feiern. Dort hatte ich ihn besucht, weil er mit seiner bloßen Anwesenheit durchsetzen wollte, dass die Behörden den Zugang zu den Steinen wieder freigeben.

Die Majestät mit dem Nikolausbart und dem Beachboy-Teint redete viel, schnell und mit Überzeugung. Früher, so berichten Freunde, sei er eher wortkarg gewesen. Aber damals hieß er noch gutbürgerlich John Rothwell und verbrachte die meiste Zeit im Sattel seiner Harley. Bis ihm ein Biker-Bruder nach einem Motorradausflug beiläufig mitteilte, dass er ihm im Traum erschienen sei – als Wiedergeburt des legendären englischen Königs.

Jeder andere hätte sich nun leicht mit dem Finger an die Stirn getippt, hätte Gas gegeben und wäre eingehüllt in eine Staubwolke hinter der nächsten Kurve der Landstraße verschwunden. Aber Rothwell wuchs in die neue Verantwortung bereitwillig hinein. Er änderte seinen Namen, was in Großbritannien relativ leicht zu bewerkstelligen ist. Seitdem weisen ihn Führerschein, Reisepass und der Mitgliedsausweis der Hochintelligenzler-Organisation Mensa als King Arthur aus. Schwerer durchzusetzen war, dass er auf seinem Passfoto die Krone tragen darf.

»Dieses Recht hat nicht einmal die Usurpatorin in London«, erklärte er, indem er mit dem Finger auf das Bild deutete.

Usurpatorin?

»Na, Elizabeth, die Frau, die sich auch Königin von England nennt.«

Seinen eigenen Thronanspruch unterstreicht er auf Lateinisch: Jede Korrespondenz schließt er mit dem Zusatz rex quandam exque futurus – einstiger und künftiger König.

»Wir sind die Zukunft«, prahlte der König. »Unsere druidische Religion passt in die Zeit. Nimm doch nur Al Gore: Der sollte nicht Präsident werden, denn der ist eigentlich ein Druide.«

Wer, wie ich, bei dem Wort Druide an Miraculix denkt, hat Schwierigkeiten, sich den stattlichen amerikanischen Klima-Warner in derselben Rolle vorzustellen. Aber man soll nicht kleinlich sein, schon gar nicht, wenn es um ewige Wahrheiten geht.

»Als Heide musst du nur an drei Dinge glauben«, zählte Artus an den Fingern seiner Rechten ab. »Jeder hat das Recht, seinem eigenen Pfad zu folgen, solange er niemand anderen dabei verletzt. Zweitens: Es gibt eine höhere Macht. Und: Die Natur verdient, verehrt zu werden. Sage mir, wer damit nicht einverstanden sein könnte?«

Dick Cheney wäre mir eingefallen, oder Sarah Palin, aber stattdessen nickte ich ihm aufmunternd zu.

»Unsere Kathedralen sind die Wälder und die Moore,

die Klippen und die See. Wir brauchen keine beklemmenden Gebäude.« Er redete sich in Fahrt. »Sieh doch nur, was aus den Kirchen geworden ist, in die niemand mehr geht: Restaurants mit einem Pizzaofen im Seitenschiff, Pubs, wo du die Flaschenbatterien nicht von den Orgelpfeifen unterscheiden kannst, und in einer Kirche haben sie sogar eine Kletterwand hinauf ins Kirchturmgestühl gebaut.«

Artus hatte recht. Fährt man durch britische Städte, dann prägen Kirchtürme zwar noch immer das Bild. Häufig aber werden dort keine Messen mehr abgehalten. Ein Tiefpunkt schien mir persönlich in dem kleinen Dorf Whithorn in der schottischen Grafschaft Dumfriesshire erreicht zu sein. Hier hatte man die Kirche zu einer Tankstelle mit angeschlossener Autowerkstatt umgebaut. Vor dem Portal standen die Zapfsäulen, Grube und Hebebühne waren zentral installiert worden – dort, wo früher der Altar gestanden hatte. Der absurde Eindruck war bei meinem Besuch durch eine junge Frau verstärkt worden, die unter einem Glasfenster mit dem Motiv der Vertreibung aus dem Paradies an einem alten Traktor herumschraubte. Sie sah aus wie die Zwillingsschwester von Olive Oil, der Dauerfreundin des Zeichentrickseemanns Popeye, und war unterwegs zu einem Traktorrennen in der Nachbargrafschaft. Da ihr Gerät eine Höchstgeschwindigkeit von drei Meilen in der Stunde nicht überschritt, war sie schon seit zwei Tagen unterwegs.

Diese Traktoristin hatte übrigens auch mit dem Druidentum geliebäugelt. Figürlich entsprach sie dem Miraculix-Ideal, und obendrein spielte sie die keltische Harfe, wenn sie nicht gerade Keilriemen an verrosteten landwirtschaftlichen Nutzgeräten austauschte.

Vielleicht hatten Artus, Sinead und Olive Oil mit ihrem keltischen Mystizismus ja wirklich eine Zukunft in einem Land, in dem Religion so solide, praktisch und zuverlässig sein muss wie die Kleidung: Sie soll trocken halten, wenn es regnet, aber ansonsten nicht weiter auffallen. Von ihrer Staatsreligion halten übrigens auch ihre Führer nicht besonders viel. Ein ehemaliger Erzbischof von Canterbury verglich seine Kirche einmal mit einer »älteren Lady, die in einer Ecke sitzt, vor sich hin murmelt und meistens ignoriert wird«. Ein anderer anglikanischer Bischof zeigte sich völlig unvorbereitet bei der Frage, an was man als Mitglied seiner Kirche glauben müsse. »Eine sehr interessante Frage«, meinte er zunächst, während er sich das Gehirn auf der Suche nach einer Antwort zermarterte. »Nun, ich glaube, das hängt sehr davon ab, wie man es sieht«, rettete er sich schließlich in einen sehr britischen Gemeinplatz.

Vor diesem Hintergrund wirkt der selbsternannte König Artus natürlich auf viele um einiges attraktiver. Zehntausende haben seine Petitionen unterzeichnet, und noch mehr Briten sehen in ihm eine Art Robin Hood, der verschlagen, frech und mutig gegen das Establishment kämpft.

Und es werden nicht wenige gewesen sein, die zustimmend nickten, als sie lasen, wie der Schriftsteller A.N. Wilson eine Lanze für Arthur Pendragon brach, wobei nicht restlos klar war, ob er es ironisch oder doch mit mehr als nur einem Schuss Ernst gemeint hatte. Zumindest dem ersten Teil der Aufzählung konnten sich viele seiner Landsleute anschließen.

»Unser Premierminister ist ein grinsender, charmefreier Eumel, unser Erzbischof von Canterbury hat die spirituelle Ausstrahlung einer rohen Kartoffel, und das

Haus Windsor ist eine Ansammlung von Langweilern«, hatte er in einem weithin beachteten Zeitungsartikel geschrieben. »Wenn es nach mir ginge, dann würde ich der ganzen Bande morgen den Laufpass geben und sie durch einen einzelnen königlichen, geistigen und politischen Führer ersetzen – König Artus.«

In meinem Fall hätte das ganz konkrete Vorteile. Ich hätte mein Interview mit dem Führer Britanniens schon im Kasten. Mäuer müsste sich nicht mehr herbemühen, und vor allem würden sich mehr Leser für die Wiedergeburt von König Artus und dessen Ansichten interessieren als für die blutleeren Bemerkungen eines Politikers.

ACHTZEHN

Es gibt Tage, da muss man gar nicht erst die Augen aufschlagen, um zu wissen, dass aus ihnen nichts wird. Man liegt im Bett, und hinter den geschlossenen Lidern steigen die zu erwartenden Ereignisse auf wie grausige Zombies, die sich aus ihren Särgen schälen. Es sind Tage wie falsch angesetzte Schrauben: Man kann drehen, so viel man will – entweder finden sie nie den Weg ins Loch oder sie zersplittern das Holz. Schrauben freilich kann man wieder herausdrehen und neu ansetzen. Ein Tag, der einmal begonnen hat, nimmt unaufhaltsam seinen Lauf.

Dies war so ein Tag, und dass mir beim Kaffeekochen die volle Filtertüte vom Vortag auf den Küchenboden klatschte und Chico das für ein neues Spiel hielt, war nur eine Bestätigung. Eine kurz aufflackernde Hoffnung, dass der Tag vielleicht doch noch die Kurve kriegen würde, zerschlug sich ebenfalls. »Coole Sonnenbrille«, hatte mir eine Klassenkameradin von Julia zugerufen, als ich sie vor der Schule absetzte. Nur um mich mit einem Nachsatz auf den Boden der Wirklichkeit zurückzuholen: »Cool für einen Vater.«

Ich war also alles andere als motiviert, und das, obwohl der große Tag gekommen war, der Tag des Interviews. Mäuer war am Vorabend in London eingetroffen, und ich hatte ihn in Heathrow abgeholt und ins Hotel gefahren. Eine zuvor strategisch im Vermischten platzierte Geschichte über die Hölle des Londoner Autoverkehrs und die Vorzüge öffentlicher Verkehrsmittel zwischen den Flughäfen und der Innenstadt hatte nicht die erhoffte Wirkung gezeigt. Mäuer hatte trotzdem auf persönlichen Chauffeur-Diensten bestanden.

»Auf was für einer Insel lebst du denn?«, hatte der zuständige Redakteur der Seite gefragt. »Seit wann lesen Chefredakteure die eigene Zeitung?«

Von der ersten Minute an versprühte Mäuer anzügliche Bemerkungen wie ein wild gewordener Rasensprenger. »Heathrow ist ja auch nicht gerade schöner geworden seit meiner Jugend«, waren die ersten Worte, als ob ich schuld daran wäre, dass Londons Haupt-Airport wie der Flughafen einer postsozialistischen Kapitale in Zentralasien aussieht.

Die Passagiere trotten meilenweit durch schlecht beleuchtete und noch schlechter belüftete Korridore. Es soll Fälle geben, in denen der Weg vom Flugzeug bis zum Taxistand länger dauert als der Flug nach London. Matt flackernde Neonröhren, vor Schmutz blinde Fensterfronten und überall gelbe Klapptafeln, die vor nassen, glatten Böden warnen – nicht, weil geputzt worden wäre, sondern weil Wasser aus Rohrleitungen von der Decke tropft.

»Schickes Auto haben Sie, kann nicht billig gewesen sein«, meinte Mäuer, als wir das Parkhaus verließen. »Ich meinerseits fahre nur einen Audi.« Nicht zum ersten Mal versuchte ich geduldig zu erklären, dass mein Jaguar kein Klassiker, sondern nur alt und aus dritter Hand war. Teuer daran ist nur sein Unterhalt. Zum Tanken muss ich streng genommen in Begleitung eines

Geldtransporters vorfahren, und das einzig Grüne an dem Wagen ist das Holzlenkrad.

Mäuer saß neben mir in seiner Wolke aus Old Spice und Fisherman's Friends. Quälend langsam krochen wir auf der M 4 der Ausfahrt Hammersmith entgegen.

»Zug oder U-Bahn wären wahrscheinlich besser gewesen«, murmelte ich.

Mäuer schien mich nicht gehört zu haben. Er nestelte in seiner Anzugtasche und zog ein Papiertütchen hervor.

»Hier, probieren Sie, was ganz Besonderes. Fisherman's Friends mit Salmiak. Früher musste ich mir die immer von Ihrem Kollegen in Stockholm besorgen lassen, aber seit neuestem gibt es die auch in Deutschland.«

Zaghaft steckte ich den Bonbon in den Mund und begann zu husten.

Lachend schlug mir Mäuer auf den Rücken. »Die haben es in sich, nicht wahr. Sie kennen doch den Werbespruch: Sind sie zu stark, bist du zu schwach.«

Den ganzen Weg über kommentierte Mäuer die Gebäude und Adressen, an denen wir vorbeifuhren.

»Hammersmith Apollo, das bringt Erinnerungen zurück. Ich kannte es noch als Hammersmith Odeon, the Hammy-O. Bruce Springsteen habe ich da gesehen und Frank Zappa, Aerosmith.«

Sehnsüchtig blickte er durch die dunkle Scheibe auf die Straße.

»Wusste gar nicht, dass Sie so eine enge Verbindung zu London hatten«, nuschelte ich.

»O ja, und ob. Meine Eltern haben mich hier aufs Internat geschickt. Ich war wahrscheinlich damals schon unausstehlich.«

Er machte eine Pause, aber wenn er jetzt einen Kommentar von mir erwartet hatte, dann hatte er sich getäuscht.

»Public School, Sie wissen schon. Harte Schule fürs Leben. Kennen Sie ›fagging‹? Wenn ein Junge für den anderen Sklavendienste leistet und ohne Grund verprügelt wird. Nicht schön, aber es stählt einen fürs Leben, so wie die kalten Duschen und die kratzende Bettwäsche. Beste Vorbereitung für Führungsaufgaben. Aus solchem Holz werden Premierminister geschnitzt.«

Mäuer räusperte sich, als ob er einen Fremdkörper aus seiner Kehle entfernen wollte.

»Ich habe schon immer viel übriggehabt für dieses merkwürdige Land«, sagte er mit belegter Stimme. Mein Gott, schoss es mir durch den Kopf, jetzt kommen irgendwelche Bekenntnisse.

»Und ich wollte Ihnen schon immer sagen, wie dankbar ich Ihnen bin, dass Sie mir damals das Gespräch mit der Königin vermittelt haben. Noch mehr hätte ich es freilich geschätzt, wenn Sie mich vorher gewarnt hätten.«

Ich wusste nicht, ob ich mich geschmeichelt fühlen oder mich ärgern sollte.

»Na ja, vermittelt ist vielleicht zu viel gesagt. Ich stand da in Liverpool auf der Straße mit meinem dämlichen Blumenstrauß in der Schwitzehand, und dann kommt die Königin bei ihrem Rundgang ausgerechnet auf mich zu. Und in dem Moment rufen Sie mich an.«

»Ich hatte schon immer einen guten Sinn für Timing«, bemerkte Mäuer trocken.

»Das können Sie laut sagen. In meiner Panik habe ich der Frau beides entgegengestreckt, die Blumen und das Handy. Und sie hat sich das Handy gegriffen.« Ich konnte mir nicht verkneifen hinzuzufügen: »Besonders lange hat sie dann aber nicht mit Ihnen gesprochen, wenn ich mich recht erinnere.«

»Leider. Was gäbe ich darum, diese Konversation fortzusetzen.«

Es war schon spät, als ich ihn endlich in seinem Hotel absetzte. Wir hatten uns für den nächsten Tag zu einem späten Frühstück verabredet, beziehungsweise zu einem Brunch, wie Mäuer es nannte. Ich hatte also gerade noch Zeit für einen kurzen Spaziergang mit Chico im Park. Natürlich spürte er, dass ich in Eile war, was ihn nicht etwa zu einer schnelleren Gangart, sondern zu häufigem Verweilen anspornte.

Da war er schon wieder wie angewurzelt stehen geblieben. Unverwandt starrte er in eine Richtung. Ich folgte seinem Blick und war sogleich ebenso in Bann geschlagen wie mein Hund.

Zwölf Frauen standen da, jede mit einem Kinderwagen. Sie waren in Zweierreihen aufgefahren, in einer militärischen Formation, die an die Streitwagen erinnerte, mit denen die legendäre keltische Königin Boadicea einst den römischen Eroberern Angst und Schrecken eingejagt hatte. Neben diesem Mütter-Kommando hatte sich eine drahtige Brünette im Trainingsanzug mit maskuliner Kurzhaarfrisur aufgebaut.

»Im Stillstand – marsch«, rief sie mit einer Stimme, die jedem Kasernenhof zur Ehre gereicht hätte. Brav begannen die zwölf auf der Stelle zu treten.

»Rechts, links, rechts, links, hoch die Knie, ich will hier keine Drückeberger sehen«, feuerte der feminine Feldwebel die Truppe an. »Stopp, und jetzt – push and pull, strecken, drücken. Gut so!«

Im Gleichklang schoben die zwölf ihre Kinderwagen nach vorn und zogen sie wieder zurück, fünfmal, zehnmal, zwanzigmal.

»Achtung, ohne Tritt, im Gleichschritt – marsch«, ertönte das nächste Kommando, und die ganze Truppe joggte hinter ihrer Anführerin her und verschwand im Wald.

»Hast du das auch gesehen, oder habe ich Halluzinationen?«

Erschrocken fuhr ich zusammen. Ich hatte vor lauter Faszination Len gar nicht bemerkt.

Ich zwinkerte und rieb mir die Augen.

»Ganz sicher bin ich mir auch nicht, ob das nicht ein besonders lebhafter Tagtraum war«, antwortete ich. »Sieht aus wie eine amerikanische Erfindung. Die nennen es wahrscheinlich Buggyfit oder Powerpramming, weil du mit echter Power den Kinderwagen schiebst.«

»Ach, weißt du«, seufzte Len, »mich würde es nicht überraschen, wenn ein Engländer auf diese Idee gekommen wäre. Immerhin ist es etwas Neues, und Abwechslung ist das Gewürz des Lebens, wie es so richtig heißt. Meistens ist es doch immer nur derselbe alte Trott, findest du nicht?«

»Und täglich grüßt das Murmeltier«, seufzte ich.

»Genau«, erwiderte Len. »Und ich spiele jeden Tag die Hauptrolle. Deshalb packe ich meine Siebensachen, ich gehe weg, probiere mal was anderes.«

»Das ist doch nicht dein Ernst, Len. Du kannst deine Hunde doch nicht im Stich lassen. Und was wird aus deiner Weltumradelung?«

»Die kann ich von jedem anderen Wohnzimmer aus fortsetzen. Und was die Hunde angeht, so verschone mich bloß damit. Neuerdings musst du eine Prüfung ablegen, bevor du Hunde ausführen darfst, die nicht dir gehören. Als Nächstes verlangen sie ein polizeiliches Führungszeugnis, um sicherzugehen, dass du die Hunde nicht missbrauchst. Ist wahrscheinlich wieder so eine europäische Wahnsinnsidee. Wir hier sind viel zu nüchtern, sachlich und pragmatisch, um auf solche Einfälle zu kommen.«

Ich biss mir auf die Zunge und ließ ihn weiterreden.

»Du weißt ja, dass mein Herz der Dampfeisenbahn gehört. Wenn du einmal Heizer warst, dann hast du den Kohlestaub im Blut und die Glut im Herzen. Und wie der Zufall es will, hat sich eine Job-Möglichkeit ergeben.«

»Als Heizer? Wo denn? In der indischen Provinz?«

»Nein, in Darlington, oben im Norden. Auf der Tornado. Sie ist eine absolute Schönheit: 160 Tonnen, 100 Meilen pro Stunde, 3000 PS, angefeuert mit Kohle aus Yorkshire, Wasser aus Durham und ehrlichem britischem Schweiß. Und was am schönsten ist: Sie ist brandneu. Die erste Dampflok, die wir Briten seit sechzig Jahren gebaut haben. Wir sind wieder Weltspitze.«

Er sah derart selbstzufrieden drein, dass er es nicht sarkastisch gemeint haben konnte. Nur Briten kamen auf die Idee, in einer Zeit der Hochgeschwindigkeitszüge und Magnetschwebebahnen nahtlos wieder an das Zeitalter Stevensons anzuknüpfen. Wie hatte Len gesagt? Pragmatisch, nüchtern, sachlich.

Achtzehn Jahre lang, so erzählte er mir, hatten Dampflok-Enthusiasten aus dem ganzen Land Geld gesammelt, bis die drei Millionen Pfund für die Lok zusammengetragen waren. Und jetzt brauchte man einen Heizer, der etwas von seinem Gewerbe verstand.

»Sie ist der Nachbau einer A1 Peppercorn«, rief er aus. »Die habe ich damals noch gefahren. Ein Traum. Und ich komme aus diesem fürchterlichen London weg. Jetzt, wo West Ham abgestiegen ist, da ist mir die Stadt sowieso verleidet.«

»Was, West Ham ist abgestiegen?«, heuchelte ich Bestürzung. Seit unserem gemeinsamen Ausflug ins Stadion war meine Begeisterung für Fußball wieder auf ihr früheres Maß geschrumpft. »Und wer ist Meister?«

»Die Gunners, die Wichser. Ausgerechnet Arsenal.«

Mein Gott, Arsenal. Mäuers Verein. Ich sah auf die Uhr. Wenn ich ihn mit seinem Brunch nicht warten lassen wollte, dann musste ich los.

Ganz schlecht sollte der Tag wohl doch nicht werden, denn ich war schon eine Stunde später in Mayfair, ein Rekord. Sehr viel nobler kann man in London eigentlich nicht absteigen. So viele Edelboutiquen und Luxusgeschäfte pro Quadratmeter gibt es nicht einmal in Schanghai oder New York, und von Mäuer war bekannt, dass ihm Luxus nicht gleichgültig war, vor allem dann, wenn der Verleger dafür aufkam. Mich hatte im Grunde genommen nur überrascht, dass sich Mäuer nicht im berühmten Claridge's einquartiert hatte, sondern im vergleichsweise neuen Millennium-Hotel am Grosvenor Square.

Grosvenor Square ist einer jener Plätze, die Freunde Londons immer als Beweis für ihre Behauptung heranziehen, dass es in dieser Stadt sehr wohl Ansätze zu einer städtebaulichen Planung nach Art und Vorbild des eleganteren Paris gegeben habe. Denn im Großen und Ganzen haben die Briten ihre Hauptstadt unkontrolliert wuchern lassen, wie sie das einem Garten nie durchgehen ließen.

Doch der Grosvenor Square gehört zu jenen Schmuckstücken, wo klassisch strenge Fassaden ein Rechteck umschließen, in dessen Mitte ein umzäunter kleiner Park angelegt wurde. Das Ensemble erinnert entfernt an das berühmte Pariser Vorbild der Place des Vosges, erweckt aber einen anheimelnderen, ja fast wohnlichen Eindruck. Dazu trägt nicht unwesentlich die Tatsache bei, dass nur die Anrainer einen Schlüssel für das Gartenareal besitzen, die Parkanlage mithin so etwas wie ein Familiengärtchen ist.

Freilich ist der Grosvenor Square im Vergleich zu anderen Plätzen dieser Art eine oder auch zwei Nummern größer ausgefallen. In ihrem Hang zum Megalomanen bestärkt, klotzten die Amerikaner am Westende des Platzes ihre Botschaft hin, die sich nicht unbedingt elegant in das architektonische Ensemble des Platzes einfügt. Sie sieht eher aus wie ein eckiges Containerschiff, das in einem Segelclub vor Anker gegangen ist.

Das Millennium-Hotel thront an der Südflanke des Platzes. Hohe Bäume verdecken gnädigerweise den Blick aus den besseren Zimmern hinüber zur Botschaft. Als ich zum Eingang hinaufging, versuchte gerade eine Doppelgängerin von Glen Close in der Rolle Cruella de Vils einen Dalmatiner zum Einsteigen in einen Bentley zu bewegen. Amüsiert sahen zwei muskulöse junge Männer mit verspiegelten Sonnenbrillen und New-York-Yankees-Baseballmützen herüber, die um den Park herum joggten.

Seit einigen Jahren zieht der Platz auch Russen an, denen ähnlich wie den Amerikanern ebenfalls ein Hang zum Größenwahn nachgesagt wird, und dies nicht erst, seit der Kapitalismus bei ihnen Einzug gehalten hat. Eine meiner lebhaftesten Erinnerungen an Intourist-Hotels verbindet sich mit der russischen Version der Minibar: ein Kühlschrank von industriellen Ausmaßen mit einem Brummen wie von Iwan Rebroff. Man hätte spielend eine Schweinehälfte darin lagern können, vor allem deshalb, weil er leer war. Getränke und Knabberwerk musste sich der Gast in der alten Sowjetgastronomie schon selber mitbringen.

Das Millennium-Hotel war in Verruf geraten als einer jener Orte, an dem Kremlagenten einem russischen Regimekritiker Plutonium in den Afternoon Tea gekippt hatten. Noch Wochen später hatte man an allen möglichen Orten – Kissenbezügen, Teetassen, Kaffeelöffeln – strahlende Flecken entdeckt, die sich auch mit Meister Proper nicht entfernen ließen. Die Aussicht, ausgerechnet an diesem Ort einen Brunch einnehmen zu müssen, erhöhte weder meinen Appetit noch meine Vorfreude.

Ich durchquerte die Lobby, betrat das Café und sah mich um. Von Mäuer keine Spur, dafür überall Holz, Leder und Naturstein. Gediegen, wie man in Deutschland wohl dazu sagen würde. Ich habe mich immer gewundert, dass ausgerechnet jene Materialien in unseren Gesellschaften als edel gelten, mit denen schon in der Steinzeit die Frauen die Höhlen herausgeputzt haben – hier eine Mammuthaut, dort ein Eichenblock und dazwischen ein paar matt glänzende Faustkeile.

»Pünktlichkeit ist die Höflichkeit der Könige«, dröhnte plötzlich Mäuers Stimme an mein Ohr. »Und die der Premierminister. Schön, dass Sie pünktlich sind. Lassen Sie uns schnell einen Happen essen, dann können wir uns noch Prime Minister's Question anschauen, bevor wir in die Downing Street fahren. Ich kann es kaum erwarten. Und Sie?«

»Aufgeregt. So aufgeregt war ich nicht mehr seit dieser Pressekonferenz mit Saddam Hussein.«

Mäuer blickte mich nachdenklich an.

»Sie werden doch wohl hoffentlich keine Parallelen ziehen wollen. Dass Sie mir keinen Skandal machen. Alles an seinem Ort. Aufklärungsjournalismus und Interviews passen nicht zusammen.«

In seinem Dreiteiler aus feinem Zwirn passte Mäuer zu den anderen Gästen im Restaurant: meist junge Männer in Brioni oder Armani, die allzeit wachsamen, hungrigen Augen unverwandt auf den Bildschirm des Apple gerichtet, der aufgeklappt vor ihnen stand und Kaffeetassen und Toastständer an die Tischkante drängte.

Mäuers Hemd hatte dieselbe kräftige Rosafärbung wie sein Gesicht. Die Krawatte indes, schwarze Streifen auf orangefarbenem Grund, passte zu beidem nicht. Dennoch schien er gerade auf den Schlips stolz zu sein, denn er zupfte ständig an ihm herum. Briten lieben solche Krawatten, nicht so sehr wegen der Muster und der Farben (die auf der Insel einheitlich abschreckend sind), sondern weil sie die Zugehörigkeit zu einem bestimmten Club, einem Regiment, einer Schule oder einer Universität signalisieren. Ein Blick genügt, und schon weiß der Mann der britischen Oberklasse, aus welchem Stall der andere kommt.

Inzwischen war das Frühstück serviert worden, und zu meinem grenzenlosen Erstaunen hatte Mäuer Marmite für seinen Toast bestellt. Als er den Hefeextrakt nicht etwa hauchdünn, sondern fast schon fingerdick auftrug, überkam mich ein leichter Anflug von Übelkeit. Aber die Geschmacksnerven eines Mannes, der Fisherman's-Friends-Pastillen mit Salmiakgeschmack lutschte, waren vermutlich schon ähnlich abgenutzt wie die Bremsbeläge meines Jaguars.

Ich deutete mit dem Kaffeelöffel auf seinen Toast.

»Kommt selten vor, dass einem Nichtbriten Marmite schmeckt.«

»Ich bin verrückt danach. Im Vergleich zu dem, was es sonst in meiner Schulkantine gab, ist Marmite eine Delikatesse erster Ordnung.«

Ohne zu kauen, ließ er das Toast-Dreieck in seinem Schlund verschwinden.

»Sollen wir noch mal die Fragen durchgehen?«, schlug ich vor.

»Ach, ich weiß nicht. Ich finde, wir sollten das Interview beim Ohr spielen.«

»Was spielen wir?«

»Beim Ohr, beim Ohr. Kennen Sie nicht diese Redewendung? Bedeutet so viel wie improvisieren. Und der PM stellt sich sowieso unmittelbar vor unserem Treffen den Fragen der Opposition im Unterhaus. Da sollten wir ganz schnell reagieren können.«

Er sprach PM aus wie Pie Ämm.

»Aber zumindest bleibt es dabei, dass wir abwechselnd fragen: erst Sie, dann ich«, vergewisserte ich mich.

»Richtig. Ich frage, und Sie geben mir die Stichworte.«

Unruhig drehte er sich plötzlich zum Nebentisch um.

»Sagen Sie mal, Sie verstehen doch diese abstrusen Sprachen. Ist das Russisch, was die dort drüben sprechen?«

Ich spitzte meine Ohren. Ja, allem Anschein nach erzählten sich die drei Männer schmutzige Witze. Ihre Anzugjacken waren aus gutem Tuch, aber ein klein wenig zu weit geschnitten. Und alle drei hatten einen goldenen Siegelring am kleinen Finger stecken.

»Dachte ich mir doch.« Mäuer rutschte nervös auf seinem Stuhl hin und her. »Lassen Sie uns lieber gehen. Man weiß ja nie, mit Russen in diesem Hotel. Und ich habe meinen Geigerzähler oben im Zimmer liegenlassen.«

»Sie haben einen Geigerzähler mit dabei?«

»Selbstverständlich, was denken Sie denn. Ich habe schließlich Ihre Berichterstattung über den Mord an dem Dissidenten gelesen. Und der ›Inspector EXP‹, den ich mir angeschafft habe, ist wirklich der beste auf dem Markt. Der schlägt nicht nur bei Strahlung an. Der entdeckt auch Edelgase.«

Unser Termin war für den frühen Nachmittag angesetzt. Zuvor musste der Regierungschef noch Prime Minister's Question bestehen, die wöchentliche Fragestunde im Unterhaus. Nun haben auch andere Parlamente Fragestunden, aber keine kann es in puncto Unterhaltungswert und Grausamkeit mit der britischen Variante aufnehmen. Das eine ergibt sich aus dem anderen – für die Zuschauer. Das Publikum bei römischen Gladiatorenspielen mag ähnliche Emotionen durchlebt haben.

Politik in Britannien ist direkter, persönlicher, brutaler und unversöhnlicher als auf dem Kontinent. Das schlägt sich unter anderem darin nieder, dass Regierung und Opposition im Parlament nicht lauwarm in einem kuscheligen Halbkreis aufgehen, sondern sich konfrontativ gegenübersitzen – zwei Schwertlängen voneinander entfernt. Zum anderen verlieren die Abgeordneten und Minister in Debatten schon mal gern die Contenance und werden persönlich.

Vielleicht, um die Schärfe dieser Attacken einigermaßen abzumildern, dürfen die Parlamentarier einander nicht direkt ansprechen, sondern müssen sich – immer an Mister Speaker gewandt – in der dritten Person und mit der Anrede »ehrenwerter Gentleman« oder »ehrenwerte Lady« titulieren – sosehr sie auch vom Gegenteil überzeugt sein mögen.

Weshalb aber eine Formulierung wie »Mister Speaker, weiß der ehrenwerte Gentleman eigentlich, was für eine verlogene, doppelzüngige, halsabschneiderische Politik er betreibt?« höflicher sein soll als ein direktes »Sie sind ein Lügner und ein Halunke!« erschließt sich nur Briten. Es ist wahrscheinlich alles eine Frage der Tradition.

Der Schlagabtausch zwischen Regierungs- und Oppositionschef findet an der sogenannten Dispatch Box statt, einem Möbel, das von Form und Umfang her an einen Sarkophag erinnert, in dem man den politischen Gegner am liebsten beisetzen würde. Zwischen den Kontrahenten liegt eine mächtige Streitkeule, die offenbar nur deshalb nie als Waffe eingesetzt wurde, weil sie aus Gold und daher zu schwer für einen untrainierten Politikerbizeps ist.

Unser Premierminister machte keine gute Figur. Wann immer er zur Antwort ansetzte, entwich seinen Lippen zunächst eine Abfolge stotternder »Miss, Miss, Miss, Miss, Miss«, die sich schließlich in den Worten »Mister Speaker« auflöste. Der wiederum blickte unverwandt auf die beiden Streithähne, sehr zum Missmut der Abgeordneten, die sich bemühten, seine Aufmerksamkeit auf sich zu ziehen, damit er ihnen Rederecht erteilte. Zu diesem Zweck erhoben sich einzelne Volksvertreter kurz von ihren Sitzen. Es sah aus, als ob ein paar Unverdrossene in einem Stadion eine La-Ola-Welle starten wollten, der sich niemand anschloss.

Der Premierminister vermochte ebenfalls keinen Ruck durch die Reihen seiner Fraktion auszulösen. Er wirkte merkwürdig geistesabwesend, als ob er in Gedanken ganz woanders wäre. Wo, das war unklar, aber wahrscheinlich nicht bei seiner bevorstehenden Begegnung mit Mäuer und mir.

»Vermaledeite IRA«, fluchte Mäuer, als wir nach der Fragestunde und einem schnellen Sandwich aus dem Taxi stiegen. »Bevor die eine Rakete auf Maggie Thatcher abgefeuert haben, konnte man im Auto direkt vor der Haustür von Number Ten vorfahren. Das hatte Stil. Aber jetzt ...«

Er deutete auf die Baracke des Sicherheitspersonals, die hinter dem schmiedeeisernen Tor zur wohl berühmtesten Adresse Großbritanniens errichtet worden war.

»Bloody Checkpoint Charlie. Ich sehe da keinen Unterschied zu DDR-Zeiten.«

Den sah ich freilich schon, zumal kein DDR-Grenzer einen Westler jemals mit Sir angesprochen hatte. Außerdem dauerte es keine zwei Minuten, bis unsere Namen auf einer Liste gefunden und wir durch die Metallschranke gegangen waren.

»Ach«, seufzte Mäuer und reckte sich, »hier fühlt man doch die Hand der Geschichte auf der Schulter ruhen. Fühlen Sie sie nicht auch?«

»Ja«, murmelte ich. »Mehr auf der linken als auf der rechten.«

Aber Mäuer hörte mich nicht, weil er schon die schwarze Tür mit der silbernen Nummer zehn und dem massiven Türklopfer aus Messing erreicht hatte. Es ist die am häufigsten polierte Haustür im ganzen Land, und deshalb kann man sich tatsächlich in ihr spiegeln. Das Gesicht wirkt vor dem schwarzen Hintergrund zwar blass und leicht ins Grünliche changierend. Man sieht elend aus wie nach einer durchzechten Nacht, aber man sieht genug, um sich zu vergewissern, dass die Krawatte richtig sitzt und man sich nicht mit dem Frühstücksei bekleckert hat, bevor man anklopft.

Letzteres ist freilich gar nicht nötig. Mäuer hatte noch nicht einmal die Hand gehoben, als sich die Tür öffnete und uns ein Sicherheitsbeamter ins Vestibül bat. »You are the Germans«, stellte er fest, ohne den Blick von einer Kladde zu heben, auf der er zwei Häkchen machte. »Wenn Sie bitte hier warten wollen.«

Mich erinnerte die Eingangshalle zum Amtssitz des britischen Premierministers an die Rezeption von Fawlty Towers, dem höllischen Hotel aus der gleichnamigen Comedy-Serie mit John Cleese: ein Hauch von altem Glanz und Prätentionen, die sich nicht mehr so ganz mit der heutigen Realität deckten. Das Parkett knarrte und knirschte, die Teppiche waren abgetreten und verblasst, die Bilder an den Wänden lieblos und nach dem Zufallsprinzip ausgesucht. In einer Ecke hatte sich ein Kleiderständer verkrochen, an dem allem Anschein nach noch immer Harold Wilsons Regenmantel darauf wartete, abgeholt zu werden.

Wir hatten freilich nicht viel Zeit, uns umzusehen. Vor uns stand ein elfengleiches Mädchen, das nicht älter als neunzehn Jahre sein konnte und sich aus der Luft materialisiert zu haben schien.

»Hi, ich bin Debbie, die persönliche Assistentin des PM.«

»Er hatte schon immer eine Vorliebe für junges Gemüse«, knurrte Mäuer, als wir unter den strengen Blicken früherer Premierminister die mit Fotos und Gemälden vollgehängte Treppe in den ersten Stock hochgingen.

Wir hielten vor einer weiß lackierten Flügeltür. Debbie klopfte und stieß, ohne lange zu warten, mit großer Geste beide Türflügel auf.

»Die Deutschen sind da«, verkündete sie.

Der Premierminister erhob sich bei unserem Eintreten von seinem Schreibtischstuhl. Er wirkte größer als im Fernsehen, oder besser gesagt voluminöser. Es schien, als ob er von einer Aura umgeben sei, die mehr Raum verdrängte, als es von seinen Körpermaßen her gerechtfertigt gewesen wäre.

Ich senkte meinen Kopf knapp zu einem braven Diener, wie ich es im Kommunionsunterricht gelernt hatte, und erwartete eine ähnliche Höflichkeitsbezeugung von Mäuer. Stattdessen stieß mein Chefredakteur einen schrägen Laut aus, der irgendwo zwischen einem Jodler und jenem Geräusch angesiedelt war, das entsteht, wenn man auf eine Katze tritt.

»Platypus, alter Knabe«, rief er. »Long time, no see. Aber du hast dich gut gehalten.«

Die beiden Männer gingen aufeinander zu, ballten die rechte Hand zu Fäusten und schlugen sie aneinander. Dann ergriffen sie sich an der Hand, drehten sich um die eigene Achse und verpassten einander einen spielerischen Schubs mit den Hinterteilen. Zunehmend sprachlos verfolgte ich, wie sie nun eine Art von »Wuh-wuh-wuh«-Kriegsruf ausstießen. Dann ging der Premierminister in die Hocke, und Mäuer sprang über seinen Rücken, eine Übung, die sie dann mit vertauschten Rollen wiederholten.

Schwer atmend richteten sie sich wieder auf und blickten einander an.

»Ich sehe, dass du nichts vergessen hast, Humpty Dumpty. Geschmeidig wie in alten Zeiten.«

Ich fühlte mich zunehmend überflüssig und hoffte bereits, dass die beiden mich vergessen hatten, als sie sich lachend zu mir umdrehten.

»Ich glaube fast, wir schulden deinem Mann eine Erklärung«, lächelte der Regierungschef.

»Oh, machen Sie sich keine Sorgen um mich«, krächzte ich. »Ich gehe davon aus, dass die beiden Gentlemen sich von früher kennen.«

»Wir sind auf dieselbe Schule gegangen«, bestätigte Mäuer und schwenkte seine Krawatte. Die des Premierministers hatte dasselbe grässliche Muster.

»Humpty Dumpty hat für mich gefagt«, prustete der Regierungschef. »Fagging. Das kennen Sie doch? Er war mein Bursche fürs Grobe. Was habe ich dich nicht alles für Dreckarbeit verrichten lassen. Erinnerst du dich noch, als ...«

»Wasser unter der Brücke, vergessen, vorbei«, unterbrach ihn Mäuer. Er errötete sogar ein wenig.

»Wir haben ihn Platypus genannt, weil er schon immer wie ein Schnabeltier aussah«, erklärte er mir und nickte zum Pie Ämm hinüber.

»Ja, und Humpty Dumpty heißt wegen seines Nachnamens so«, warf der Premier ein. »Mäuer, die Mauer, Humpty Dumpty fell off a wall. Und eiförmig warst du ja schon immer.«

Der Premierminister sah auf die Uhr.

»Wir sollten langsam los. Willst du zu Fuß hinüberbummeln? Ist ja nicht weit, wenn wir den Hinterausgang nehmen und durch den Park gehen.«

Ich hatte den Durchblick längst völlig verloren. Was war aus dem Interview geworden? Warum konnten wir es nicht hier an Ort und Stelle führen? Mäuer musste meine Verwirrung gespürt haben.

»Das Interview ist schon erledigt. Der Herr Premierminister hat die Fragen schriftlich beantwortet. Sie können sich das Manuskript draußen bei seiner Assistentin abholen.«

»Jetzt wird es aber langsam wirklich Zeit«, drängte der Premier.

»Wo gehen wir denn hin?«, wagte ich endlich zu fragen.

»Sie holen das Interview, und dann können Sie sich den Tag freinehmen«, beruhigte mich Mäuer. »Der Pie Ämm und ich müssen noch einen kleinen Besuch abstatten, drüben im Palast.«

»Im Palast? In welchem Palast?«

»Buckingham Palace, den kennen Sie doch. Platypus war so nett, eine Begegnung mit der Queen zu arrangieren. Ich hatte Ihnen doch gesagt, dass ich gerne ein wenig länger mit ihr geplaudert hätte.«

Er grinste diabolisch.

»Sie müssen da nicht mit. Ich weiß doch, wie unangenehm es ist, wenn man von seinem Chef zu Terminen mitgeschleppt wird.«

Er stand auf, zog den Krawattenknoten fest und knöpfte sein Jackett zu. Der Premierminister hatte schon die Hand auf der Türklinke.

»Wollen wir, Humpty Dumpty?«, fragte er.

»Yes, Prime Minister.«

UNDERGROUND